*DuMont Dokumente:*

Eine Sammlung von Originaltexten
Dokumenten und grundsätzlichen Arbeiten
zur Kunstgeschichte, Archäologie,
Musikgeschichte und Geisteswissenschaft

Hans Eckstein

# Die Romanische Architektur

## Der Stil und seine Formen

DuMont Buchverlag Köln

Auf der Umschlagvorderseite: Vézelay, Blick von der Vorhalle zum Mittelschiff
(Foto: Gerhard Uhlig, Wuppertal-Elberfeld)
Auf der Rückseite: Köln, Sankt Gereon, Krypta (Foto: Karl-Hugo Schmölz, Köln)

© 1975 Verlag M. DuMont Schauberg, Köln
© 1977 DuMont Buchverlag, Köln
Alle Rechte vorbehalten
5. Aufl. 1986
Druck: Rasch, Bramsche
Buchbinderische Verarbeitung: Bramscher Buchbinder Betriebe

Printed in Germany   ISBN 3-7701-0817-5

# Inhalt

# Einleitung

Trotz aller Lichtungen, die die historische Forschung in das dunkle Dickicht geschlagen hat, als das dem Zurückblickenden das Mittelalter erscheint, sind uns das Existenzgefühl und die Verhaltensweisen seiner Menschen, seine Sozialstruktur und deren Verquickung mit einer religiösen Vorstellungswelt noch immer recht befremdlich geblieben. Am leichtesten erschließen sich unserem Verständnis die Werke der darstellenden Kunst und der Architektur. Von ihnen sind auch manche Aufschlüsse über das Verhalten des mittelalterlichen Menschen zu seiner materiellen und geistigen Umwelt, über die kulturellen, politisch-gesellschaftlichen Zustände zu erhalten, wie umgekehrt aus diesen manche Eigenart der Bauwerke verständlich wird.

Jedes Bauwerk hat nicht nur seine Geschichte. Es präsentiert auch Geschichte, bringt ein Stück Geschichte in den Blick. Es ist ja in seiner Zeit und in der Kulturlandschaft, aus der es herausgewachsen ist, kein völlig isoliertes Phänomen. Welchen gewiß oft recht heterogenen Anlässen und Antrieben, welchen mehr oder weniger zufälligen Umständen es seine Entstehung verdanken mag, immer ist es einer Tradition verhaftet, die sowohl auf einem von Generationen erarbeiteten kollektiven technisch-konstruktiven Wissen und Können wie auf Gewohnheiten des Sehens und Empfindens beruht. Diese Tradition ist es, die den Bauwerken einer Epoche die gemeinsamen Eigentümlichkeiten gibt, die wir zusammenfassend den Zeitstil nennen, an dessen Bewahrung oder Entwicklung alle Bauten der Epoche teilhaben.

Wie alle Geschichtsschreibung strebt auch die Architekturgeschichte danach, das Einzelne einem Allgemeinen einzuordnen, d. h. den Ort zu bestimmen, den ein Bauwerk in dem anscheinend so kontinuierlichen Verlauf der Geschichte einnimmt, und zu ergründen, welche führende oder abseitige Rolle es für die Entwicklung des Zeitstils spielt. Je besser man aber den Gestaltenreichtum eines Stils, im besonderen die Vielheit seiner regionalen Besonderheiten, kennenlernt, desto mehr Zweifel stellen sich ein, ob der Stilentwicklungsprozeß sich tatsächlich so gleichzeitig und gleichmäßig im gesamten Abendland vollzogen hat, wie das zunächst erscheinen mag und wie es in mancher Stilkunde dargestellt ist. Gewiß sind den Bauten der romanischen Epoche viele Formen gemeinsam, wodurch sie sich von Bauten der frühchristlichen und der gotischen Epoche unterscheiden. Es gibt jedoch auch sehr viel sehr Unterschiedliches, und gerade die Besonderheiten sind für den Charakter der Bauwerke oft entscheidender als die Gemeinsamkeiten mit allen anderen Werken des romanischen Stils. So treten gleichartige Formen und Gliederungselemente wie Rundbogen, Wandpfeiler, Wandsäulen, Arkaturen, Blendbögen, Bogenfriese usw. im westlichen, östlichen und südlichen Abendland auf. Dennoch hat die romanische Architektur im Westen, Osten und Süden einen ganz verschiedenen Charakter. Denn diese Formen sind im Westen, Osten und Süden in ganz verschiedener Weise dem Bau verbunden. Es offenbart sich darin ein architektonisches Denken und Empfinden so gegensätzlicher Natur, daß nicht alles, was in der romanischen Epoche entstanden ist, im selben Maß und Sinn ›romanisch‹ ist. Das hat auch Henri Focillon hervorgehoben. Sehr treffend hat Ernst Gall bemerkt, es zeige sich im Westen ein »völlig anderes Gefühl für die Durchbildung architektonischer Gliederung. Dort (im Osten) wird der ganz als Masse empfundene Raum in ruhige Flächen gespannt... in Frankreich ist ... alles aktiv belebt; es sind körperlich differenzierte Gebilde vorhanden, die plastisch geformt in Aktion treten«. Gall sagt das mit Bezug auf die frühgotische Architektur zwischen Rhein-Maas und Seine. Es läßt sich aber diese Gegensätzlichkeit des architektonischen Empfindens schon im 11. Jahrhundert und über das 13. hinaus feststellen und eine ähnliche zwischen der Architektur des Westens und des Südens (Italiens). Sie überdauert alle Stilphasen der romanischen und noch der gotischen Architektur, ist also nicht durch ein in verschiedenen geographischen Räumen unterschiedliches Tempo der Entwicklung bedingt. (Daß es sich bei den späteren Stilen ähnlich verhält, sei am Rande bemerkt.)

Die Entwicklung der Bauformen ist eben nicht von einer überall dem selben Ziel zustrebenden gleichmäßig flutenden Strömung getragen. Sie vollzieht sich vielmehr in mehreren, aus verschiedenen Quellen gespeisten, wenn auch mehr oder weniger parallel verlaufenden Strömen, und es gibt zwischen ihnen auch Wasserscheiden, so daß nicht alle Entwicklungsströme in dem selben End- und Höhepunkt münden. Es sind zwar allen romanischen Bauten viele Formen gemeinsam. Sie bilden jedoch mehr nur das Vokabular des Zeitstils. Dieses Vokabular ist allgemein abendländisch. Die Syntax jedoch ist das nicht. Deshalb ist die romanische Architektur zur gleichen Zeit in verschiedenen Teilen des Abendlands verschieden. Sie ist sogar zu allen Zeiten verschiedenen Wesens. Gleichartige Formen, Ornamente, Techniken machen die Architektur im Westen, Osten und Süden nur so viel und so wenig miteinander verwandt wie etwa eine analoge Struktur der Grammatik die französische mit der deutschen Sprache.

Wölfflin spricht von bestimmten ›optischen‹ Möglichkeiten, an die jeder Künstler gebunden, in die jedes Zeitalter gebannt sei. Daher sei »nicht alles zu allen Zeiten möglich«. In der Architekturgeschichte sind diese Schranken bestimmte intellektuelle und sinnliche Verhaltensweisen gegenüber der zur Erfüllung gewisser Funktionen zu gestaltenden Materie, d. h. zu Mauer, Wand und Raum. Befragen wir die romanischen Bauten danach, so erkennen wir sehr bald, daß diese Verhaltensweisen nicht nur in verschiedenen *Zeiten* unterschiedlich sind, sondern mehr noch durch den *geographischen Raum*, in dem sie in die Erscheinung treten. Es ist also auch nicht alles an jedem Ort möglich.

Gall hat in der oben zitierten Feststellung eines unterschiedlichen architektonischen Empfindens zwischen Osten und Westen gemeint, dieser Wechsel trete »beim Überschreiten der Sprachgrenze« ein. Das trifft jedoch nicht zu. Die Stilgrenze fällt mit der Sprachgrenze nicht zusammen – fast möchte man sagen: seltsamerweise nicht. Sie verläuft vielmehr, was in unsrer Darstellung noch zu zeigen sein wird, mitten durch das französische Sprachgebiet. Auch im Süden fällt die Stilgrenze nicht mit der zwischen germanischen und romanischen Idiomen zusammen. Die architektur-stilistische Geographie ist eine andere als die linguistische, eine andere auch als die politische.

Die Ursachen des andersartigen architektonischen Empfindens in der Verschiedenheit der Rassen und Völker zu suchen, liegt nahe. Es ist unvorstellbar, daß ethnische Eigentümlichkeiten sich nicht auch in der Gestalt von Bild- und Bauwerken ausgeprägt haben sollten. Wir dürfen gewiß sein, daß das der Fall ist. Sie sind allerdings nicht immer ganz eindeutig erkennbar, da sie von den kulturellen überdeckt werden und von diesen nicht zu abstrahieren sind. Zwischen dem architektonischen Denken und Empfinden und den Rassen und Völkern sind Zusammenhänge jedenfalls nicht klar erkennbar. Ein Beispiel sei herausgegriffen. Im Reich der in Nordfrankreich seit dem Vertrag von Saint-Clair-sur-Epte (911) zivilisierten (das heißt in diesem Falle aber auch romanisierten) normannischen Piratenstämme entstanden Bauten mit kraftvoll durchgliederten Wänden, die mit den Worten von Gall »aktiv belebt« und »körperlich differenzierte Gebilde« sind (Mont Saint-Michel, Jumièges, Caen etc.), nach der Eroberung Englands auch dort; die ältere angelsächsische Kultur wurde mit missionarischer Rigorosität von den Normannen unterdrückt. Die Normannenbauten in Süditalien (Siponto, Barletta, Trani, Ruvo, Bari, Matera, Cefalù etc.) sind aber trotz aller Anlehnungen an die westlich-normannische Architektur von einem radikal anderen Geist und Empfinden geprägt, nämlich von dem selben, der sich in Bauten der nördlicher gelegenen Landschaften Italiens manifestiert hat (San Michele in Pavia, Duomo von Assisi usw.), was das grundsätzliche Verhalten zu Mauer, Wand und Raum betrifft. Die möglichen Ursachen für die so unterschiedlichen intellektuell-sinnlichen Verhaltensweisen zu Mauer, Wand, Raum, die verschiedene romanische Stilarten (nicht nur regionale ›Schulen‹, sondern diese übergreifende über weite geographische Räume des Abendlands verbreitete Stilarten) haben entstehen lassen: einen westromanischen, ostromanischen und südromanischen Architekturstil, bleiben jedenfalls in einem kaum zu erhellenden Dunkel. Es scheint schlechthin unerklärbar zu sein, wie diese Sonderstile sich haben bilden, vor allem, wie die sie bedingenden gegensätzlichen geistig-sinnlichen Verhaltensweisen zu Mauer, Wand und Raum sich innerhalb des durch eine feodal und imperial organisierte klerikale Macht geeinten Abendlandes mit der selben stupenden Beharrlichkeit wie sonst nur sprachliche Idiome durch Jahrhunderte haben erhalten können – trotz eines regen Gedanken- und Erfahrungsaustauschs und trotz weit umherreisender ambulanter Handwerksgemeinschaften.

Diese Gegensätzlichkeiten des architektonischen Denkens und Empfindens und die Auswirkung, die sie in der Gestalt der romanischen Architektur gefunden haben, ist das eigentliche Thema dieses Buches. Der romanische Architekturstil wird als eine complexio oppositorum verstanden, d. h. als ein gegensätzliche Gestaltungstendenzen umschließender Zeitstil. Die unterschiedlichen Charakterzüge, die dieser Stil im Westen, Osten und Süden des Abendlands aufweist, werden nicht aus verschiedenen äußeren Bedingungen zu erklären versucht, so entscheidend auch sie stets gewesen sind, hauptsächlich für die Bildung regionaler ›Schulen‹, sondern aus inneren Bedingtheiten, d. h. als die Folge eines Verhaftetseins in bestimmten intellektuellen Vorstellungen und sinnlichen Empfindungen. So werden die Zusammenhänge zwischen Baugestalt und den sie auch bedingenden kulturellen Umständen, wie die jeweils in ihr wirksam gewordenen Einflüsse durch Vorbilder, an die man sich im einzelnen Fall anlehnte, mehr nur am Rande gestreift. Sie treten zurück vor einer Interpretation der Formen aus der Besonderheit des Verhaltens zu Mauer, Wand, Raum. So gesehen kann zum Beispiel ein Bau aus der zweiten Hälfte des 12. Jahrhunderts, der wie der von Maria Laach die ›schon‹ für den frühen ostromanischen Stil, den sog. premier art roman charakteristische Mauerflächengliederung ›noch‹ zeigt, deswegen nicht als ›rückständig‹ gelten. Denn er steht in einem radikal anderen Entwicklungsstrom als die gleichzeitigen westlichen Bauten. Umgekehrt ist Sankt Quirin in Neuß wegen der überreichen Mauerdekoration aus westromanischen Gliederungselementen keineswegs ein ›fortschrittlicher‹ Bau. Denn diese westromanischen Formen sind lediglich zu einem Oberflächendekor kompiliert. Die Mauer selbst aber ist in keiner Weise körperlich differenziert, strukturell durchgliedert wie bei den Bauten des Westens. Es sind eben, wie schon gesagt, nicht die einzelnen Formen, die einem Bauwerk seinen Charakter geben; es ist die Art ihrer Einbindung in das Bauganze. Anders und wiederholt gesagt: nicht schon das Vokabular gibt dem Bau seine Gestalt und seinen Charakter, sondern erst die Syntax.

Es ist hier der Versuch gemacht, das Wesen des romanischen Stils und die Eigenart seiner Bauwerke dem Auge durch eine Betrachtungsweise zu erschließen, die man vielleicht stil-geographisch nennen mag, obschon sie auch so wohl nur ungefähr definiert wäre. Es war allerdings eine stilgeographische Forschung, die vor Jahrzehnten den Antrieb zu dieser Betrachtungsweise gegeben hat: die Forschung von Puig i Cadafalch, mit der sich diese Arbeit auch kritisch auseinandersetzt. Weitere Anregungen – Ermutigungen und Bestätigungen – gaben vor allem die Arbeiten von Ernst Gall, Henri Focillon und die ›Europäische Kunstgeschichte‹ von Peter Meyer, in der nach Focillon auf die unterschiedlichen intellektuell-sinnlichen Verhaltensweisen, die in der romanischen Architektur zum Ausdruck gekommen sind, am nachdrücklichsten hingewiesen ist.

*Auf Abbildungen wird im folgenden Text durch Ziffern in eckiger Klammer hingewiesen, auf Textfiguren mit dem Zusatz ›Fig.‹*

# Die Stilbezeichnung ›romanisch‹

Die Bezeichnung ›romanisch‹ für die vorgotische Architektur begegnet uns zum erstenmal in einem Brief, den der normannische Natur- und Altertumsforscher De Gerville im Dezember 1818 an seinen Freund Le Prévot geschrieben hat: »Ich habe Ihnen gegenüber«, heißt es da, »einige Male von romanischer Architektur gesprochen. Das ist ein Wort eigener Prägung, um die unzutreffenden Bezeichnungen sächsisch und normannisch zu ersetzen. Jedermann wird zugeben, daß diese schwere und rohe Architektur opus romanum ist, durch unsere rüden Vorfahren denaturiert und allmählich entwürdigt. Damals bildete sich auch aus der in gleicher Weise verstümmelten lateinischen Sprache eine romanische. Sagen Sie mir bitte, ob mein Name ›romanisch‹ gut erfunden ist.«[1]

Fünf Jahre später hatte Arcisse de Caumont, damals noch vorwiegend Botaniker, De Gerville kennengelernt und bald darauf in seinem ›Essai sur l'architecture religieuse du moyen âge‹[2] den Ausdruck romanisch gebraucht. In den folgenden Jahren hat sich diese Bezeichnung bei dem hohen Ansehen, das Arcisse de Caumont als Gründer der Société française d'Archéologie (die seit 1834 besteht) genoß, schnell allgemein verbreitet. Schon 1839 finden wir die Stilbezeichnung auch in Deutschland. Dort erscheint sie zum erstenmal in C. Friedrich Waagens Beschreibung der Freiberger Goldenen Pforte. 1842 hat sie Franz Kugler in seinem Handbuch der Kunstgeschichte übernommen.

Man darf De Gervilles Frage an Le Prévot auch heute, so wenig wir seinen Werturteilen beipflichten, dahin beantworten, daß der Ausdruck romanisch recht glücklich gewählt ist. Während die Bezeichnung gotisch aus dem Irrtum der Renaissance entstanden ist, dieser Stil sei von den Goten geschaffen worden, beruht der Name romanisch auf einer richtig erkannten Analogie. Die in den Bereich der römisch-antiken Zivilisation eingefallenen, noch halb nomadischen, von reiterlichen Herrenschichten geführten Völker barbarisierten das antike Formengut, indem sie sich seiner bemächtigten. Die Sprache des Imperium Romanum erlitt in Gallien, Hispanien und Italien ein ähnliches Schicksal. Auch sie wurde barbarisiert.[3]

Die sprachlichen Neubildungen der romanischen Dialekte wurden eingeleitet durch die Degeneration des klassischen Latein. Es trat eine Verarmung des Vokabulars, ein Verfall des grammatikalischen Aufbaus und der Syntax, in der Phonetik eine Verschmelzung von Konsonanten, eine Verschleifung von Vokalen und eine Unterdrückung von Diphthongen ein. Dieser Prozeß steht offenbar im Zusammenhang mit dem allmählichen, seit der Mitte des sechsten Jahrhunderts fast vollständigen Verschwinden der senatorialen Herrenschicht, mit jener gesellschaftlichen Umschichtung also, die die Rückbildung der Städte zugunsten grundherrlicher Naturalwirtschaften zur Folge hatte. Auch der Klerus sprach und schrieb in Gallien bald kein korrektes Latein mehr. Ferdinand Lot erinnert an die kümmerlichen Versuche, die im siebten Jahrhundert der Bischof Dietrich von Cahors, ein Gallier von Geburt, machte, ein klassisches Latein zu schreiben.[4] Karl der Große bedurfte der Hilfe angelsächsischer und irischer Mönche, um in den geistlichen Schulen wieder ein korrektes Latein zu pflegen. Alcuin, das Haupt der Schule von York, trat 782 in Karls Dienst und stand alsdann der Palastschule vor, die fast nur von Geistlichen und von Aristokraten, die in höhere geistliche Ämter oder in die kaiserlichen Kanzleien strebten, besucht wurde. Karl der Große selbst konnte so wenig wie sein Vater Pipin schreiben. Nach Henri Pirenne fiel die karolingische ›Renaissance‹ mit dem totalen Analphabetentum der Laien zusammen, während unter den Merowingern das Latein zwar fehlerhaft gesprochen wurde, aber noch immer eine lebendige Sprache war, die Laien lesen und schreiben konnten. Höflinge, die das Latein beherrschten, wie Einhart, Nithard, Angilbert, waren zur Zeit Karls des Großen seltene Ausnahmen. Das Volk, auch der des Lesens und Schreibens unkundige Adel sprachen im 8. Jahrhundert längst nur noch die romanischen Dialekte und nördlich der Alpen, in den Ländern um Rhein und Maas germanische Idiome.[5]

Das Formengut der Antike unterlag einem ähnlichen Prozeß der Deformierung und einer kreativen Um- und Neubildung wie die lateinische Sprache. Auch die Rezeption antiker Formelemente ist mit Rückbildungen, einer Verarmung des Formenvokabulars, einem Verfall der klassischen Formengrammatik und Formensyntax, einer Verschleifung antiker Formelemente verbunden. Über den Säulenstellungen mit Kapitellen, die sich an antike Vorbilder anlehnen, unterbleibt die Ausbildung eines Architravs, wie in der Krypta von Saint-Germain in Auxerre (Yonne), oder der Architrav tritt nur noch als profilierter Sturz auf, wie in den Krypten von Saint-Laurent in Grenoble (Isère), von Saint-Paul in Jouarre (Seine-et-Marne) und in Quedlinburg (Sachsen-Anhalt) [118]. Man verzichtet darauf, das Auflager der Tonnengewölbe zu akzentuieren, wie in den Krypten von Saint-Médard in Soissons (Aisne), in Saint-Germain in Auxerre (Yonne) und in Saint-Martin-du-Canigon (Pyrénées-Orientales) [Fig. 3]. Durch Zusammenziehung von Architrav und Fries entstehen neuartige Kranzgesimsbildungen [4, 5]. Die antiken korinthischen, jonischen Voluten- und die Komposit-Kapitelle erleiden starke Rückbildungen und Verkümmerungen[6] [187, 189–192]. Ihre Proportionen und die der Säulen überhaupt unterliegen Veränderungen. In San Clemente in Tahull (Katalonien) treten am oberen Schaftende nur ein oder zwei Ringe mit Zahnschnitt auf, und zwischen Säule und Bogen ist nur eine Platte eingeschoben, eine konstruktive Notwendigkeit, die aber nicht zur Ausprägung einer spezifizierten Form geführt hat [Fig. 2]. In San Michele in Borgo in Pisa (Toskana) vermittelt zwischen Säulenschaft und Gewölbe nur eine mächtige Deckplatte. Auch in Saint-Philibert in Tournus (Saône-et-Loire) tragen die gemauerten Rundpfeiler kein Kapitell, sondern nur eine gedoppelte runde Deckplatte. In den Würfel- und Faltkapitellen ist der antike Formgedanke selbständig interpretiert. In allen diesen Formen ist die Herkunft aus der Architektur der Mittelmeer-Antike noch erkennbar, auch wenn sie nicht immer unter dem unmittelbaren Einfluß der klassischen Architektur des Imperium Romanum, sondern ihrer schon rebarbarisierten Formen des Orient, der Nova Roma, entstanden sind.

Nur in einstigen römischen Städten der Gallia Narbonensis haben sich die romanischen Formen häufig so stark an die römischen angelehnt, daß man fast von mehr oder weniger getreuen Kopien sprechen kann: bei provençalischen Portalen wie denen von Saint-Gabriel, einer Kapelle nahe von Arles und Saint-Rémy, und von Saint-Restitut (Drôme) [1], wie bei den Blendarkaden an der Apsis der Kathedrale von Cavaillon (Vaucluse) oder wie bei Gesims- und Kapitellbildungen bei dem ganz im Sinne antik-römischer Fassadenarchitektur empfundenen Portalvorbau von Saint-Gilles (Gard) [3]. Im allgemeinen aber sind die antik-römischen Formen vereinfacht wie am Vorhallenbau von Notre-Dame-des-Doms in Avignon, wo die Architravgestaltung bei römischen Tempeln, etwa der Maison carrée in Nîmes, in reduzierter Form wiederkehrt [4, 5].

Gewiß sind Analogien immer etwas vage. Doch läßt sich kaum leugnen, daß zwischen der Entwicklung der romanischen Formen und der romanischen Sprachen ein Ähnlichkeitsverhältnis besteht. Die geographischen Grenzen der romanischen Architektur fallen allerdings nicht mit denen der romanischen Sprachen zusammen. Romanische Architektur ist auch in germanischen Sprachgebieten entstanden und weit verbreitet. Deshalb sehen deutsche Kunsthistoriker De Gervilles Begriffsbildung öfter als wenig glücklich an. Georg Dehio meint sogar, die Analogie, auf die sich der Name romanisch stützt, enthalte mehr Falsches als Wahres und führe zu der »irrigen Nebenvorstellung, als ob der in Rede stehende Baustil wesentlich eine Schöpfung der romanischen Völker sei«. Was seine Entstehung betrifft, ist diese Nebenvorstellung zwar falsch – romanische Architektur ist auch im Bereich der germanischen Sprachen entstanden –, hinsichtlich der nicht nur reichsten, sondern auch reifsten Ausbildung des Stils, die die Entwicklung zur Gotik überhaupt erst ermöglichte, aber gewiß nicht.[7] Der Assimilationsprozeß, der die romanischen Dialekte hat entstehen lassen, hat zwar in der Welt der Sprachen im östlichen Abendlande nicht stattgefunden. In der Welt der Formen aber hat sich auch in rein germanischen und slawischen Sprachgebieten, wenn auch mit anderen Ergebnissen, der selbe Prozeß einer Neuschöpfung auf dem Trümmerfeld des antiken Imperium Romanum abgespielt, als dessen legitime Nachfolge ein germanischer Fürst, Otto I., der Große, seine Kaisermacht ansah. Wie die Apsis der Kathedrale von Vaison (Vaucluse) auf einem Fundament aus Säulentrommeln und -kapitellen zerstörter römischer Bauwerke errichtet ist, so bilden auch die Formen der römischen Architektur das Fundament der romanischen [2]. Sie tun es auch da, wo der Zusammenhang nicht so unmittelbar in die Erscheinung tritt wie bei vielen mittelalterlichen Bauten der einstigen Gallia Narbonensis.

# Die kulturellen, gesellschaftlichen, politischen Grundlagen

Man hat den Beginn der romanischen Architektur in Zusammenhang gebracht mit einem Bericht des burgundischen Chronisten Radulfus Glaber, die Welt habe nach dem Jahre Tausend wie auf Verabredung ihre alten Lumpen abgelegt und sich mit dem weißen Mantel der Kirchen bedeckt. Der Chronist weist mit dieser poetisch eingekleideten Bemerkung auf die um das Jahrtausend einsetzende rege Bautätigkeit hin, die uns auch durch überlieferte Gründungs- und Weihedaten bekannt ist und die Entwicklung und Verbreitung der romanischen Formen gewiß begünstigt hat, sie aber nicht hat entstehen lassen. Die Anfänge liegen weiter zurück, San Pietro in Agliate (Milano) zum Beispiel stammt aus dem neunten Jahrhundert.

Man hat gemeint, die chiliastischen Angstepidemien hätten diesen Baueifer um das Jahrtausend entfacht. Das ist aber wenig wahrscheinlich. Eine so große Bedeutung, wie diesen Epidemien von einer späteren romantischen Geschichtsschreibung beigemessen wurde, dürften sie kaum gehabt haben. Denn die Konzilien des zehnten Jahrhunderts haben sich mit ihnen nicht befaßt.

Für das Aufleben der Bautätigkeit um das Jahr Tausend gab es einen realeren wirtschaftlichen und politischen Grund: die allgemeine Konsolidierung und Befriedung des Abendlands. Auf ihn hat auch Henri Focillon hingewiesen.[8] Durch den Vertrag von Saint-Clair-sur-Epte (911) war die Zivilisierung der skandinavischen Piratenstämme gelungen, deren Raubzüge das Leben in den Küstengebieten und den Seehandel lange Zeit unsicher gemacht hatten. Mit ihrer Seßhaftmachung in der Normandie endete ihre Piraterie und begann ihre Romanisierung. Ihre Eroberungslust ist freilich geblieben. Nun aber eroberten sie als zivilisierte Christen Unteritalien, Sizilien und England. Die islamische Gefahr war seit 972 durch die erfolgreiche Gegenoffensive der provençalischen Grafen Wilhelm und Rubald gebannt, das Califat von Córdoba zerfallen, der größte Teil Spaniens an die römische Kirche angeschlossen. Das Mittelmeer, dessen westlicher Teil fast zu einem mohammedanischen See geworden war, wurde jetzt vom byzantinischen, genuesischen und pisanischen Handel beherrscht.[9] Im Osten brachte die Gründung der apostolischen Monarchie Ungarn die Befriedung. Die Gründung des ›Heiligen Römischen Reiches‹ durch König Otto I., die Wahl von Hugo Capet zum König eines einheitlichen, das ehemalige Franzien von Flandern bis zur Grafschaft Barcelona umschließenden Frankenreichs leiteten die politische Konsolidierung ein.

Zu den günstigen Vorbedingungen, die die Sicherheit vor Barbareneinfällen, ein freierer Handel über die Land- und Wasserstraßen und eine relative Stabilität der politischen Verhältnisse für das abendländische Leben schufen, kam als weiterer kulturfördernder Umstand die Entlastung des Adels von ökonomischen Sorgen durch das sich festigende Feudalsystem. Dadurch wurden Kräfte für außerwirtschaftliche, geistige Interessen frei. So kamen denn auch die Bischöfe und Äbte der Klöster aus dem neugebildeten Stand der Grundherren. Ihre Versippung mit dem Laienadel sicherte ihre gleicherweise geistige wie weltliche Macht. Die Klostergründungen und die kirchliche Bautätigkeit verdankten den weltlichen Grundherren eine kraftvolle Förderung.

Die Kirchenbauten sind daher auch nicht nur Denkmäler christlicher Frömmigkeit. Das sind sie freilich auch. Ihre aufwendige Pracht und ihre Größe, die das tatsächliche Raumbedürfnis oft weit überstieg, ist vor allem aus dem Repräsentationsbedürfnis der Stifter und eines herrscherlich organisierten Klerus und Mönchtums zu verstehen. Die Bauten repräsentierten nicht nur die geistige Macht des Christentums, sondern ebenso und mehr noch die Machtstellung des Klerus. Daß Kirchen für das Volk gebaut waren, ist eine romantische Vorstellung, die zum mindesten für die romanische Epoche mit der Realität nicht übereinstimmt. Die Kathedrale war das Haus des Bischofs und seiner Chorherren, die Abteikirche das Haus des Abtes und der ihm unterstellten Mönchsgemeinschaft. Der Klerus gehörte in seinen führenden Spitzen der Feudalgesellschaft an, und wie diese vom Ertrag ihrer Latifundien und von der Arbeitsleistung der leibeigenen Hörigen lebte, war die materielle Existenz auch der Geistlichkeit durch die Bewirtschaftung eines ausgedehnten kirchlichen Grundbesitzes gesichert, über den alle Bistümer, vor allem aber die Abteien verfügten. Wie sehr der Laienadel die Kirchen und Klöster als sein Werk und als Repräsentation seiner gesellschaftlichen und politischen Macht betrachtete, geht aus den beträchtlichen Stiftungen hervor, die er der Kirche machte. Schon aus diesem Grunde, nicht nur weil die Profan-Architektur nur selten in einem Zustande erhalten geblieben ist, der uns von ihr eine umfassende Vorstellung gewinnen lassen könnte, ist die Geschichte der mittelalterlichen Architektur vor allem Kirchenbaugeschichte.

Die Christianisierung des Abendlandes schuf sowohl den kulturellen Sockel, auf dem sich die romanische Architektur entwickeln konnte, als auch die machtpolitischen Grundlagen. Die in den historischen Raum der Antike eingedrungenen Barbaren trafen nicht nur auf eine wohlorganisierte intakte Zivilisation. Sie wurden zugleich mit einer Religion konfrontiert, die im Gegensatz zu allen paganen Kulten den Anspruch auf universale Geltung erhob. Ihrer missionierenden Aktivität hatten die jungen Völker nicht, wie die später über Hispanien bis nach Aquitanien eingedrungenen Araber, eine eigene lehrhaft geschlossene, auf Bekehrung gerichtete Religion entgegenzusetzen. Daher erlagen sie um so schneller der Werbekraft der christlichen Seligkeitsverheißung. Außerdem kamen der Aber- und Wunderglaube, dem die meisten Missionare anhingen, die Teufelsängste, von denen sie sich geplagt fühlten, und der Heiligenkult, der nun an die Stelle des Götterglaubens trat, der paganen religiösen Vorstellungswelt so sehr entgegen, daß es nur zu vereinzeltem Widerstand und nur zu gelegentlichen Morden an Glaubensboten gekommen ist, obwohl die Missionierung mit rigoroser Unduldsamkeit – auch gegen den Arianismus – durchgeführt wurde. Von Karl dem Großen sagt Christoph Dawson, seine Religion sei wie die des Islam eine Religion des Schwertes, seine Missionare seien eher Plünderer als Prediger gewesen.[10] Geschlossen und hartnäckig haben sich jedenfalls nur die Sachsen gegen den neuen Glauben gewehrt, so daß Karls des Großen Kriege gegen sie zu den ersten Religionskriegen des Abendlandes wurden, und in ihnen schreckte, nicht anders als bei den späteren Glaubenskämpfen (Albigenserkriege), ein militantes Christentum vor keiner Unmenschlichkeit zurück.[11]

Ende des siebten Jahrhunderts war die gallische Romania christianisiert. Es gab dort keine paganen, römischen und germanischen, Kulte mehr, zum mindesten keine organisierten. Ende des achten Jahrhunderts war auch Germanien im wesentlichen christianisiert.[12] Auch innerhalb des Christentums gab es keine Aufspaltung in sektiererische Kulte. Karl der Große hatte das weite, von ihm beherrschte Abendland zur Einhaltung eines einheitlichen Ritus gezwungen, indem er jede Nichtbefolgung und jede Abweichung von der von ihm für allgemein gültig erklärten Liturgie hart bestrafen ließ. So hat die Verbindung von Religion und Politik das Abendland zu einer großen christlichen, mehr noch kulturellen als politischen Einheit werden lassen.

Damit war eine kulturell-geistige Grundlage gegeben, auf der sich der erste abendländische ›Stil‹ entwickeln konnte, als den man im allgemeinen den romanischen ansieht. Doch das kulturell geeinte, in gleichen religiösen Vorstellungen lebende, zu den selben kultischen Riten verpflichtete Abendland umfaßte Völker allzu verschiedener Herkunft, Rasse, Wesensart, als daß die Architektur weniger vielgestaltig in die Erscheinung hätte treten können als die Idiome, die die Völker sprachen. Jedenfalls will jeder Versuch einer generellen Charakterisierung dieser Vielgestaltigkeit der romanischen Architektur, ihrer so verschiedenartig gestalteten Baukörper, Räume, Mauern, Wände, als ein vergebliches Bemühen erscheinen. Aus der Heterogenität der abendländischen Völker, ihrer Kultur und ihrer intellektuellen und sinnlichen Bildung mußten sich trotz im großen Ganzen gleichartiger praktischer und idealer Bedürfnisse auch in gleichen Zeiträumen eine Vielfalt der Baugestalten und Gegensätzlichkeiten im architektonischen Empfinden und Denken ergeben.

Vor allem entwickeln sich ›Stile‹ nicht temporal gradlinig. In der Geschichte der Formen, sagt Henri Focillon, gebe es keine homogenen Epochen. Es lebten nicht alle Regionen zur gleichen Zeit in der selben Epoche. So sei die Kunst der romanischen Epoche nicht notwendig auch romanische Kunst. In manchen Gebieten überlebe sie ihre Aktualität und verlängere der Konservativismus ihre Lebenskraft.[13] Deshalb sind romanische Formvorstellungen sogar bis in die gotische Epoche wirksam geblieben. Es wurden zwar gotische Formen verwendet. Sie wurden aber anders verstanden und in einem ihnen fremden Sinne verwendet, wie zum Beispiel in Bamberg die Turmgliederung von Laon aus einem ›verspäteten‹ Formempfinden gewissermaßen ins Früh- und Ostromanische zurückübersetzt worden ist [143–145]. Oder es werden spätere Gliederungsformen einer altertümlicheren Formensprache angeglichen, z. B. das eingestufte Portal oder das Fenstergewände mit Ecksäulchen der flach reliefierten Wandgliederung (Portale der apulischen Kathedralen von Trani und Ruvo [22], der Kirche Santa Maria della Piazza in Ancona [51], von San Michele in Pavia, Fenster des Chors der Schloßkirche von Wechselburg). So scheinen manche Gebiete der allgemeinen Entwicklung, wie sie die Stilgeschichte präsumiert, nur zögernd gefolgt, ihr gegenüber zurückgeblieben zu sein und zur Entwicklung des ›Stils‹ wenig oder nichts beigetragen zu haben.

Der Formenreichtum der romanischen Architektur scheint an keine für das gesamte romanische Abendland verbindliche Regeln gebunden zu sein. In der Gestaltung von Mauer, Wand, Raum und Baukörper werden so gegensätzliche sinnlich-intellektuelle Verhaltensweisen offenbar, daß die Vorstellung eines einheitlichen romanischen Stils fast wie eine bloße Fiktion erscheinen will, die der Realität nur wenig gerecht wird. (Das ist bei anderen Zeitstil-Begriffen freilich nicht anders.) Jedenfalls tritt die romanische Architektur als eine in mehrere Stilvarianten aufgespaltene wahrhafte complexio oppositorum in die Erscheinung, und man erfaßt mehr von ihrem Wesen, wenn man sich den Blick nicht allzusehr von einem prästituierten Stilbegriff verstellen läßt, sondern den Gegensätzlichkeiten des architektonischen Empfindens und Denkens unvoreingenommen nachspürt, die in den romanischen Bauwerken zum Ausdruck gekommen sind und sich der Vorstellung eines von Sizilien bis Schottland, von der Oder bis zum Atlantik vermeintlich gleichmäßigen Entwicklungsablaufs nur schwer einordnen lassen.

Bei einer Betrachtung, die sich auf eine phänomenologisch verhaltende vergleichende Analyse der romanischen Formfindungen und Formempfindungen beschränkt, tritt die Unterscheidung von Entwicklungsstufen, die die Stilgeschichte im allgemeinen als für das gesamte romanische Abendland gültig anzunehmen geneigt ist, gegenüber anderen Differenzierungen zurück und werden geographische, kulturelle Grenzen wichtiger als temporale. Bei solcher Betrachtung ergibt sich, daß das Romanische nicht nur zu verschiedenen Zeiten verschieden ist, sondern daß es auch, ganz unabhängig von der Zeit, in verschiedenen Regionen verschieden ist. Ja, es erweist sich, daß die regional-kulturellen Stilgrenzen beständiger sind als die zeitgebundenen, weil die regional gebundenen sinnlich-intellektuellen Verhaltensweisen mit bemerkenswerter Beharrlichkeit gleichermaßen in Früh- und Spätstufen gestaltprägend geblieben sind. Wölfflin hat gezeigt, daß »nicht alles zu allen Zeiten möglich ist«.[14] Die Befragung romanischer Bauten nach dem architektonischen Empfinden und Denken, das in ihnen manifest geworden ist, lehrt uns, daß auch nicht alles in jedem kulturellen Raum möglich ist, daß die architektonischen Ausdrucksmöglichkeiten vielmehr ebenso regional gebunden sind wie die Sprachen und ihre Dialekte.

Diese ja nicht ganz neue Erkenntnis hat die kunsthistorische Forschung oft zu Rückschlüssen von der Welt der Formen auf das Wesen der Menschen, Völker, Rassen, die sie hervorgebracht haben, verlockt. Man hat in gewissen Formen Emanationen rassischer Eigenarten erkennen wollen und zum Beispiel die geometrischen und Flecht-

Ornamente für typisch ›germanisch‹ erklärt, obschon sie doch in allen primitiven Kulturen auftreten, das heißt zum ornamentalen Vokabular der ganzen primitiven Menschheit gehören. »Wenn diese geometrischen Ornamente«, sagt Focillon, »zu Beginn des Spätmittelalters wieder auftauchen und den Mittelmeer-Anthropomorphismus überdecken und entstellen, dann ist das gewiß weniger zurückzuführen auf das Aufeinanderprallen zweier Rassen als vielmehr auf das Aufeinandertreffen von zwei Zuständen der Zeit – von zwei Zuständen des Menschen.«[15] Focillon hält den vagen Rassetheorien ferner entgegen, daß die romanische Kunst ja nicht in der unbestimmten Region des Triebhaften entstanden ist, daß sich ihre Formen vielmehr in der Welt der Formen gebildet haben, wie die Sprache sich in der Welt der Sprachen und ihrer Dialekte gebildet hat. Jedenfalls ist es sehr willkürlich, biologische Fatalitäten für entscheidender anzusehen als die kulturell-gesellschaftlichen Fatalitäten. Es waren doch nicht die skandinavischen Normannen und nicht die normannischen Piraten, es waren die im kulturell-geistigen Milieu Nordfrankreichs lebenden, dort seßhaft gewordenen und romanisierten Normannen, die die Architektur von Jumièges, von Saint-Étienne und La Trinité in Caen, in Britannien die großen Kathedralen geschaffen und die romanische Architektur zur gotischen entwickelt haben. Auf der Apenninen-Halbinsel war es nicht die Barbarenkultur der Longobarden, die die romanische Architektur in Italien hervorgebracht hat. Diese ist vielmehr erst in der Zivilisation entstanden, die sich dort nach der Seßhaftwerdung und Romanisierung der Longobarden neu gebildet hat.

Gewiß ist nicht zu leugnen, daß rassische, ethnische Eigenarten die Formempfindungen und Formfindungen mitbestimmen. Diese Eigenarten lassen sich aber von dem kulturellen, zivilisatorischen Milieu, in dem sie wirksam geworden sind, nicht loslösen. Deshalb wird hier die Frage nach rassischen und volklichen Eigenheiten, die sich in den Formen verbergen, nicht gestellt. Diese Darstellung begnügt sich mit dem Versuch, die reiche Welt der architektonischen Formen, die uns die romanische Epoche hinterlassen hat, in ihrer Eigenart und in ihren Eigenheiten zu charakterisieren, und hofft so ihren Sinn und ihr Wesen erschließen zu können.

Über die romanischen Formfindungen ʾentschied im übrigen die Begegnung einer Gegenwart mit einer Vergangenheit, von barbarischen Kulturen mit der mittelmeerantiken Zivilisation und ihrer Architektur – mit römischen, byzantinischen, syrischen, nordafrikanischen und islamischen Kunst- und Bauwerken, vor allem auch mit den Schöpfungen des vorromanischen Abendlands.

Die vorromanische Epoche hatte eine Bautradition begründet, an die die romanische Architektur anknüpfen konnte. Viele der Konstruktionen, Raumformen und Elemente der späteren romanischen Architektur waren schon im vierten und fünften Jahrhundert in Gallien realisiert worden: Räume mit östlicher halbrunder Apsis (Saint-Pierre in Vienne, Dép. Isère), kreuzförmige Basiliken (Clermont-Ferrand), Kirchen mit drei tonnengewölbten Schiffen (Saint-Victor in Marseille), Zentralräume mit Kuppel, Tambour und Laterne (Baptisterium von Fréjus, Dép. Var), mit Trompenkuppel (Baptisterium von Marseille) usw. Diese Bauten sind in Gallien weniger synkretistische Architektur als die späteren karolingischen in Germanien. In Italien konnte die romanische Architektur an die frühchristlichen Bauten und an die byzantinischen in Ravenna des vierten bis sechsten Jahrhunderts, in Spanien an die ›westgotischen‹ Bauten des siebten und achten Jahrhunderts, auch an islamische anknüpfen. Das Abendland hatte sein eigenes Leben schon begonnen, ehe sich die romanische Architektur entwickelt hat. Mabillon (1632–1701) hat vielleicht nicht unbegründet in seinen Acta Sanctorum Ordinis S. Benedicti dem siebten Jahrhundert in Gallien nachgerühmt, es sei für die Mönche, Baumeister und Künstler ein »wahrhaft goldenes Zeitalter« gewesen.[16] Die germanischen Provinzen hatten ihr erstes goldenes Zeitalter erst später, im achten und neunten Jahrhundert, als unter Karl dem Großen eine rege Bautätigkeit begann. In Italien wurden schon unter Konstantin großartige Kirchen gebaut. Jedenfalls hat die vorromanische Architektur Fundamente gegründet, auf denen die romanische Epoche die unerhört reiche Formenwelt ihrer Architektur errichten konnte.

# Bautrupps, Baumeister, Bauherren

Der Anteil, den die ortsansässige Bevölkerung an der Errichtung der romanischen Bauwerke hatte, ist schwer abzuschätzen. Jedenfalls dürfte ihr Beitrag zum Kirchenbau
sich nicht auf Almosen beschränkt haben. An manchen Kirchenbauten aber hat sie
auch, von ihrer Gläubigkeit und Wundererwartung gedrängt, vielleicht von ihren
Grundherren, die durch Stiftungen den Kirchenbau förderten, dazu angetrieben, tätig
mitgeholfen. Was vom Bau der Kirche von Saint-Trond in Belgien (nordwestlich von
Lüttich – heute zerstört) berichtet wird, war kein Einzelfall. Die Gläubigen hätten –
so ist überliefert – freiwillig Steine und Säulen aus Köln auf ihren Wagen zur Baustelle
gefahren.[17] Dergleichen wird mehrfach berichtet, auch daß Bauern Nahrungsmittel zu
billigen Preisen in die Werkstätten trugen.[18] Beim Wiederaufbau der durch Brand zerstörten Kathedrale von Chartres sollen um 1194 nicht nur Bewohner der näheren Um-
gebung, sondern auch aus dem Gâtinais, Orléanais, aus der Normandie, sogar aus der
Bretagne zur Hilfe gekommen sein und Steine aus den Steinbrüchen von Berchères nach
Chartres transportiert haben. Ähnlich soll es um 1039 in Reims und nach Sugers Bericht
beim Bau der Abteikirche von Saint-Denis gewesen sein. Selbst Feudalherren sollen
Handlangerdienste geleistet haben, oder sie gaben über die meist beträchtlichen Geld-
spenden hinaus Steine aus ihren Steinbrüchen, Holz aus ihren Wäldern.[19] In Coutances
wurde zwischen 1029 und 1045 der Name des Stifters auf dem Stein eingraviert.[20]
Manche romanischen Kapitelle tragen Namen, die nach Marcel Aubert nicht die Namen
von Bildhauern, sondern von Stiftern sind.[21] Auch wenn man die Ruhmredigkeit der
Chronisten in Anschlag bringt, wird man nicht bezweifeln dürfen, daß der Kirchenbau
großenteils von der Bevölkerung tätig unterstützt wurde, von den Feudalherren abgesehen, die durch Stiftungen sowohl ihre Untaten büßen als ihr Repräsentationsbedürfnis befriedigen wollten. In den Abteien wurden natürlich die Laienbrüder zu
Hilfsarbeiten herangezogen, an denen sich zuweilen auch Mönche und Äbte beteiligt
haben sollen.

Über gelegentliche Hilfsarbeiten hinaus dürfte die Mitwirkung der als Hörige im
Dienste ihrer Grundherrschaft stehenden Ortsansässigen – auch die der Laienbrüder –
nicht gegangen sein. Ihre handwerklichen Fähigkeiten reichten zur Errichtung ihrer
ärmlichen Behausungen aus Holzstämmen, Stroh- und Stampflehm oder Feldsteinen

und für die handwerklichen Arbeiten für den eigenen Bedarf aus. Ein umfangreiches ordentliches Mauerwerk oder gar Gewölbe herzustellen vermochten sie wohl nicht.

Mit dem Niedergang der römischen Zivilisation verschwanden aus den Städten die selbständigen Handwerksbetriebe zwar nicht ganz. Ihre Zahl dürfte sich aber beträchtlich verringert haben. In der Feudalherrschaft spielte ein aus selbständigen Inhabern von Werkstätten bestehender, für einen freien Markt produzierender ortsansässiger Handwerkerstand neben dem für den kirchlichen Bedarf arbeitenden Handwerk, d. h. neben den kunsthandwerklichen Ateliers in den Abteien, nur noch eine sehr bescheidene Rolle. Erst mit den Marktsiedlungen und mit der Regeneration und Neugründung der Städte hat sich ein selbständiges Handwerk wieder entwickelt, in vielen Gebieten also kaum vor der Mitte des 11. Jh.[22] Der Handel wurde im wesentlichen von Fremden – zumeist waren es ›Syrer‹ und Juden – besorgt, die von Ort zu Ort wanderten. Ortsansässige Händler dürfte es um so weniger gegeben haben, als der Handel vom Klerus als eine das Seelenheil gefährdende Beschäftigung angesehen und »als ein verdammenswerter Anschlag auf Treue und Gehorsam des Volkes« verachtet war.[23]

Diese wirtschaftlichen und gesellschaftlichen Verhältnisse gaben ambulanten Handwerkertrupps ihre große Bedeutung für die Entwicklung der romanischen Architektur und die Verbreitung ihrer Formen. Die Werkgemeinschaften waren vermutlich genossenschaftlich organisiert und wurden von den Bischöfen und Äbten oder auch von den Stiftern – in Germanien von den baufreudigen Kaisern – vertraglich verpflichtet. Wir kennen einen Vertrag, der zwischen dem Kapitel von La Seo de Urgel und einem Raymundus Lambardus 1175 abgeschlossen worden war. Darin ist von einem ›operarius‹ (Bauverwalter? – s. S. 22) Raymundus mit Namen, die Rede. Dieser mußte sich verpflichten, zusammen mit vier ›lambardos‹ (Maurern) die Bauarbeiten für die neue Kirche zu übernehmen. Der ›lambardus‹ ist natürlich ein lombardus. Ob er tatsächlich immer ein Mann aus der Lombardei war, ist aber keineswegs sicher. Denn der Ausdruck lambardus oder lombardus war zu einem Synonym für Maurer geworden, wie im Französischen der ›limousin‹, der Mann aus dem Limousin, ein Maurer ist und dessen Tätigkeit, das Mauern, auch limousiner heißt. Jedenfalls zeugt die Übertragung der landsmannschaftlichen Bezeichnung lombardus für die handwerkliche Meisterschaft der lombardischen Bauleute, deren Tätigkeit an Bauunternehmen auch jenseits der Alpen mehrfach in Urkunden erwähnt ist.[24]

Inwieweit diese Werkgemeinschaften zu den Bauherrschaften in einem Hörigkeitsverhältnis standen, bleibt unklar. Die mit ihnen abgeschlossenen Verträge deuten darauf hin, daß sie größere Freiheiten genossen als die in der Feldarbeit Frondienste leistenden Hörigen. Die Mitwirkung von Mönchen dürfte sich im allgemeinen auf untergeordnete Hilfsarbeiten beschränkt haben. Das schließt freilich nicht aus, daß sich einige Mönche, im besonderen Laienbrüder, durch die Zusammenarbeit mit jenen ›lombardi‹ genügend handwerkliche Kenntnisse angeeignet haben, so daß sie später anfallende Reparaturen ausführen konnten. Daß Mönche ihre Klosterkirchen und Wirtschaftsgebäude als gelernte Handwerker selbst errichtet haben, ist jedoch ganz unwahrscheinlich. Wie wenig sie Maurerarbeiten als ihre Aufgabe ansahen, geht aus der Empörung der Fuldaer Mönche gegen ihren Abt hervor, von der gleich zu berichten sein wird. Dagegen bestanden schon früh in vielen Abteien Ateliers, in denen von Mönchen kunsthandwerkliche Arbeiten ausgeführt wurden, vor allem Gold- und Silberschmiedearbeiten, Holzschnitzereien, Schreib-, Buchbindearbeiten, Malereien und dergleichen. Die ausgedehnten Steinmetz- und Bildhauerarbeiten aber sind wohl fast ausschließlich von Bildhauertrupps ausgeführt worden, deren Angehörige Laien und höchstens ausnahmsweise Mönche waren.

Die überlieferten Nachrichten von einer baumeisterlichen Tätigkeit der Bischöfe, Äbte und Mönche wird man nur mit großer Skepsis aufnehmen dürfen. Das haben sowohl Dehio wie R. de Lasteyrie und neuerdings wieder Aubert betont.[25] Wenn Chronisten schreiben, ein Bischof oder Abt ›fecit‹ oder ›construxit‹, ist das lediglich eine unkorrekte Ausdrucksweise. Gemeint ist, der Abt oder Bischof ließ anfertigen, ließ bauen. König Robert war gewiß weder Architekt noch Künstler, auch wenn die Chronik des Odorannus von ihm sagt: »Monasterium S. Petri (d. i. Saint-Pierre-le-Vif in Sens, Yonne) ab imo renovavit, ... ex toto reaedificavit. Tabulam etiam ... construxit, crucem cum gemmis fabricat«. Die Chronisten haben eben Geistliche als Architekten gerühmt, die in Wahrheit Bauherren waren. Bauwerke sind im Gedächtnis der Nachwelt ja oft mehr mit dem Namen des Bauherrn als mit dem des Architekten verbunden geblieben.

Die Rolle des Odo von Metz, der erst in einer späteren Quelle als der Baumeister der Aachener Pfalzkapelle genannt wird, ist ungewiß. An seiner Baumeistertätigkeit zu zweifeln, dürfte begründeter sein, als an sie zu glauben. Denn es ist wenig wahrscheinlich, daß die großen baumeisterlichen Kenntnisse, die die Ausführung eines so komplizierten Bauwerks voraussetzt, ein Franke besaß und nicht ein Lombarde oder Grieche (Byzantiner). Karl der Große hat antike Säulen von weither importieren lassen. Warum sollte er mit den Architekten anders verfahren sein? Es ist freilich sehr gut möglich, daß die Rolle des Odo die eines Bauverwalters (operarius) war.[26]

Aus überlieferten Texten geht hervor, daß beim Bau der Kathedralen – beim Bau der Abteien und ihrer Kirchen dürfte analog verfahren worden sein – der Bischof im Einvernehmen mit dem Kapitel einen oder mehrere Kanoniker mit der Verwaltung der Baugelder und der Beaufsichtigung der Bauarbeiten beauftragte. Der mit dieser Aufgabe Betraute wird in den Quellen ›operarius‹ genannt, auch ›magister‹ fabrice ecclesie‹ (Vorsteher der Bauverwaltung). Er ist selbst nicht Architekt, sondern Verwalter der Finanzen und Kontaktmann zwischen Architekt und Bauherrn. Die ›fabrica‹ ist in diesen Texten nicht, wie man zunächst vermuten könnte, die Werkgemeinschaft der Bauleute, die Bauhütte, sondern eine Bauverwaltung, im besonderen eine Verwaltung der Baufinanzen. Das alles geht zwar aus Texten hervor, die sich zum großen Teil auf den Baubetrieb der gotischen Zeit beziehen. Man wird aber aus ihnen Rückschlüsse auf die Verhältnisse in der romanischen Epoche ziehen können.[27]

Baupläne aus romanischer Zeit kennen wir nicht, vor allem auch keine der Ausführung zugrunde gelegte. Gewiß hat es Baupläne in der Art des Sankt Galler Plans gegeben, d. h. schematische Skizzen mit eingeschriebenen Maßen, die, wie eben der Sankt Galler, vom Auftraggeber, vielleicht gemeinsam mit dem Architekten angefertigte allgemeine Fixierungen der Bauaufgabe waren. Da sie im wesentlichen vom Bauherrn angefertigt waren, mögen sie die Chronisten dazu verführt haben, aus dem sein Vorhaben skizzierenden Bauherrn einen Architekten zu machen. Sicher aber waren die als Architekten gerühmten Äbte oder Bischöfe nur Bauherren. Wohl hat mancher der großen Bauherren sich sehr intensiv seines Bauvorhabens angenommen. So wird von Gerard I, Erzbischof von Cambrai, berichtet, daß er zum Neubau seiner Kathedrale (geweiht 1030) die Werkleute berief »utpote sapiens architectus« (wie ein gelernter Architekt) – hier drückt sich der Chronist also unmißverständlich exakt aus – und daß er in den Steinbrüchen die geeigneten Steine aussuchte, etc.[28] Von dem Abt Poppo von Stablo (Stavelot, Belgien) wird ausdrücklich gesagt, daß ihm ein Meister der Maurer und Zimmerleute, ein Laie mit Namen Thietmar, zur Seite stand, was Dehios Meinung bestätigt, daß Poppo nur »ein mehreren großen Bauten verwaltungsmäßig vorstehender Geistlicher« gewesen und dann irrtümlich in den Ruf eines großen Baumeisters gekommen ist.[29]

Der Mönch und spätere Abt von Fulda Ratgar, der zu Beginn des 9. Jahrhunderts nach dem Vorbild von Alt Sankt Peter eine Säulenbasilika hat bauen lassen, wird von Kurt Gerstenberg wohl irrtümlich für einen Architekten angesehen.[30] Eine Miniatur des Bruders Modestus, die wir aus einem vermutlich treuen Nachstich in den 1612 in Antwerpen erschienenen ›Fuldenses Antiquitates‹ des Christophorus Broverus kennen, zeigt Ratgar nicht als Architekten. Er trägt auf der Zeichnung eine Mönchskutte und hält einen Krummstab in der Hand. Hinter dem Bau, vor dessen Säulenhalle er steht, sprengt ein Einhorn hervor und vertreibt eine Schafherde. Das Ganze ist offenbar eine Karikatur und das Einhorn eine Anspielung auf den Spitznamen ›Monoceros‹, den die Mönche dem von ihnen gehaßten Abt gegeben haben, weil er sie gegen ihren Willen antrieb, Steine zum Bau heranzuschleppen, zu behauen und vielleicht sogar zu vermauern. Darum hat der Karikaturist die Mönche als Schafe dargestellt, die von dem Einhorn aufgeschreckt davonrennen. Mag Ratgar in einem alten Text auch als ›sapiens architectus‹ gerühmt werden, so erweist die Miniatur des Bruders Modestus diese Nachricht als irrtümlich und deutet außerdem unmißverständlich darauf hin, daß die Mönche Bauarbeiten durchaus nicht als ihre Aufgabe ansahen. Der Abt wurde übrigens auf ihr Betreiben später abgesetzt. Wie verhaßt bei den Architekten Geistliche waren, die sich baumeisterlich betätigten, geht aus der von Dehio erwähnten Geschichte von der Ermordung eines Utrechter Bischofs hervor, der von seinem Baumeister erschlagen worden ist, weil er ihm durch List sein arcanum magisterium, sein Berufsgeheimnis, entlockt hatte.

Von Bernward von Hildesheim (Bischof von 993 bis 1022) berichtet die von seinem einstigen Lehrer Thangmar verfaßte Vita, er sei ein Meister der Baukunst jeder Art gewesen. Das ist wohl nicht ganz wörtlich zu verstehen, auch wenn man diesen Bernward als einen mit architektonischen Problemen gut vertrauten Bauherrn anzusehen geneigt sein mag. Denn es wird von ihm ferner gesagt: »In der Schreibkunst ragte er ganz besonders hervor, die Malerei übte er bis ins feinste, in der Kenntnis des Erzgusses ... und edle Steine zu fassen«, sei er ein Meister gewesen. An anderer Stelle wird berichtet, er habe die Leistungen von Metallwerkstätten geprüft, aber auch, es sei ihm nicht gelungen, in den Kunstfertigkeiten, »den Gipfel der Vollkommenheit zu erreichen«[30a]. Der Kleriker Otto von Bamberg, der als oberster Leiter des Bamberger Kathedralenbaus genannt wird, war das wohl nur verwaltungsmäßig im Auftrage des Kaisers Heinrich IV., in dessen Kanzlei Otto diente. Denn als er Bischof von Bamberg geworden war, ließ er das dortige Kloster Sankt Michael von einem Architekten namens Rudolf bauen, der höchstwahrscheinlich ein Laie war.

Auf dem Tympanon der Kirche in Larrelt bei Emden, das trotz seines archaischen Stils erst aus dem späteren 12. Jahrhundert stammt, sitzt neben dem Stifter und Bauherrn ein bärtiger Mann auf einem Stuhl. Die Axt neben ihm weist auf seinen Beruf hin. Die Inschrift nennt als den Stifter Ippo und läßt den Mann mit der Axt, Ludbrud, sagen: »Ippo war nicht knauserig. Er gab mir, dem Künstler, reichlich.«[31] Ebensowenig war der Architekt Rudgerus, der auf einem Tympanon von Sankt Salvator in Millstatt (Kärnten) in einer Inschrift erwähnt ist, ein Geistlicher. Der dargestellte Geistliche ist nämlich nicht der Architekt, sondern der Abt Heinricus. Er kniet vor Christus und stellt zu dessen Füßen ein Modell der Kirche, wodurch er deutlich als der Bauherr gekennzeichnet ist.[32]

An Skulpturen des 11. und 12. Jahrhunderts ist zuweilen eine Signatur eingemeißelt. So an einem Kapitell des 11. Jahrhunderts in der Abteikirche von Bernay (Eure): ›Me fecit Isembardus‹, an einem der Kapitele der Turmvorhalle von Saint-Benoît-sur-Loire (Loiret): ›Umbertus me fecit‹, auf der Randleiste des Altartisches in Saint-Sernin in Toulouse: ›Bernardus Gelduinus me fecit‹.[33] Ein Gilabertus hat zwei der Apostelfiguren, die einst das Portal der Kathedrale von Toulouse flankierten, signiert – (die Gewändeskulpturen befinden sich heute im Musée des Augustins in Toulouse).[34] Es sind die beiden Figuren, die am deutlichsten eine Meisterhand zeigen. Es hat also der Meister sein eigenhändiges Werk, auf das er stolz war, vor der Arbeit seines Gesellen oder ihm unterstellten Mitarbeiters herausgehoben. – An dem großen Portal der Kathedrale von Autun (Saône-et-Loire) liest man auf dem Band, das das Tympanon vom Türsturz trennt: ›Gislabertus hoc fecit‹.[35]

Die sehr umfangreichen Bildhauerarbeiten werden von größeren Werkstätten ausgeführt worden sein, deren Meister viele Hände beschäftigte. Ihn selbst aber werden wir uns als einen freien Handwerker denken dürfen, der angesehen genug war, daß ihm gestattet war, das eine oder andere ganz eigenhändige Werk zu signieren. Der Gislabertus von Autun durfte es sogar an einer sehr hervorgehobenen und allgemein sichtbaren Stelle. Für das Selbstbewußtsein des toulousaner Gilabertus spricht, daß er nicht nur seinen Namen nennt, sondern so signiert: ›Vir non incertus me celavit‹ (Nicht irgendeiner – man wird ergänzen dürfen: aus meiner Werkstatt – hat mich in kurzer

Zeit gemacht). Er rühmt sich also auch der Schnelligkeit, mit der er eine so meisterliche Arbeit ausgeführt hat.

Die Bildhauerarbeiten dürften übrigens in kürzerer Zeit ausgeführt worden sein, als das vielfach angenommen wird. Man schätzt die Zeit, die ein geübter Steinmetz brauchte, um den Keilstein eines Portalbogens oder eine Konsole ornamental oder figürlich zu skulpieren, auf vier Tage. Das bedeutet, daß ein Portalbogen mit etwa hundert skulpierten Keilsteinen – in Südwestfrankreich und in Spanien ja keine Seltenheit – in weniger als anderthalb Jahren hergestellt werden konnte. Da stets wohl mehrere Bildhauer an einem Bau tätig waren und zumeist z. B. die Kapitelle nicht von demselben Mann bearbeitet wurden, der die Portalskulpturen herstellte, und da auch die Kapitellskulpturen in einer Kirche oder in einem Kreuzgang sehr oft das Werk mehrerer Hände sind (das gilt z. B. ganz gewiß von den 88 Kapitellen des Kreuzgangs von Moissac), sind die oft erstaunlich kurzen Bauzeiten verständlich.[36]

Wahrscheinlich haben nur die Meister, denen größere, von Ort zu Ort engagierte Werkgemeinschaften unterstanden, hier und da ihre Arbeit signiert. Die Bauherren wußten künstlerische und technische Qualitäten sehr wohl zu schätzen. So hat Abt Ansquitilus die toulousaner Bildhauerwerkstatt nach Moissac gerufen, das er zum Cluny Südfrankreichs machen wollte. (Das bedeutet aber nicht, daß in Moissac auch dieselben Personen der Werkstatt tätig waren!) Daß Mönche diesen Werkgemeinschaften angehörten, ist nicht völlig ausgeschlossen, aber gewiß nicht die Regel. Doch wird das Programm – die jeweilig darzustellenden Legenden und deren Anordnung im Bau und die Reihenfolge in den Kreuzgängen – von den Klerikern bestimmt worden sein.[37]

Die erwähnten Signaturen sind wohl ausnahmslos die von Laien. Denn Mönche signierten als Künstler wohl immer, indem sie ihrem Namen frater oder monachus vorsetzten, also frater Willelmus, frater Guinamundus me fecit, frater Reginaldus me fecit, frater de Montvat me fecit.[38]

Nichts spricht dafür, daß die Bauleute, die sich selbst in einem Kapitell des Kreuzganges von Sainte-Foy in Conques-en-Rouergue (Aveyron) ein Denkmal gesetzt haben, Mönche waren [181]. Sie haben sich über die Brüstung einer Quadermauer schauend dargestellt. Einer hält einen Hammer in der einen, eine Wasserwaage in der anderen Hand. Andere Werkzeuge, die möglicherweise einige dieser Bauleute in Händen hielten, sind abgeschlagen. Ein Mann bläst ein Hifthorn, wohl um den Beginn einer Arbeitspause oder die Vollendung des Werks anzukündigen. (Das Kapitell ist heute den modernen Arkaden der Vorhalle der Schatzkammer eingefügt.)

Wie die Bildhauermeister waren auch die Baumeister, die wir mit Namen oder aus Signaturen kennen – es sind nur sehr wenige –, die Vorsteher ambulanter Werkgemeinschaften. Baumeistersignaturen sind wohl nicht nur in wenigen Glücksfällen erhalten geblieben. Wahrscheinlich haben Baumeister auch nur sehr selten ihre Werke signiert, wie Wilhelm Martini, der nach einer Inschrift auf dem Sockel eines Wandpfeilers die Abteikirche Saint-André-le-Bas in Vienne (Isère) und wohl auch ihren prachtvollen

Turm geschaffen hat: ›Willelmus Martini me fecit anno MILLCLII‹. Eine andere Baumeistersignatur finden wir an der Basis einer Bogenstütze am Eingang des südlichen Querarms von Saint-Philibert in Tournus (Saône-et-Loire) [25 b]. J. Vallery-Radot glaubt die Inschrift zwar auf den Bauherrn dieses Teils der Kirche, den Abt Franco, beziehen zu sollen. Warum aber sollte die Inschrift nicht den Architekten Renco nennen und ihr Verfertiger sich gleich zweimal verschrieben haben?[39] Der Mönch Hezelo, der nach Petrus Venerabilis »corporalem novae ecclesiae fabricam . . . plus cunctis mortabilus, post reges Hispanos et Anglos, construxit«, könnte in der Tat einer der Architekten der 1088 begonnenen Abteikirche von Cluny (Saône-et-Loire) gewesen sein.[40] Ob aber auch der cluniazenser Mönch Gunzo wirklich ein Architekt war, möchte man bezweifeln. Wahrscheinlich hat sich seine Mitwirkung an dem Bau darauf beschränkt, daß er nach einer Vision, die ihm den Heiligen Petrus zeigte, wie er mit einer Meßschnur den Plan des Baues auslegte, nur die Anregung für die Größe und die Grundrißgestalt gegeben hat. Dagegen war der Mönch Johannes (Jean), der unter Bischof Hildebert La Trinité in Vendôme (Loir-et-Cher) gebaut hat, ein so bewährter Architekt, daß ihn derselbe Hildebert, der inzwischen Bischof von Le Mans geworden war, mit dem Aufbau des Schiffs der dortigen Kathedrale beauftragte.[41]

Bis ins 5. Jahrhundert mochten in Gallien und am Rhein viele der Baumeister noch aus den römischen Städten gekommen sein. Später sind wohl in zunehmendem Maße Baumeister aus Ländern des byzantinischen Reichs und aus Oberitalien – die ›lombardi‹ – beschäftigt worden. Am Bau von Chor und Querschiff der Kathedrale von Speyer war mindestens seit 1095 ein lombardischer Bautrupp tätig, der dann weiter nach Mainz gewandert ist und dort am Ostchor gearbeitet hat. Von der Bartholomäus-Kapelle, die Bischof Meinwerk um 1077 in Paderborn bauen ließ, heißt es, sie sei ›per Graecos operarios‹ errichtet.

Die schriftlichen Quellen verraten sehr wenig und meist nichts über die Herkunft und Wanderung der Baumeister und der von ihnen geleiteten Werkgemeinschaften. Formvergleiche aber lassen uns erkennen, daß ein reger Austausch von Bauerfahrungen und Formen stattgefunden hat, der ohne die Vermittlung durch wandernde Baumeister und Werkgemeinschaften kaum denkbar ist. Ja, nur so wird man das oft sporadische Auftreten gleichartiger Formen an weit auseinanderliegenden Orten verstehen können. Bei einem Bildhauer, der nach dem Dorf im Roussillon, für dessen Kirche er das Tympanon geschaffen hat, Meister von Cabestany genannt wird, haben stilistische Vergleiche seine Tätigkeit an weit voneinander entfernten Orten nachzuweisen ermöglicht. Dieser Meister hat (wohl zusammen mit der von ihm geleiteten Werkgemeinschaft) nicht nur im Roussillon (Cabestany, Le Boulou), in Katalonien (San Pedro de Roda) und in Asturien gearbeitet, sondern auch im Languedoc (Toulouse, Rieux-Minervois) und in der Toskana (Sant'Antimo bei Montalcino).[41a]

Neben den ambulanten landfremden müssen aber auch indigene Werkgemeinschaften tätig gewesen sein. Anders ist die Errichtung einer so großen Zahl von Klöstern in einem kurzen Zeitraum nicht vorstellbar. Im 7. Jahrhundert sind allein in Neustrien, Burgund, Austrasien und bis in den Norden von Aquitanien fast 200 Abteien gegründet worden.[42] Wir wissen freilich nicht, seit wann und wo sich solche indigenen Werkgemeinschaften gebildet haben, wieviel und wie weit auch sie von Ort zu Ort gewandert sind. Dehio erwähnt, daß beim Bau des Klosters Schildesche in Westfalen »Maurer und Mörteler aus Gallien – etwa Lothringen? – tätig waren«, daß wir »italienischen Ornamentisten in Baiern öfter, zu Anfang des 12. Jahrhunderts auch schon in Sachsen, rheinischen in Helmstedt, schwäbischen vom Bodensee in Goslar« begegnen.[43] Hubert meint sogar, der von dem cluniazenser Abt Mayeul zur Leitung des Baus der Abtei Saint-Bénigne in Dijon aus Italien herbeigerufene Wilhelm von Volpiano habe nicht nötig gehabt, seine Bauleute aus der Lombardei mitzubringen, obschon das die Chronisten berichtet haben.[44] Denn man habe, argumentiert Hubert, schon im 9. und zu Beginn des 10. Jahrhunderts in Gallien Kirchen mit einem Chor in Form einer Rotunde gebaut (Saint-Pierre in Flavigny, Saint-Germain in Auxerre, Saint-Pierre-le-Vif in Sens). Aber wenn wir auch keinen Anlaß haben, an der uns überlieferten Tätigkeit lombardischer Bauleute an Saint-Bénigne zu zweifeln, so gewiß auch nicht daran, daß hauptsächlich indigene Baugemeinschaften gestaltprägend gewirkt und die Kontinuität eines in gewissen regionalen Grenzen gleichbleibenden architektonischen Denkens gesichert haben.

Bei der schnellen und weiten Verbreitung gleichartiger Formen haben auch die zahlreichen Reisen der Bauherrn, der Bischöfe und Äbte, der Mönche, die als Sendboten durch die Lande zogen, und nicht zuletzt die Pilgerfahrten eine nicht geringe Rolle gespielt. In Gallien und Germanien war die klerikale Aristokratie nicht ohne Kenntnis von byzantinischen, armenischen, syrischen, auch nordafrikanischen (alexandrinischen und anderen ägyptischen) Bauten. Bevor die Raubzüge der Nordvölker und die islamische Invasion den Handel stark behindert und die Reisemöglichkeiten sehr reduziert haben, gab es einen überaus lebhaften Warenaustausch zwischen den Ländern. Die schiffbaren großen Flüsse – Rhône, Saône, Mosel, Maas, Rhein, Donau – verbanden die Mittelmeerländer mit den nördlichen Gebieten. Die Biographien des Heiligen Martin berichten von Kamelen, die in Gallien im 6. und 7. Jahrhundert Waren und das Gepäck der reisenden geistlichen Herren transportierten. Man scheint zu diesen Zwecken Kamele in größeren Mengen gehalten zu haben. Sonst hätten sich die Mönche von Marmoutier (Indre-et-Loire) wohl nicht, wie berichtet wird, mit Kamelfellen bekleiden können.[45] Gallien aber importierte nicht nur. Es exportierte auch, zum Beispiel Marmor nach Konstantinopel, Bauholz nach Alexandrien.[46] Dieser rege Handel begünstigte nicht nur die Entwicklung der bildenden Künste im Abendland, sondern auch die schnelle Verbreitung bautechnischer Kenntnisse und der Architekturformen.

# Gliederung der Mauern

Das Mauerwerk frühromanischer Bauten besteht in der Regel aus in Mörtel gebetteten Feld- und Bruchsteinen, aus Backsteinen oder aus nur roh bearbeiteten kleinen Kalk-, Sand-, Tuff- oder Basaltsteinquadern. Seine Außenseiten sind häufig durch Lisenen, die von einem niederen Sockel aufsteigen und oben durch einen Rundbogenfries miteinander verbunden sind, gegliedert. Auch Blendarkaden oder Nischenreihen treten auf [41]. Am häufigsten finden wir dieses Gliederungssystem an Apsiden und Türmen. Die Bogenfriese werden zuweilen von Gesimsleisten, Zahnschnitt- oder anderen Ornamentbändern begleitet, im besonderen an den Türmen, wo die Friese die Geschoßteilungen akzentuieren [7, 121, 146–149].

Puig i Cadafalch sieht in diesem Mauergliederungsschema das Charakteristikum einer weit verbreiteten Erscheinungsform des Romanischen, die er den ›premier art roman‹ nennt.[47] Er hat dessen geographische Grenzen im wesentlichen aufgrund der Verbreitung dieses Gliederungsschemas festgestellt, das mit unterschiedlichen Gestaltungen von Baukörper und Raum auftritt, an Longitudinal- wie an Zentralbauten, an Bauten mit offenem oder holzverkleidetem Dachstuhl wie an gewölbten Bauten.

Wir finden diese Art der Mauergliederung nur östlich der Wasserscheide von Atlantik und Mittelmeer, also von Garonne und Rhône, ferner in Katalonien, wo seine südliche Grenze mit der politischen des ehemaligen Imperium Karls des Großen zusammenfällt, und im Flußgebiet von Maas und Mosel bis in die Niederlande. Auf der Apenninen-Halbinsel ist es von den Alpen bis in die Sabiner Berge südöstlich von Rom und östlich der Adria in Istrien und Dalmatien verbreitet, außerdem in der Schweiz, am Bodensee, am Rhein, in Bayern und mehr nur sporadisch in Hessen und Westfalen. Im übrigen romanischen Abendland – im ganzen Westen Frankreichs und Spaniens sowie in der nach der normannischen Eroberung (1066) in Britannien entstandenen Architektur tritt dieses Mauergliederungssystem nirgends auf [Fig. 1]).

Puig i Cadafalch hat auch die Frage nach seiner Herkunft geklärt. Wir finden es noch nicht in der vorromanischen Architektur Italiens, Galliens, Hispaniens und Germaniens.[48] Doch kennen wir es in der byzantinischen Architektur. Dort erscheinen Lisenen und Bogenfriese gleicher Art am Obergeschoß des Baptisterium der Orthodoxen (San Giovanni in Fonte), das Erzbischof Neon (449–452) in Ravenna über den Mauern eines

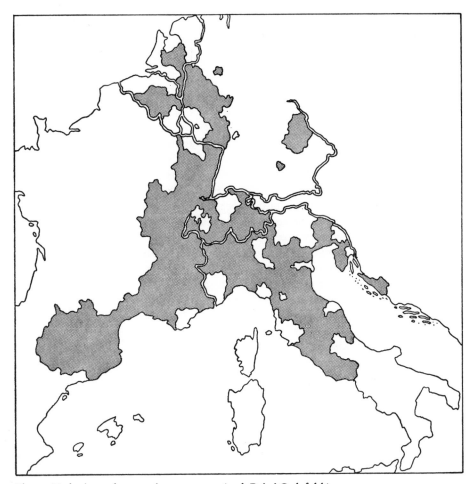

Fig. 1   Verbreitung des ›premier art roman‹ (nach Puig i Cadafalch)

römischen Thermensaals hat errichten lassen [6]. Blendarkaturen gliedern außen die Langhausmauern von Sant'Apollinare in Classe bei Ravenna, eines Baus des 6. Jahrhunderts, ferner die Außenwände des um 410 errichteten Mausoleums der Galla Placidia und anderer ravennatischer Bauten (San Vittore, Sant'Agata, San Giovanni Evangelista). Wir begegnen ihnen in Verbindung mit Lisenen und Bogenfriesen am Mauerwerk byzantinischer Bauwerke in Instanbul, in Griechenland (Saloniki, Mistra), in Mazedonien, Serbien, Kleinasien. Das läßt keinen Zweifel, wo die Ursprünge dieses in der romanischen Architektur so weit verbreiteten Mauergliederungssystems zu suchen sind.

29

Seine Ursprünge liegen aber noch viel weiter zurück. Puig i Cadafalch hat sie in der mesopotamischen Architektur des 3. Jahrtausends nachweisen können, in einer Architektur also, deren Mauermaterial der Ziegelstein ist, aus dem ja auch die byzantinischen und viele frühromanische Bauten errichtet sind.[49] Die Entscheidung der frühromanischen Baumeister, die Abkömmlinge der mesopotamischen Mauergliederung in der byzantinischen Architektur zu übernehmen, dürfte durch die Gleichartigkeit des Mauermaterials und der Mauertechnik begünstigt worden sein. Die frühromanischen Kirchen in Mailand, dem Zentrum der Lombardei, woher wahrscheinlich viele der in Katalonien und in Süd-Ost-Gallien tätig gewesenen Werkgemeinschaften gekommen waren, sind Backsteinbauten: Sant'Ambrogio, San Vincenzo in Prato.

Die Gliederungselemente – Lisenen, Bogenfriese, Blendarkaturen, ebenso die Nischenkränze [41], die öfter anstelle der Bogenfriese an Apsiden erscheinen[50] – sind aber auch im Bruchsteinmauerwerk leicht auszuführen, sie sind gemauerte Formen, die ohne Steinmetzarbeit aus den Elementen herzustellen sind, aus denen das Mauerwerk dieser frühromanischen Bauten besteht. Sie sind deshalb einer relativ primitiven Mauertechnik gemäß, die in einem so diametralen Gegensatz zur klassisch-griechischen und hellenistisch-römischen Bauweise mit Quadern ohne Bindemittel steht, daß Puig i Cadafalch sagen konnte, die Architektur des ›premier art roman‹ sei im selben Sinne eine mesopotamische wie die französische des Dixhuitième eine griechische.

Mögen die Lisenen als Mauerverstärkungen, die Blendbögen als Entlastungsbögen nicht immer völlig bedeutungslos sein, ihre konstruktive Unerläßlichkeit tritt nirgends überzeugend in die Erscheinung.[51] Vor allem ist nichts getan, konstruktive Bedingungen sinnfällig zum Ausdruck zu bringen. Es wird im Gegenteil der flächige Charakter der Mauer betont. Es manifestiert sich ein architektonisches Empfinden und Denken, das jede tiefer in die Mauermasse eindringende Gliederung meidet und darum öfter auch auf jede Gliederung verzichtet. Jedenfalls haben wir es bei diesem für den premier art roman so charakteristischen Mauergliederungsschema mit einer dekorativen, nicht mit einer strukturellen Gliederung zu tun.

Der dekorativ-flächige Charakter dieser Mauergliederung wird evident, wenn wir sie mit der an anderen, dem ›premier art roman‹ nicht zuzuordnenden Bauten vergleichen. Greifen wir darum, um den Unterschied zwischen dekorativ-flächiger und strukturell-körperhafter Mauergliederung anschaulich zu machen, zwei Fassaden heraus, die diese gegensätzlichen Gestaltungsweisen in jeweils höchster Vollendung vergegenwärtigen, so daß der Kontrast sehr drastisch augenfällig wird: die Fassade von Saint-Philibert in Tournus (Saône-et-Loire) und die Querschiff-Fassade von Saint-Pierre in Aulnay-de-Saintonge (Charente-Maritime) [11, 12].

Die Gegensätzlichkeit im sinnlichen Verhalten zum Mauerwerk erschließt sich uns beim ersten Hinblick. In Tournus ist nur die Mauerfläche gegliedert, in Aulnay ist die Mauer tief und aktiv durchgliedert, ihre Masse, Körperlichkeit und Struktur sinnlich empfindbar gemacht. Die sechs gebündelten kräftigen Säulen, die an den Ecken der Fassade bis zur Höhe des Dachgesimses aufsteigen, grenzen den Mauerkörper, der mit seinem Giebel das Querschiffdach wie eine mächtige Platte überragt, nicht nur seitlich ab. Sie machen auch seine Standfestigkeit sinnfällig, die durch die kräftigen äußeren Säulen, die frei enden und die Funktion von Strebepfeilern übernehmen, noch unterstrichen wird. Die etwas schwächeren inneren Säulen tragen den großen, im Scheitel leicht gebrochenen Blendbogen in dem frei aufragenden Giebeldreieck. Das Portal ist nach innen dreifach zurück-, in das Mauerwerk hineingestuft, und jede seiner drei Archivolten steigt von Säulen auf, die in die kantigen Gewändeecken gestellt sind. Die Außenseiten der Portalbögen – und ebenso die Unterseiten der zwei inneren – sind reich skulpiert [197]. Alle Figuren sind dem architektonischen Rahmen so eingeordnet, daß die Verlängerung ihrer Achsen in der Mitte der Sehne des mit Ranken ornamentierten innersten Bogens, des eigentlichen Türbogens, zusammentrifft. Im oberen Geschoß, das durch ein stark ausladendes Gurtgesims auf Konsolen vom unteren getrennt ist, wiederholt sich die dreifache Zurückstufung in dem großen Blendbogen (das Radfenster in ihm ist modern).

Die Fassaden von Tournus und Aulnay gehören zwar verschiedenen Zeiten an, die eine dem frühen 11., die andere dem dritten Viertel des 12. Jahrhunderts. Das in der Fassade von Tournus zum Ausdruck gekommene architektonische Empfinden und Denken ist aber nicht nur frühromanisch. Auch wenn später an die Stelle von Lisenen, Bogenfriesen, Blendarkaden andere, vom Westen übernommene Elemente treten, bleibt im östlichen und südlichen Abendland die Mauergliederung noch immer mehr dekorativ als strukturell [8, 38, 44], was an einigen Bauten sogleich noch erläutert werden wird. Das in dem für den premier art roman charakteristischen Mauerflächengliederungssystem sich manifestierende sinnliche Verhalten und architektonische Denken ist nämlich nicht ein entwicklungsgeschichtlich bedingtes, zeitlich begrenztes, sondern ein regional begrenztes Phänomen. Der von Puig i Cadafalch geprägte und seitdem auch mehr oder weniger gebräuchlich gewordene Begriff ›premier art roman‹ ist darum irreführend. Hinsichtlich der Gestaltung der Mauer – und, wie noch zu zeigen sein wird, auch der Wand und des Raumes – ist, wie Henri Focillon treffend sagt, der premier art roman auch ein second art roman.[52] Ebenso tritt das radikal andere sinnliche Verhalten zur Mauer, wie es in der Fassade von Aulnay zum Ausdruck gekommen ist, keineswegs nur in der spätromanischen Architektur auf. Es hat vielmehr die romanische Architektur des westlichen Abendlandes schon früh und bis in die spätromanische, ja bis in die gotische Epoche hinein geprägt [9]. Es werden darum die gegensätzlichen Formcharaktere, die in der romanischen Architektur so evident sind, präziser erfaßt, wenn man zeitlich nicht determinierte Begriffe verwendet und zwischen ostromanischer, südromanischer und westromanischer Architektur unterscheidet. (In jedem dieser recht klar begrenzten Bereiche gibt es dann natürlich Früh- und Spätstufen.)[53]
Die westromanische Architektur umfaßt die Bauten im westlichen Frankreich von der Gascogne bis zur Normandie und Picardie und die im nordwestlichen Spanien und nach der Eroberung durch die Normannen (1066) in Britannien entstandenen Bauten. Die

Grenze zwischen ost- und westromanischer Architektur fällt mit der von Puig i Cada-falch festgestellten Westgrenze des premier art roman zusammen [Fig. 1].
Stilgrenzen sind freilich durchlässig. In der romanischen Epoche waren sie es – wie später auch in der gotischen – nach Osten hin, nicht aber in umgekehrter Richtung. So wird die westromanische Mauergliederung im Laufe des 12. Jahrhunderts mehr und mehr von der ostromanischen Architektur übernommen. Die burgundische Architektur spielt dabei eine Vermittlerrolle. Sie selbst ist im 11. Jahrhundert noch wesentlich ost-romanisch und wird erst im 12. Jahrhundert westromanisch. So ist zum Beispiel der um 1000 entstandene Westbau und das in der ersten Hälfte des 11. Jahrhunderts ihm angefügte Langhaus von Saint-Philibert in Tournus noch ostromanisch [11]. Ihre Mauern sind mit Lisenen, Bogen- und anderen Friesen flächig-dekorativ gegliedert. Die Mauern des in der ersten Hälfte des 12. Jahrhunderts erneuerten Chors und des in der zweiten Hälfte über dem Westbau errichteten Nord-Turms sind dagegen in der west-romanischen Weise durchgliedert, die des Turms ähnlich dem aus dem ersten Drittel des 12. Jahrhunderts stammenden Fassadenturm von La Charité-sur-Loire [34, 35]. Ähn-lich ist es an der Kathedrale von Mainz [37]. Dort sind die Mauern des älteren Lang-hauses noch in der ostromanischen Art mit Lisenen und Bogenfriesen gegliedert. Am Giebel des erst im ersten Drittel des 13. Jahrhunderts erbauten westlichen Querschiffs sind, nachdem die westromanischen Gliederungselemente von der Architektur der Rhein-lande übernommen worden waren, die Gewände der Öffnungen in westromanischer Art in das Mauerwerk zurückgestuft.

Für das Fortleben der frühostromanischen Mauergliederung bis in spät-, ja spätest-romanische Zeit ist die Abteikirche Maria Laach in der Eifel, eine der größten rheini-schen Kirchen, ein markantes Beispiel [39]. Der Ostbau war in den Obergeschossen erst 1177 vollendet. Der Westbau, der Vierungsturm und die Vorhalle sind noch später fertig geworden. Die Gliederung der Mauerflächen durch Lisenen, Bogenfriese, Blend-bögen – hier auch Dreipaßblenden – erstreckt sich aber über den ganzen Bau. – In dem fast hundert Jahre früheren Bau von Saint-Étienne in Nevers (Nièvre) dagegen – spätestens 1095 waren die Mauern von Chor und Querschiff vollendet[54] – dringt die Gliederung tief in das Mauerwerk ein. Die Blendarkaturen am Chor und an den Quer-schiff-Fassaden, die Blendnischen an den Seitenschiffen sind kraftvoll in das Mauerwerk eingestuft. Starke Rechteckstreben stützen den Schub der Gewölbe ab. Sie sind nicht bloß dekorative Bänder wie die Lisenen, sondern konstruktive Elemente, wie wir sie allenthalben an den westromanischen Bauten antreffen, höchst kraftvoll ausgebildet zum Beispiel an den Langhaus- und Chormauern und an den Turmfassaden von Sainte-Foy in Conques-en-Rouergue (Aveyron), einem bald nach der Mitte des 11. Jahrhun-derts vollendeten Bau [163].

Die Kirche von Maria Laach ist ein in meisterlicher Werksteintechnik errichteter Bau. Wie an ihm treten Mauerflächengliederungen durch Lisenen, Bogenfriese, Blendarkatu-ren in der ost- und südromanischen Architektur – vielfach neben westromanischen Glie-derungselementen – häufig auch im späteren Quaderbau auf, für den eine hoch entwikkelte Steinmetztechnik die exaktesten Steinschnitte, die kompliziertesten Ornamente und figürlichen Kompositionen ausgeführt hat [38, 45].[55] Es kann deshalb das Festhalten an einer seicht reliefierten Mauerflächen-Gliederung nicht auf mauertechnische Gründe zurückgeführt werden, mögen diese zunächst in Zeiten einer noch primitiven Bruch- und Backsteinmauertechnik bei der Ausbildung jenes Gliederungsschemas eine gewisse Rolle gespielt haben. Wie wenig materialbedingte Mauertechniken gestaltbestimmend gewesen sein können, ergibt sich aus einem Vergleich der nordostdeutschen Backstein-Architektur mit der des Languedoc. Im nordostdeutschen Backsteinbau hat sich die dekorative Mauerflächengliederung mittels Lisenen, Blenden, Bogen und anderen Friesen bis in die späte Gotik erhalten. Wir finden sie an der Marienkirche in Lübeck (Turmfassade), der Petrikirche in Rostock, der Marienkirche in Salzwedel, am Überlinger Tor in Stendal, am Turm der Johanniskirche in Lüneburg [10] und – noch 1530! – am Abwasserturm in Lüneburg.[56] Im Languedoc dagegen wird auch im Backsteinbau die Mauermasse tief durchgegliedert: an den Mauern der toulousaner Wallfahrtskirche Saint-Sernin und ebenso später in der gotischen Epoche an den Türmen der Jacobiner- und der Augustiner-Kirche in Toulouse (vollendet 1299, bzw. in der ersten Hälfte des 14. Jahrhunderts) [9], der Kathedralen von Saint-Lizier (Ariège, wohl 13. Jh.) und von Lombez (Gers, 14. Jh.). Die verschiedene Art der Mauergliederung ist also eindeutig durch ein gegensätzliches architektonisches Denken und sinnliches Verhalten zur Mauer bestimmt, nicht durch das verwendete Material und eine Mauertechnik.

Im ost- und südromanischen Quaderbau des 12. Jahrhunderts ist das Instrumentarium der Mauergliederung bedeutend angereichert. An die Stelle der gemauerten Lisenen und Bogenfriese treten exakt bearbeitete Werkstein-Formen. Dünne Säulen mit kleinen Basen und Kapitellen ersetzen die Lisenen. Aus diesen sind oft Pilaster geworden. Die Bogenfriese haben Konsolen, sind profiliert und zuweilen ornamentiert, die Gewände der Öffnungen mehr oder weniger gestuft, mit einem oder mehreren Wülsten ausgestattet, die die Fenster ornamental rahmen. Anlehnungen an westromanische Formen und Mauergliederungen werden allenthalben spürbar. Doch im Vergleich mit der westromanischen strukturellen Durchformung des Mauerwerks bleibt die ost- und südromanische Mauergliederung im wesentlichen noch immer eine dekorative Flächengliederung, d. h. sie greift nicht tief und nur sehr ungleichmäßig in die Mauermasse ein [8, 38, 44, 45].

Das sehr reich dekorierte Quadermauerwerk der Apsis der Abteikirche von Königslutter (Niedersachsen) [45] ist gewiß ein Meisterwerk mittelalterlicher Steinmetztechnik, höchstwahrscheinlich die Arbeit einer oberitalienischen Werkstatt, ungefähr gleichzeitig mit Saint-Pierre in Aulnay [12], also aus der Mitte des 12. Jahrhunderts. Der Bau und seine dekorative Plastik hat schulbildend gewirkt. Man hat nicht zu Unrecht von einem ›Königslutterer Stil‹ gesprochen, der sich in der zweiten Hälfte des 12. Jahrhunderts in Niedersachsen und darüber hinaus ausgebreitet hat. In Dehios Handbuch wird hervorgehoben, »daß der Stil der italienisch geschulten Steinmetzen saftig und lebendig ins Tiefe modellierende Plastik ist, während er bei den Nachahmern meist rasch ins Flächige umgewandelt wurde«.[57] Das ist eine durchaus zutreffende Beurteilung – zutreffend aber doch nur, wenn man andere ostromanische Mauergliederungen zum Vergleich heranzieht. Gegenüber westromanischer Mauerdurchgliederung manifestiert sich in der plastischen Gliederung der Königslutterer Apsis noch immer jenes sinnliche Verhalten, das die Mauer wesentlich als flächige Scheibe empfindet. Am Sockelgeschoß finden wir anstelle der Lisenen ebenso flache Pilaster, am Fenstergeschoß dünne Wandsäulen, die entgegen jedem strukturellen Empfinden den Bogenfries mitten in einem seiner Bogen durchschneiden und weiter bis zu dem Akanthusfries des ebenfalls sehr flachen Dachgesimses aufsteigen. Die Bogenfriese sind, wie auch sonst des öfteren, z. B. an der Kathedrale von Bamberg, profiliert. Im Sockelgeschoß haben sie Maskenkonsolen, und ihre Bögen runden über vortrefflich ausgeführten Palmetten- und phantasiereichen Tierreliefs. Charakteristisch für das in dieser so prachtvoll dekorierten Apsis zum Ausdruck gekommene ostromanische Empfinden ist nicht minder die Gestaltung der Fenstergewände. Die Fensteröffnungen sind – eben so häufig die Portale – durch Rundstäbe mehr bloß gerahmt als in die Mauer eingestuft. (Man vergleiche die westromanische Gestaltung von Fenster- und Portalgewänden – in Aulnay, Salles-les-Aulnay, Melle, Ely usw. [12, 29–33, 46, 48, 104, 127–129, 131, 135, 137–143, 152–155, 161] mit ostromanischer Fenster- und Portalgestaltung [13, 14, 17–21, 24, 45, 121, 122, 146, 147].) So sehr verschieden die Mauergliederung in Königslutter von der der Westfassade von Saint-Philibert in Tournus auch ist, so sind beide hinsichtlich des architektonischen Empfindens doch wesensverwandt. Der Vergleich beider und mit der westromanischen Mauergestaltung bestätigt den Satz von Focillon, daß der premier art roman auch ein second art roman ist.

In der ost- und südromanischen Architektur werden vielfach die im Westromanischen einer strukturellen Gliederung dienenden Elemente zu einer bloß dekorativen Flächengliederung verwendet, wofür neben der Apsis von Königslutter die Apsiden und die Fassade des Westbaus der Stiftskirche Sankt Quirin in Neuß (Rheinland) ein eklatantes, doch keineswegs exzeptionelles Exempel sind [45, 44]. Die westromanische Formensprache wird gewissermaßen ins Ostromanische übertragen, die strukturellen Gliederungen in dekorative. Auch die oft sehr reiche Gliederung italienischer Fassaden ist zumeist dekorativ, nicht strukturell. Das gilt zum Beispiel für die Fassade von Santa Maria della Piazza in Ancona mit den in vier Reihen übereinander sich über die ganze Fläche ausbreitenden Arkaturen, die von dem lombardischen Bildhauer-Architekten Filippo um 1210 geschaffen wurden [51]. Ebenso flächig-dekorativ gegliedert sind die Fassaden von San Pietro in Spoleto (Perugia) [49], von San Felice di Narco in Castel San Felice (Perugia), von San Rufino in Assisi (Perugia) [52], der apulischen Kirchen San Michele in Matera und San Cataldo in Táranto, ferner die reich inkrustierte Fassade von San Miniato al Monte über Florenz (um 1170 vollendet), die Fassade von San Pietro in Ciel d'Oro in Pavia und die Seitenschiff- und Hochschiffmauern der Kathedrale von Pisa.[58]
Es gibt gewiß auch in der ost- und südromanischen Architektur strukturell gegliederte

Details, zumeist aber eben nur Details innerhalb einer Gesamtgestaltung, die die starke Neigung zu einer den flächigen Charakter der Mauer bewahrenden Mauergliederung nicht verleugnet. Daraus ergibt sich eine im Vergleich zum Westen unentschiedene und ungleichmäßige Gliederung und oft auch ein sehr reizvolles Nebeneinander von westromanischer und ost-, bzw. südromanischer Gestaltung. So sind die Fensteröffnungen der Apsis der Kirche von Corneilla-de-Conflent (Pyrénnées-Orientales) tief in das prachtvoll exakte Quaderwerk des 12. Jahrhunderts eingestuft, mehrfach abgetreppt, und von Ecksäulchen steigen wulstige Bögen auf. Die selbe Gliederung zeigt sich an der Innenwand [47]. Diese Fenster sind geradezu ein Musterbeispiel für eine konsequent strukturelle Gewändegliederung. An der selben Apsis, zweifellos von der selben Werkstatt ausgeführt, erscheint aber auch ein in typisch ostromanischer Weise flach reliefierter Bogenfries auf Konsolen unter einem herrlich exakt gearbeiteten Zahnschnittfries. Diese Apsis in einem Ort, der stilgeographisch nahe der Westgrenze der ostromanischen Architektur, des premier art roman, liegt, zeigt sehr klar, daß die ostromanische Architektur zwar westromanische Formen übernimmt, daß sich ihr anderes Verhalten zur Mauer aber doch nicht zu verleugnen vermag. Der Bogenfries ist übrigens in der westromanischen Architektur keineswegs unbekannt. Nur ist er dort so kräftig ausladend, daß er, wie an der Querschiff-Apsidiole von Aulnay und an der Apsis von Salles-les-Aulnay von den der Mauer wie Streben vorgelegten Säulen getragen zu sein scheint [12, 48]. Mag die rein praktisch-statische Funktion solcher Säulen auch unklar bleiben, in der westromanischen Architektur wird auf jeden Fall eine konstruktive Idee, das Tragen und Getragenwerden, sinnfällig gemacht, worauf die ost- und südromanische Architektur wenig oder gar keinen Wert legt. Ihr kommt alles darauf an, die wandhafte Flächigkeit der Mauer zu erhalten.

Diese Gegensätzlichkeit des architektonischen Empfindens und Denkens des Ostens und Südens gegenüber dem Westen tritt gerade in der Gestaltung aller Maueröffnungen, der Portale wie der Fenster, in die Erscheinung. Während die Öffnungen in der westromanischen Architektur mit abgetreppten Gewänden in die Mauer tief eingestuft sind, sind in der ost- und südromanischen Architektur ihre Gewände selbst oft ungegliedert und bloß außen durch einen nur seicht der Mauer eingefügten oder ihr aufgesetzten, zuweilen sehr reich dekorierten Rahmen eingefaßt: Fenster in Alet (Aude), Apsisfenster in Arles-sur-Tech (Pyrénées-Orientales), San Pellegrino in Bominaco (Aquila degli Abruzzi), Querschiff-Fenster in Maria Laach und Speyer, Apsisfenster der Walterichs-Kapelle in Murrhardt (Württemberg), der Kirche in Rosheim (Elsaß) und der Schloß-kapelle in Wechselburg, die prunkvoll dekorierten, der Mauerfläche aufgesetzten Fenster apulischer Kirchen in Bari, Trani, Bitonto usw., die Portale in Rosheim im Elsaß, der Kathedralen in Barga, Assisi, Ancona, Ruvo, Brindisi [13–24]. In der südromanischen Architektur sind den plan ohne Gewändeabstufung in der Mauer liegenden Türöffnungen große, oft zweigeschossige Portalvorbauten vorgesetzt, für die die Portale der Provence (Saint-Gilles, Arles) die Vorbilder waren: San Zeno und Duomo in Verona [23], Kathedralen von Parma, Modena usw. Das eingestufte Portal ist in der ost- und südromanischen Architektur zwar keineswegs unbekannt, aber doch nicht wie in der westromanischen Architektur die Regel. Die westlichen Vorbilder werden von einem die Mauer als kompakte flächig begrenzte Scheibe empfindenden und als solche zu bewahren strebenden architektonischen Denken mehr zur dekorativen Bereicherung übernommen. Eine konsequente strukturelle Durchgliederung der Mauermasse ist dem Osten und Süden letzten Endes fremd geblieben oder zeigt sich doch nur partiell.

Die Apsismauern der großen Dreikonchen-Kirche Sankt Aposteln in Köln (nach 1192 gebaut) sind zweifellos einheitlicher und etwas struktureller gegliedert als die Mauern der meisten rheinischen Kirchen der Epoche [50]. Der Ostchor ist mit seinen drei mächtigen Apsiden ein höchst eindrucksvolles Meisterwerk kraftvoller Massengruppierung. Die Mauern der drei gleich großen, im Halbkreis weit ausladenden Apsiden sind in ihrer zweigeschossigen Aufteilung, mit ihren hohen breiten Blendarkaden und dem sie wie mit einem gemeinsamen Band zusammenschließenden Laufgang (Zwerggalerie) wunderbar klar und harmonisch gegliedert. Aber doch dringt auch hier – mit westromanischen Bauten wie den Gliederungen am Chor von Saintes-Maries-des-Dames in Saintes (Charente-Maritime), von Marignac (Charente-Maritime), Lichères (Charente), Chauvigny (Vienne) [43], den Kirchen in Poitiers usw. verglichen – die Gliederung nicht sehr tief in das Mauerwerk ein. Sie ist im wesentlichen denn doch mehr dekorativ als strukturell, so gewiß sie hier mehr, als das gewöhnlich in der ostromanischen, auch gerade der rheinischen Architektur, der Fall ist, dem konstruktiven Duktus folgt.

# Gestalt der Wand

Die in der ost- und südromanischen Architektur außen durch Lisenen, Bogenfriese, Blendarkaden flächig-dekorativ gegliederten oder auch ungegliedert gebliebenen Mauern treten innen als strukturlose Wände in die Erscheinung. Die Mauer ist als raumabschließende kompakte Scheibe empfunden. Alle Eingriffe in den Mauerkörper sind vermieden. Die glatte Fläche wird nur durch die scharfkantig aus der Mauer herausgeschnittenen Fensteröffnungen und die Langhausarkaden unterbrochen. Wenn einmal deren Bögen – das ist aber selten der Fall – flach abgetreppt sind – wie in der Prämonstratenser-Chorherrn-Kirche von Jerichow [68], um 1200, noch wesentlich flacher in der früher begonnenen, um 1180, aber viel später vollendeten Zisterzienserkirche von Lehnin (ebenfalls Mark Brandenburg) und in Santa Maria Assunta in Teverina (Terni, Umbrien, 12./13. Jh.) – oder wenn die Fenster durch Ecksäulchen und Wülste gerahmt sind – wie in der Stiftskirche von Quedlinburg (Sachsen-Anhalt, um 1130) [74], so sind das dekorative Bereicherungen, die den flächigen Charakter der Wand nicht aufheben. Für das jeder strukturellen Gliederung der Wand abgeneigte architektonische Empfinden ist die in der letzten Travée vor dem Chor in Lehnin als lediglich graphisches Ornament der Wand aufgesetzte dekorative Arkatur besonders bezeichnend.

So kahl, wie wir die Wände heute in diesen Basiliken vorfinden, waren sie einstmals freilich nicht. In der Regel waren sie mit in Feldern aufgeteilten Malereien bedeckt, manchmal zum Teil auch mit Wandteppichen bekleidet. Nur hier und da noch vermögen wir eine Anschauung ihres ursprünglichen Zustandes zu gewinnen – etwa in der Basilika Sankt Georg in Oberzell auf der Bodenseeinsel Reichenau, in Santa Maria in Bominaco (Aquila degli Abruzzi), in Sant'Angelo in Formis (Campania). In diesen Kirchen sind die Wände mit Malereien wie tapeziert. Daneben gibt es Flächengliederungen durch dekorative Inkrustationen, für die San Miniato al Monte über Florenz das wohl prächtigste Beispiel liefert [67].[59] Die Kirchen im einstigen normannischen Südreich (Cappella Palatina in Palermo und Kathedrale von Monreale) sind mit den Werken byzantinischer Mosaizisten so reich geschmückt, daß ihre Wände kaum noch als Mauerwerk empfunden werden. Die selbe sinnliche Verhaltensweise zum Mauerkörper, die sich in diesen flächigen Wänden manifestiert, hat auch die Wandgestalt in der altchristlich-byzantinischen Architektur bestimmt. Eine nähere oder fernere Verwandtschaft mit

dieser wird denn auch in vielen holzgedeckten romanischen Basiliken spürbar. Am
stärksten empfunden wird sie in den südromanischen Säulenbasiliken, in denen die alt-
christlich-byzantinische Raumform noch bis ins 12./13. Jahrhundert nur wenig gewandelt überlebt, während die ostromanische Pfeilerbasilika mehr eigene Charakterzüge
aufweist.

Hans Jantzen schreibt in seiner Darstellung der ›Ottonischen Kunst‹ sehr zutreffend –
und das gilt im wesentlichen auch für die frühe südromanische Architektur –, es sei
»alles getan, um die tektonische Struktur der Mauer zu verschleiern ... Die Wand
besitzt keine plastische Gliederung, kein Relief, sondern läuft ›flach‹ durch. Wo Blenden-
gliederungen auftreten wie in Sankt Pantaleon zu Köln, an den äußeren Seitenschiff-
wänden von Sankt Michael in Hildesheim oder im Querschiff von Nivelles, sind sie so
zart behandelt, daß sie den Charakter der Wand noch nicht grundsätzlich zu ändern
vermögen.«[60] Dieses Verhalten zur Wand bleibt nicht nur im ›Kaiserstil‹ der salischen
Epoche, in der der Einfluß der westromanischen Architektur noch nicht wirksam und
die Holzdeckung noch nicht durch die gewölbte Steindeckung verdrängt ist, unverändert, es ist vielmehr im wesentlichen für die gesamte ostromanische Architektur
bestimmend. Die Übernahme westromanischer Gliederungen hat später die Wand wohl
dekorativ bereichert. Einen grundsätzlichen Wandel hat sie aber nicht bewirkt. Die
raumbegrenzenden Wände bleiben immer relativ flach, die Gliederungen unregelmäßig.
Das für die ›ottonische Architektur‹ und für den ›premier art roman‹ charakteristische
intellektuelle und sinnliche Verhalten zu Mauer und Wand vermag sich nie völlig zu
verleugnen. Noch bis tief ins 12. Jahrhundert überlebt der Typus der ottonischen frühromanischen flachgedeckten und flach umwandeten Basilika, z. B. in der harmonischen
Nüchternheit der Kirchen von Jerichow [68] und Lehnin.

In altchristlichen Kirchen Roms stammen nicht nur die Marmorsäulen aus römischen
Bauwerken. Auch die Idee des Wandaufbaus ist in einigen mit dem über die Säulen
gelegten Gebälk noch die klassisch-antike: in Santa Maria Maggiore und in San Lorenzo
fuori le Mura, ebenso in Byzanz in der Basilika des Johannes Studios. In den meisten
altchristlichen und byzantinischen Basiliken aber steht die Mittelschiffwand wie in den
romanischen über Arkaden (Santa Maria in Cosmedin und Santa Sabina in Rom,
Sant'Apollinare in Classe, Sant'Apollinare Nuovo in Ravenna). An den antiken Architrav bleibt manchmal noch eine schwache Erinnerung in den über den Langhausarkaden
dahinlaufenden Ornament- oder Bildbändern (Santa Sabina in Rom, Sant'Apollinare
in Classe – dort nicht mehr ursprünglich, aber in ähnlicher Weise anzunehmen, – Sant'
Apollinare Nuovo in Ravenna). In ostromanischen Kirchen sind Arkaden- und Fenster-
zone öfter durch ein schmales Steinband (wie in Alpirsbach [73] und Quedlinburg [74])
optisch getrennt, oder sie waren es durch ein nur aufgemaltes, heute zumeist ver-
schwundenes Ornamentband, wie es heute noch in Sankt Georg in Oberzell erhalten
ist. Ob man hier noch einen derivativen Zusammenhang mit der antiken Architrav-
bildung sehen darf, mag freilich höchst zweifelhaft sein. Jedenfalls sind solche plastischen oder aufgemalten Bänder die einzigen Mittel einer Gliederung der großen Wand-

fläche, von den durch in Felder aufgeteilten Gemälden oder dekorativen Inkrustationen abgesehen.[61]

Die südromanische Architektur hat lange, fast die ganze romanische Epoche hindurch, am Typus der altchristlichen Säulenbasilika festgehalten.[62] Bei meist recht weiten, hohen Arkaden und entsprechend schlanken Säulen wirken die Mittelschiffwände, mit den ostromanischen, auch mit den wenigen westromanischen Säulenbasiliken verglichen, schwerelos und dünn.[63] Ja, diesen gegenüber machen sie für den, der seine Stilvorstellung im wesentlichen im Osten und Westen gebildet hat, einen fast unromanischen Eindruck.[64] Da die ostromanischen Säulenbasiliken, die übrigens nicht sehr zahlreich sind, engere und weniger hohe Arkaden haben, wirken ihre ungegliederten Wände massiger und sind die Seitenschiffe stärker gegen das Mittelschiff abgetrennt (Sankt Georg in Oberzell auf der Reichenau, die Kirchen der Hirsauer Kongregation in Hirsau selbst, in Alpirsbach und Paulinzella).

In der kontinentalen westromanischen Architektur gibt es nicht sehr viele reine Säulenbasiliken. Saint-André in Chartres ist eine der schönsten – oder sie war es; denn sie ist in einem nicht sehr guten Zustande erhalten geblieben. Aber auch in nicht-basilikalen Kirchen finden wir in der kontinentalen westromanischen Architektur gelegentlich säulengestützte Langhausarkaden, z. B. in Saint-Nectaire (Puy-de-Dôme), in Saint-Savin-sur-Gartempe und Civaux (beide Vienne), in Lichères (Charente). Sehr häufig dagegen sind in Britannien die Langhausarkaden von Säulen getragen: in Southwell, Gloucester, Tewkesbury, Malmsbury, Dumpferline, Melbourne, Workshop (dort im Wechsel mit Achteckpfeilern).

Diese britischen Arkadenstützen können aber kaum noch Säulen genannt werden. Sie sind mächtige, stämmige Rundpfeiler. Ihre Kapitelle sind zu kissenartigen schmalen, manchesmal gefälteten oder andersartig dekorierten Platten geschrumpft [61, 62, 64]. Noch weniger sind die runden, flachen, einmal abgestuften Platten, die die dicken zylindrischen Pfeiler von Saint-Philibert in Tournus oben abschließen, und die Kerbschnittbänder am oberen Ende der Rundpfeiler von San Clemente in Tahull (Katalonien) [Fig. 2] echte Kapitelle. Aber auch da, wo solche Rundpfeiler, wie in Saint-Nectaire und in Saint-Savin, skulptural ausgebildete Kapitelle oder wie in Sant' Abbondio in Como Würfelkapitelle haben, wird man in diesen Kirchen so wenig wie in den britischen an altchristliche oder byzantinische Säulenbasiliken erinnert, mit denen die meisten südromanischen Säulenbasiliken doch immer eine nähere oder fernere Verwandtschaft zeigen. Denn im Vergleich zu ihnen erscheint selbst die so entkörperte strukturlos-glatte Wand der ostromanischen Basiliken noch materiell-körperhaft.

Es sei an dieser Stelle der romanischen Säule eine kurze Betrachtung gewidmet. In den Säulenbasiliken und überall, wo sie frei steht, in den Arkaden der Chorumgänge, in den Kreuzgängen und Zwerggalerien, hat die Säule ihre Selbständigkeit als ein in sich geschlossener Körper bewahrt. Diese eigene Körperlichkeit hat sie aber an den strukturell gegliederten Mittelschiffwänden verloren. Nur sehr selten sind Säulen als Stützen von Gurt- oder Arkadenbögen frei vor die Wand gestellt wie in den prä-

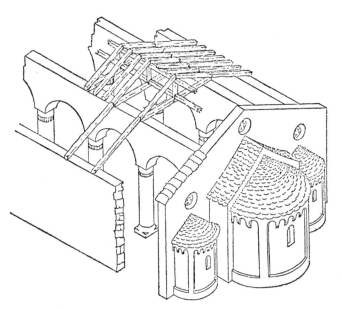

Fig. 2   San Clemente de
Tahull (Lérida)

romanischen Baptisterien von Fréjus (Var) und Venasque (Vaucluse), in der präromanischen Kirche San Pedro de la Nave (Prov. Zamora, 7. Jh.), in der frühromanischen Kirche San Pedro de Roda [vgl. S. 44 und Abb. 53], am Eingang des Chorumgangs von Notre-Dame-du-Port in Clermont-Ferrand [103]. Gegen Ende des 12.
Jahrhunderts werden öfter Säulen aus dem engen Verband mit der Mauer gelöst und
gerne auch vor die Kapellen der Umgangschöre freigestellt wie im Chor von Saint-Remi
in Reims, von Notre-Dame-en-Vaux in Châlons-sur-Marne. In Laon sind einige Rundpfeiler von vier freistehenden Säulen umstellt.

Als Stütze von Dachstuhlbindern und Gurtbögen oder des Bogenunterzugs in der
Arkadenlaibung hat die Säule ihre eigenständige Körperlichkeit verloren. Sie ist als den
Pfeilern vorgelegte Dreiviertel-, Halb- und Viertelsäule ein dem Baukörper fest ein-
gebundenes Stück der Wand geworden. Aber auch in dieser konstruktiven Rolle als
Wandsäule ist sie wie die klassisch-antike Säule (und Wandsäule) in Fuß, Schaft und
Kapitell gegliedert. So getreue Kopien römischer kannelierter Säulen, Wandsäulen und
Pilaster mit korinthischen Kapitellen wie in der Provence (Saint-Gilles, Saint-Restitut,
Notre-Dame-des-Doms in Avignon [1, 3, 5]) oder wie am Portal von Castel del Monte
bei Bari, in der Kathedrale von Autun [83] (dort kannelierte Pilaster, aber ohne
antikisierende korinthische Kapitelle) sind allerdings selten. Der Säulenschaft ist sonst
immer unprofiliert. Aber nur selten ist auf die Ausbildung eines Fußes verzichtet (wie
bei den Rundpfeilern in Saint-Philibert in Tournus und einigen in San Clemente in
Tahull), und selten besteht die Basis nur aus einem Kubus oder einer quadratischen oder

runden Platte (wie in Lugnano in Teverina, Jumièges [120], Saint-Savin-sur-Gartempe). Die häufigste Form des Säulenfußes ist die sogenannte attische Basis mit einer Hohlkehle zwischen einem stärkeren unteren und einem schwächeren oberen Wulst auf einer rechteckigen Plinthe, öfter mit Eckblättern, Krallen etc. über den Sockelecken dekorativ bereichert [25 a, b, 26 a, b, 27, 28]. In ihr lebt die klassisch-antike Form weiter, worauf die Namengebung hinweist.

Der Schaft ist fast immer zylindrisch, ohne die antike Schwellung (Entasis). Nur selten verjüngt er sich nach oben oder ist er mit Kanneluren, Rauten- und Zickzackmustern dekoriert wie in britischen Bauten (Durham [64], Waltham Abbey, Norwich). Gewundene, gerillte oder andersartig deformierte Schäfte finden sich öfter in den Kreuzgängen, auch manchmal in Krypten (z. B. in der von Lancfrancs Bau stammenden Krypta in Canterbury).

In den romanischen Blattkapitellen lebt das korinthische Kapitell und ebenso das antik-jonische in zahlreichen Variationen fort, zumeist stark reduziert und vergröbert, manchmal nur eingeritzt, sehr häufig aber mit phantasievoll in Menschen- und Tierköpfe, in andere animalische, aber auch in floreale Formen verwandelte Voluten [186 bis 192]. Vor allem in der südromanischen und noch mehr in der kontinentalen westromanischen Architektur ist das Kapitell der Ort, an dem sich die ornamentale Erfindung und ebenso die figurale in Darstellungen von biblischen Themen und Heiligenlegenden überaus reich und thematisch noch vielseitiger als in den Tympana der Portale entfaltet hat. In der Lombardei und in der ostromanischen Architektur ist das abstrakttektonische Würfelkapitell entstanden und in dieser bis ins 13. Jahrhundert so allgemein verbreitet, daß man das kubische meist gar nicht oder sehr sparsam dekorierte Kapitell [180] als das ostromanische schlechthin bezeichnen kann. In Britannien herrschen ebenfalls abstrakte Kapitellformen vor. Neben Würfelkapitellen (z. B. in Sanct Albans Abbey, Chichester, Ely [63], Worcester) finden wir mannigfache Abwandlungen dieser Form wie das wohl in der Normandie entstandene Faltkapitell bis zu flachen kissenartigen, manchmal dekorierten Kapitellen [61, 62, 64, 115].

In der ostromanischen Architektur tritt die Säulenstütze häufig im Wechsel mit der Pfeilerstütze auf (Stiftkirche in Gernrode, Sankt Michael in Hildesheim, Stiftkirche in Quedlinburg usw. [66, 74, Fig. 12, 42]). Dieser Stützenwechsel ist jedoch nicht nur eine ostromanische Eigenart. Wir finden ihn auch in der byzantinischen Architektur (Demetrius-Basilika in Saloniki) und in der west- und südromanischen Architektur. Dort aber ist er – im Gegensatz zur byzantinischen und ostromanischen Architektur – nicht ein nur dekoratives Mittel, die Wandfläche zu rhythmisieren, sondern konstruktiv motiviert. In der Abteikirche von Jumièges [120, Fig. 17, 19] ist zwischen den Säulen, die die Arkaden tragen, und den eine konstruktiv bedeutendere Rolle spielenden Pfeilern mit vorgelegten Säulen, auf denen die Dachstuhlbinder aufliegen (oder von denen Schwibbögen aufstiegen, vgl. S. 53), klar unterschieden. Die selbe konstruktive Motivierung des Stützenwechsels finden wir auch in westromanischen gewölbten Bauten: in der Kathedrale [65] und in Notre-Dame-du-Pré in Le Mans, in Durham und in Sens, später in der gotischen Epoche in den Kathedralen von Senlis und Noyon. Auch in der südromanischen Architektur ist der Stützenwechsel in der Mittelschiffwand oft konstruktiv begründet, z. B. in San Zeno in Verona, San Miniato über Florenz [67], Sant'Eufemia in Spoleto (wo das Mittelschiff ursprünglich ebenfalls holzgedeckt war). Daß dagegen die ostromanische Architektur den Stützenwechsel nur als dekoratives Gliederungsmittel kennt, beweist einmal mehr, wie sehr sie die Wand als kompakte Scheibe empfindet und die flächige Umgrenzung des Raumes zu bewahren sucht, indem sie die Dachbinder von der Wand selbst tragen läßt, nicht durch vorgelegte Wandpfeiler oder Wandsäulen, was auch in frühen westromanischen, meist kleineren Kirchen (z. B. in Saint-André in Chartres) vorkommt und in südromanischen Kirchen ohne Stützenwechsel die Regel ist (Pisa, Fiesole, Romena, Gropina in der Toskana, San Nicola und San Sabino in Bari, Kathedrale von Trani in Apulien, Monreale auf Sizilien usw.).

Wo in den Mittelschiffen mit offenem Dachstuhl oder flacher Decke die Dachbinder von vorgelegten Pfeilern oder Wandsäulen getragen werden, kommt eine stärkere Bewegung in die Wand [85, 86, 120]. Diese ergab sich schon aus praktisch konstruktiven Überlegungen und Notwendigkeiten in noch stärkerem Maße durch die Wölbung. Denn die Tonnen- und Kreuzgratgewölbe bedürfen zu ihrer Verstärkung zumeist der Gurtbögen und diese der Abstützung durch der Wand vorgelegte Pfeiler oder Wandsäulen bzw. einer Kombination beider Stützenformen, wenn man nicht das ganze Mauerwerk erheblich verstärken will, um den Schub der Gewölbe aufzufangen, der im besonderen bei der Tonnendeckung ganz beträchtlich ist.

In einer der ältesten romanischen Kirchen des Abendlandes mit drei tonnengewölbten Schiffen, in Saint Martin-du-Canigou (Pyrénées-Orientales) gab die Wölbung noch keinen Anlaß zu einer Gliederung der Mittelschiffwände [Fig. 3]. Bei dieser 1001 begonnenen, 1009 von Oliba, dem Bischof von Elne, geweihten Kirche sitzt das Dach ohne Dachstuhl unmittelbar auf der dicken Übermauerung der Tonnen. Das Langhaus ist, ähnlich wie bei einigen kleinen katalanischen Kirchen, wie von einem dicken Mantel umschlossen, der der Konstruktion genügend Festigkeit gibt, so daß auch auf äußere Strebepfeiler an den fensterlosen Seitenmauern verzichtet werden konnte. Das Mittelschiff, das übrigens nur 3,5 m breit ist, empfängt nur durch eine kleine runde Öffnung über dem Portal in der westlichen Fassadenmauer Licht. Der einzige Gurtbogen steigt von einem kreuzförmigen Pfeiler auf und teilt das Mittelschiff. Die Stützen der die Schiffe trennenden Arkaden sind monolithe, nach oben sich verjüngende Säulen mit einem niederen Kapitell, dessen Korb mit mehr eingeritzten als plastisch skulpierten Ranken verziert ist. Die Bogenschenkel stehen ohne Deckplatte auf diesen Kapitellen.

Bei weniger primitiven Konstruktionen führt die Wölbung zwangsläufig zu einer strukturellen Wandgliederung. Wo ursprünglich holzgedeckte Schiffe im 12. und 13. Jahrhundert nachträglich gewölbt wurden, wie sehr häufig in der ostromanischen Architektur, ist die harmonische Geschlossenheit der Räume meist zerstört worden. Es ist auch nur selten eine gleichmäßige kraftvolle Wandgliederung erreicht worden. Wie aber eine von Anfang an geplante Wölbung auch in der ostromanischen Architektur

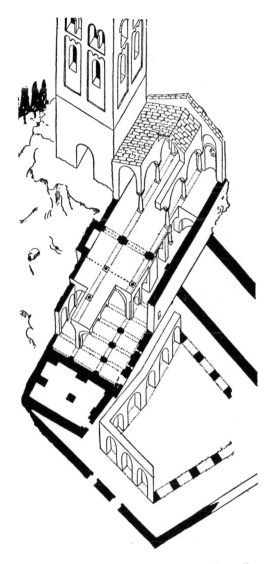

Fig. 3  Saint-Martin-du-Canigou
(Pyrénées-Orientales)

schon in der ersten Hälfte des 11. Jahrhunderts zu einer konsequenten strukturellen
Wandgliederung und zu einer neuen Raumgestalt geführt hat, zeigen höchst anschau-
lich zwei katalanische Kirchen. Die ältere, San Pedro de Roda in der Provinz Gerona
[53; Fig. 4, 5] ist 1022 geweiht, die andere, San Vicente im Schloß von Cardona in der
Provinz Barcelona [54; Fig. 6a, b], 1028 begonnen und 1040 geweiht worden (zur
Datierung s. Anm. 65).

43

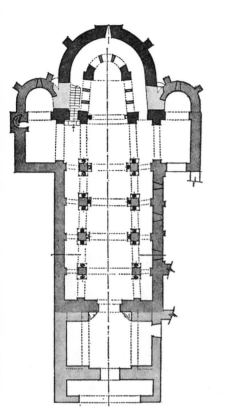

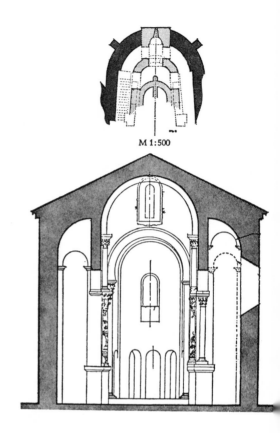

M 1:500

Fig. 4, 5   San Pedro de Roda (Gerona)

Die Mauern von San Vicente sind außen in der für den premier art roman charakteristischen Weise durch Lisenen und Bogenfriese gegliedert. Apsis, Chor und Transept haben außerdem einen Nischenkranz. Bei San Pedro finden wir diese Gliederung nur am Turm. Alle anderen Mauern sind dort außen ungegliedert geblieben. In beiden Kirchen sind alle drei Schiffe gewölbt, in San Pedro das Mittelschiff mit einer Halbtonne, die Seitenschiffe mit Vierteltonnen, in San Vicente das Mittelschiff ebenfalls mit einer Halbtonne, die Seitenschiffe aber mit Kreuzgratgewölben zwischen Gurtbögen. Das Tonnengewölbe ist in beiden Kirchen durch Gurtbögen verstärkt. In San Pedro werden die Gurtbögen der Mittelschifftonne von zwei übereinander gestellten Säulen, die dem Mauerwerk frei vorgesetzt sind, getragen, die Halbgurte der Seitenschiffe von Wandpfeilern. In San Vicente steigen die Gurte aller drei Schiffe von Wandpfeilern auf.

In San Pedro sind die Langhausarkaden zwar nicht abgetreppt, ihre Bögen steigen aber von Säulen auf, die wie im Mittelschiff den Pfeilern in der Laibung frei vorgesetzt sind. Es zeigt sich hier also ein Formempfinden, das in der westromanischen strukturellen

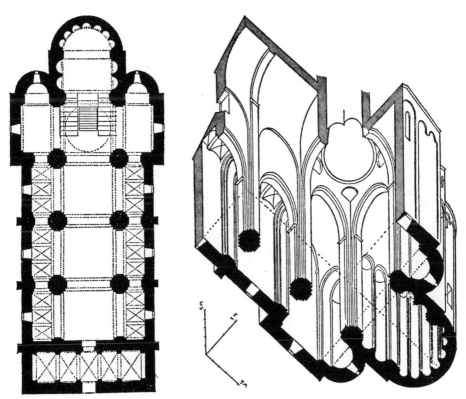

Fig. 6 a, b   San Vicente de Cardona (Barcelona)

Arkadengliederung seinen Ausdruck gefunden hat, wo der zurückgestufte innere Bogen, der Bogenunterzug, fast immer durch Wandsäulen in der Arkadenlaibung gestützt wird.[66] Es muß in San Pedro eine hoch kultivierte, an römischen Vorbildern geschulte Bildhauerwerkstatt tätig gewesen sein. Die skulpierten Ornamente auf dem Korb und der abgeschrägten Unterseite der Deckplatten offenbaren eine technisch wie künstlerisch gleich hohe Meisterschaft.

In San Vicente haben alle Arkadenpfeiler allseits flache rechteckige Vorlagen, auch in der Arkadenlaibung. Die Bögen haben Unterzüge, wie es in der westromanischen Architektur die Regel ist. Die Mauermasse ist also auch da gegliedert, wo praktisch konstruktive Überlegungen oder Notwendigkeiten keinen zwingenden Anlaß dazu gegeben haben können. Die durch die Gewölbekonstruktion bedingte Wandgliederung scheint ein ästhetisches Bedürfnis zu plastischer Durchdringung des Wandkörpers erweckt zu haben, das in der ostromanischen Architektur mit holzgedecktem Langhaus im allgemeinen nicht bestand. So sind in San Vicente auch die Wände des rechteckigen

45

Chors und der halbrunden Apsis durch hohe runde Nischen gegliedert. Die Vierung ist mit einer Trompenkuppel überbaut, in deren Schale lichtspendende Öffnungen eingebrochen sind, die die Funktion des später entwickelten Tambours erfüllen. Aus der Wandgliederung ergibt sich auch eine stärkere Differenzierung des Raums und ein bewegteres Spiel des Lichts. Das ist noch mehr in San Pedro der Fall, wo das Mittelschiff nur durch Fenster in den Schmalseiten, eines in der Westfassade, ein zweites in der Übermauerung des Vierungsbogens belichtet und die Wand noch lebhafter gegliedert ist. Die Vierung ist dort nicht mit einer Kuppel überbaut, sondern in gleicher Weise wie die Mittelschifftravéen mit einer Tonne überwölbt. Im Chor ist eine Bauidee – vielleicht zum ersten, aber auch fast einzigen Mal in der ostromanischen Architektur – verwirklicht, die in der westromanischen Architektur weithin verbreitet ist: die Seitenschiffe setzen sich in einem Umgang (Deambulatorium) fort. Die Raumform der Ringkrypta, die darunter liegt, kehrt in der Oberkirche, wie später in der auvergnatischen Kirche von Saint-Saturnin (Puy-de-Dôme) [Fig. 61–63], wieder, wo ebenfalls die sich zum Umgang öffnenden Apsidiolen (Kapellen) fehlen, die mit den westromanischen Umgangchören sonst fast ausnahmslos verbunden sind und zur vollen Erfüllung der Funktion dieser Chorform gehören.[67] Doch bleibe dieses Thema einer ausführlichen, weiter unten sogleich folgenden Betrachtung vorbehalten.

Hinsichtlich der Gestaltung der Wand sind zwischen ost- und südromanischer Architektur gemeinsame Charakterzüge festzustellen. In der westromanischen Architektur dagegen wird die Gestalt der Wand von einem grundsätzlich anderen architektonischen Denken und Empfinden bestimmt. Es gibt freilich auch in der westromanischen Architektur holzgedeckte Kirchenschiffe mit ungegliederten Wänden.[68] Die Mauern dieser Bauten sind außen zwar nicht durch Lisenen usw. gegliedert. Innen aber ist in diesen Basiliken ein dem ost- und südromanischen im wesentlichen gleichartiges architektonisches Empfinden zum Ausdruck gekommen, so daß man in ihnen ein Äquivalent zum östlich-südlichen ›premier art roman‹ sehen könnte. Im Westen aber wird schon früh, schon in der ersten Hälfte des 11. Jahrhunderts, die Architektur von einem sinnlichen Verhalten zu Mauer, Wand und Raum bestimmt, das auch noch der späteren ost- und südromanischen Architektur trotz Übernahme westromanischer Gliederungselemente fremd geblieben ist. Der von Puig i Cadafalch geprägte Begriff ›premier art roman‹ ist deshalb irreführend. Denn hinsichtlich des architektonischen Empfindens ist im Osten und Süden der second art roman noch immer ein premier art roman, im Westen dagegen der premier art roman schon ein second art roman. Die westromanische Architektur ist nämlich nicht als eine höhere Entwicklungsstufe des östlichen und südlichen premier art roman zu verstehen. Sie hat sich unabhängig von diesem entwickelt. Sie ist eine Architektur aus einem radikal anderen Geist.

Im Westen wurden sowohl die Mauern außen wie die Innenwände schon zu Beginn der romanischen Epoche und unabhängig von der Wölbung allgemein strukturell durchgliedert. Im Süden und Osten dagegen ist die Auffassung der Wand als flächige Raumumgrenzung im großen Ganzen gestaltprägend geblieben. Auch wo (zumeist nach westlichen Vorbildern) die Wände gegliedert und die Schiffe gewölbt wurden, sind die Raumbegrenzungen zumeist noch immer relativ flächig (z. B. die Mittelschiffwände in Worms, in Rosheim und anderen elsässischen Kirchen). Das typisch ost- und süd-romanische architektonische Empfinden und Denken, das immer dazu neigt, dem Raum eine wandhafte Geschlossenheit zu geben, ist fast überall in der schwächeren Plastizität der Gliederung, in der Unentschiedenheit und Unsicherheit in der Verwendung der gliedernden Elemente spürbar. Es hat sich das für den premier art roman charakteristische Verhalten zu Wand und Raum oft noch bis ins 13. Jahrhundert erhalten. Dagegen finden wir die für die westromanische Architektur typische Wanddurchgliederung schon in der 1023 begonnenen Kirche vom Mont Saint-Michel (Manche) [85] und in anderen Bauten des Westens aus dem 11. Jahrhundert voll ausgebildet. Sainte-Foy in Conques-en-Rouergue wurde um 1040 begonnen, Saint-Sernin in Toulouse um 1060 (1069 geweiht), Saint-Étienne in Nevers 1063 begonnen und 1097 geweiht. Der Chor von Saint-Benoît-sur-Loire stammt aus dem letzten Drittel des 11. Jahrhunderts. Die Klarheit der Raumgestaltung, die Sicherheit in der Anwendung der wandgliedernden Elemente in diesen Bauten läßt darauf schließen, daß sich dafür bereits eine Tradition gebildet hatte.

In der westromanischen Architektur in Britannien, d. h. der nach der Eroberung durch die Normannen entstandenen Architektur, sind Langhaus, Querschiff-, Vierung- und Chorräume flachgedeckt – Durham ist eine Ausnahme. In den anderen Kirchen stammen die Gewölbe aus späterer Zeit. Die Wände sind aber ebenso stark durchgliedert wie auf dem Kontinent. In der südromanischen Architektur sind dagegen die Wände ungegliedert oder wie in der ostromanischen nur schwach und flächig gegliedert (Kathedrale und San Nicola in Bari, Kathedrale von Trani). Eine Ausnahme machen nur die gewölbten Kirchen des 12. Jahrhunderts wie die von Parma, Pavia und einige Bauten im einstigen normannischen Südreich wie die in Matera, Lecce.

Im 12. Jahrhundert ist man in der ostromanischen Architektur, nachdem ihre größte Kirche, der stolze Kaiserdom von Speyer um 1100 im Mittelschiff Kreuzgratgewölbe zwischen Gurtbögen erhalten hatte, mehr und mehr dazu übergegangen, die ursprünglich flach gedeckten Schiffe noch nachträglich zu wölben. Es mußten den Wänden Pfeiler und Halbsäulen vorgelegt werden. Sie wurden dadurch zwar lebhafter oder überhaupt erst gegliedert. Die Räume behielten aber noch immer etwas von ihrer ›wandhaften‹ Umschlossenheit. Der flächige Charakter der Wände ist nie ganz aufgehoben worden. Vom Mittelschiff der Abteikirche Maria Laach [55], das bei der Planung von 1093 nicht für ein Gewölbe berechnet war und dieses erst im 12. Jahrhundert erhielt, sagt Ernst Gall sehr treffend, es habe seinen »streng wandhaften Charakter beibehalten«, die »Pfeilervorlagen mit ihren Halbsäulen« wirkten »als vor die Wand gestellte Gebilde«.[69] In der Mainzer Kathedrale [56], deren ursprünglich flach gedecktes Mittelschiff erst im 13. Jahrhundert die jetzigen Gewölbe erhielt, ist es ähnlich. Die jedem zweiten Arkadenpfeiler vorgelegte, bis an die heutige Hochschiff-Fensterzone aufsteigenden Halbsäulen sind nur seicht und zum Teil gar nicht dem Pfeiler eingebunden, und das von ihnen getragene Gewölbe war nach hundert Jahren auch eingestürzt. Erst für das bis heute erhaltene Rippengewölbe des 13. Jahrhunderts hat sich die Wand als tragfähig erwiesen. Die nach dem Brand von 1081, der das flach gedeckte Mittelschiff zerstört hat, tätig gewesenen Baumeister scheinen nicht nur wenig Erfahrung in der Gewölbekonstruktion gehabt zu haben, sie waren auch in den traditionellen ostromanischen Raumvorstellungen so stark befangen, daß sie die Flächigkeit der Wand möglichst zu erhalten suchten und daher alle gliedernden Elemente ihr nur seicht auflegten. Jedenfalls nehmen die Wandsäulen, deren Würfelkapitelle jetzt als Auflager der recht schwach ausgebildeten Kreuzrippen, Gurt- und Schildbögen dienen, der Wand so wenig ihre Flächigkeit wie die nur ganz zart in sie eingelassenen Blendnischen über den Arkaden. Deren Schmalheit und die enge Reihung der Pfeiler verstärken hier ebenso wie in Eberbach [57] die wandhafte Geschlossenheit des Raumes. Man wird, einmal darauf aufmerksam geworden, immer wieder auch in den gewölbten ostromanischen Langhausräumen spüren, daß das ostromanische Ideal des von glatten Wänden umschlossenen Raumes sich selten zu verleugnen vermag, unabhängig davon, ob die Wölbung von Anfang geplant oder erst nachträglich erfolgt ist. Darin unterscheidet sich die südromanische von der ostromanischen Architektur nicht sehr.

Wenn in der ost- und südromanischen Architektur die Wandgliederung stets mit den konstruktiven Bedingungen der Wölbung eng verbunden ist, sind in der westromanischen Architektur die Wände auch unabhängig davon durchgliedert worden, nicht nur in den flach gedeckten Basiliken der normannischen Architektur Britanniens. Wir kennen mehrere Bauten auch in der kontinentalen westromanischen Architektur, die nicht für Wölbung geplant waren, aber doch sehr entschieden körperlich-plastisch und strukturell durchgliederte Wände haben. Das weist sehr eindeutig darauf hin, daß wir es mit einem grundsätzlich anderen sinnlichen Verhalten zum Mauerwerk zu tun haben. Dieses findet in der Gestaltung der Mauer außen ebenso seinen Ausdruck wie in der Gestaltung der Mauer innen, den Wänden, und in dem von ihnen umschlossenen Raum.

Für die westromanische Wandgestaltung ist die in der Abteikirche von Bernay (Eure) [70] in der Normandie von besonderem Interesse. Der Bau war von der Herzogin Judith von der Bretagne begonnen worden. Um den bei ihrem Tode 1017 offenbar noch nicht weit gediehenen Bau zu vollenden, rief ihr Gemahl Richard III. von der Normandie Wilhelm von Volpiano, den Abt und Bauherrn von Saint-Bénigne in Dijon, ins Lieuvin, um die Klostergründung und im besonderen die Weiterführung des Kirchenbaues zu betreuen, der dann bis etwa 1025 in seinen wesentlichen Teilen fertig geworden sein dürfte. Die Mittelschiffpfeiler und die Arkaden sind in die Wand eingestuft. Der Unterzug des Bogens steigt von Säulen auf, die der Arkadenlaibung vorgelegt sind. Das Untergeschoß der sich sonst bis zu den Bindern des offenen Dachstuhls im wesentlichen flach erhebenden Wand ist also plastisch gegliedert. Der zweizonige Aufbau ist durch eine Gesimsleiste betont, über der sich in der Achse jeder Arkade ein kleiner Zwillingsbogen mit einer etwas zurückgestellten Zwischensäule zum Dachstuhl des Seitenschiffs öffnet. Seitlich dieser Öffnungen liegen über den breiten Arkadenpfeilern etwas höhere Rundbogenblenden. Die Hochschiffenster sind scharfkantig ins Mauerwerk eingeschnitten und stehen mit ihrer stark abgeschrägten Bank ziemlich dicht über den Doppelarkaden. Der Aufbau der oberen Zone wirkt etwas unbeholfen. Eigentlich handelt es sich ja um einen dreizonigen, nur nicht klar artikulierten Wandaufbau. In der Gestaltung der Zone zwischen den Mittelschiffarkaden und dem Obergaden, hinter der der Dachstuhl des Seitschiffs liegt, sieht F. Deshoulières zum erstenmal, wenn auch noch sehr unvollkommen, ein Wandgliederungselement verwirklicht, das in der westromanischen Basilika und später in der gotischen eine große Rolle spielen wird: das Triforium.[70] Den dreizonigen basilikalen Wandaufbau mit einer Arkadenreihe zwischen Langhausarkaden und Hochschiff-Fenstern finden wir schon in vor- oder frühestromanischer Zeit, z. B. in der 961 von Markgraf Gero gegründeten, unter Kaiser Otto II. 973–983 mit Langhaus und Westteil vollendeten Stiftkirche zu Gernrode [66] und in der von Abt Adso (960–982) begonnenen, von seinem Nachfolger Berengerius vollendeten, 889 geweihten Kirche von Montiérender (Haute-Marne) [Fig. 18]. In Montiérender sind es ebenfalls Doppelarkaden – in übrigens vollkommenerer Ausbildung als in Bernay – mit einem die gekuppelten Öffnungen zusammenfassenden Schildbogen (Entlastungsbogen) und einem tympanonartigen Blendenfeld, eine Gliederung, die wir gleichartig in der Kirche vom Mont Saint-Michel [85], in Saint-Étienne in Nevers [76], Saint-Remi in Reims, in den Wallfahrtskirchen Saint-Martial in Limoges, Sainte-Foy in Conques [75], Saint-Sernin in Toulouse [80], Santiago de Compostela antreffen. In Montiérender öffnen diese (nachträglich zugemauerten) Doppelarkaden, wie die Arkadenreihe in Gernrode, über den Seitenschiffen liegende Tribünen zum Mittelschiff. In Bernay aber haben sie eine andere Funktion: sie sollen den Dachstuhl der Seitenschiffe durchlüften, ihn auch etwas erhellen, da er als Laufgang (im besonderen bei Reparaturarbeiten) dient. Dieselbe Funktion ist in den nichtbasilikalen Kirchen des Limousin in recht primitiver Weise durch in die Tonnen- und Kuppelgewölbe eingeschnittene Öffnungen erfüllt worden, z. B. in Bénévent-l'Abbaye (Creuse) und in Le Dorat (Haute-Vienne) [71, 72].

Was in Bernay als ein noch recht unvollkommener Versuch, ein funktionales Problem durch eine plastische Durchformung der Zone zwischen Langhausarkaden und Hochschiff-Fenstern zu lösen, in die Erscheinung tritt, hat in der beinahe gleichzeitig, 1023, begonnenen Kirche vom Mont Saint-Michel (Manche) eine überraschend elegante Gestaltung gefunden [85]. In dem Wandaufbau offenbart sich die Schönheit und bildnerische Kraft, die uns vor so vielen Fassaden und Langhauswänden westromanischer Kirchen in staunende Bewunderung versetzt. Die Wand ist klar in drei Zonen aufgeteilt. Jede dieser Zonen ist durch Einstufung ihrer Öffnungen in das Mauerwerk plastisch durchformt. Den rechteckigen Pfeilern ist in der Arkadenlaibung eine Wandsäule vorgestellt, die den Unterzug des Bogens trägt, ebenso auf der rückwärtigen Seite für die Gurtbögen des kreuzgratgewölbten Seitenschiffs. Im Mittelschiff steigt über der profilierten Kämpferlinie der Arkaden eine rechteckige Vorlage mit Wandsäule bis zum Dachansatz auf und nimmt dort die Binder des Dachstuhls auf. In der dritten Zone spannen sich von den Kämpfern der Pfeilervorlagen Schildbögen über die mit Ecksäulen besetzten Fenster. Ähnlich diesen Fenstern sind die des Seitenschiffs gegliedert. Die mittlere Zone ist durch ein mit der kantigen Pfeilervorlage verkröpftes, durch die Wandsäulen unterbrochenes Bandgesims nach unten und oben abgegrenzt. Sie hat in jeder Travée zwei Doppelarkaden, die durch einen sie und ein tympanonartiges Feld überspannenden Schildbogen zusammengefaßt werden. Der Pfeiler, der die beiden Doppelarkaden voneinander trennt, ist in gleicher Weise gegliedert wie die Pfeiler im Erdgeschoß. Wenn man vor dieser so klar und strukturell aufgebauten Wand steht, wird man zunächst die Öffnungen in der Mittelzone für Tribünenarkaden halten, und solche wie die in Montiérender mögen auch Pate gestanden haben. Tatsächlich aber öffnen sie sich auf den Dachstuhl des Seitenschiffs. Sie erfüllen also die Funktion eines den Seitenschiffdachstuhl durchlüftenden Triforiums. Daß die Vortäuschung einer Tribüne beabsichtigt war, ist wenig wahrscheinlich. Gewiß aber ist, daß das so prachtvoll gestaltete Triforium, diese Scheintribüne, eine über alle praktisch-funktionellen Erfordernisse und praktisch-konstruktiven Notwendigkeiten hinausgehende sinnlich-ästhetische Funktion erfüllt und erfüllen sollte. Doch erschöpft sich diese nicht in einer der Wand applizierten bloßen Dekoration. Sie ist vielmehr der konstruktiven Idee dieses Wandaufbaus so konform, daß hier noch der Schein die Wahrheit enthüllt.[71]

Das Triforium ist eine Formschöpfung der normannischen Architektur und in der Normandie im Zusammenhang mit dem dreizonigen basilikalen Wandaufbau zu hoher Vollendung entwickelt worden. In einer der ältesten normannischen Kirchen Britanniens, in der von dem Abt Paul von Caen (1077–1088) begonnenen Abteikirche Sanct Albans [69] finden wir das Problem im Grunde noch ebenso primitiv gelöst wie in den nichtbasilikalen Kirchen des Limousin, in Le Dorat und in Bénévent-l'Abbaye. In Sanct Albans gehen über den doppelt abgetreppten Langhausarkaden und ihren in gleicher Weise abgestuften mächtigen Rechteckpfeilern weite ungegliederte, durch abgeschrägte Gewände sich in dem Mauerwerk verengende Öffnungen auf das Seitenschiffdach. (Dieser ursprüngliche Wandaufbau ist nur noch in sechs Travéen an der Nordwand erhalten.) Wie schnell aber diese Bauidee formal gemeistert worden ist, zeigen neben der Kirche vom Mont Saint-Michel die Abteikirche von Lessay (Manche), deren Ostteile um 1100 vollendet waren, und von Saint-Georges-de-Boscherville (Seine-Maritime) [82], deren Bau im zweiten Jahrzehnt des 12. Jahrhunderts begonnen wurde, in Britannien die Kirchen von Tewkesbury (Gloucestershire) [62] und bei weitem meisterlicher die Kathedrale von Gloucester (um 1160 vollendet) [61] mit zwei gekuppelten Öffnungen in jeder Travée, deren jede in ähnlicher Weise wie in der Kirche vom Mont Saint-Michel mit einem Entlastungsbogen überspannt ist. Auch diese Doppelarkaden öffnen nicht Tribünen, sondern nur den Dachstuhl über dem Seitenschiff zum Mittelschiff. In Tewkesbury ist es ebenso. In Gloucester ist außerdem der vor den Obergadenfenstern im Mauerwerk vorbeigeführte Laufgang von der kontinentalen normannischen Architektur übernommen. Er erfüllt dort wie in Lessay und Saint-Georges-de-Boscherville [82, Fig. 50] eine noch bloß praktische Funktion. Erst später wurde er in den caenäser

Abteikirchen La Trinité und Saint-Étienne [59, 60], ebenso in den britischen (Southwell, Durham, Norwich, Ely, Peterborough etc.) durch eine reichere Gestaltung hervorgehoben. Das Triforium wird überhaupt mehr und mehr zum Blendtriforium, seine praktische Funktion, die Dachstühle der Seitenschiffe zu durchlüften, tritt gegenüber seiner anderen, die Zone zwischen Langhausarkaden und Obergaden plastisch zu durchgliedern, zurück. In Lessay erfüllen nur schmale Schlitze im Mauerwerk der Blendarkaturen die praktische Funktion. In Saint-Lazare in Autun, Notre-Dame in Beaune, der Kathedrale von Le Mans sind nur einige wenige der Triforiumarkaden offen gelassen [83, 65]. In der Kirche von Maule (Seine-et-Oise), den langgestreckten Benediktinerchören von Saint-Benoît-sur-Loire und Saint-Genou (Indre), im Chor von Les Aix-d'Angillon (Cher), in La Charité-sur-Loire hat die Zone über den großen Arkaden nur ein Blendtriforium [100, 101, Fig. 56a]. Es ist eine Blendarkatur, wie sie auch an den Mauern außen (Mouen, Ouistreham im Calvados, Fassaden und Apsismauern im Limousin, in der Charente etc.) so häufig auftritt [40, 43]. Das Triforium ist zu einem dekorativen Element geworden, jedoch einem ornamentalen Mittel zur strukturellen Durchformung der Mauermasse der Schiff- und Chorwände.

Die Wände der Kirche vom Mont Saint-Michel waren nicht für eine Wölbung bestimmt, die dann, etwa aus einem Zwang zur Sparsamkeit, nicht zur Ausführung gekommen wäre. Die Wandsäulen waren von Anfang an zur Auflage der Binderbalken eines offenen oder auch eines tonnenförmig verschalten Dachstuhls in der Art des jetzigen modernen bestimmt. Für Gurte eines Tonnengewölbes wären sie nicht kräftig genug gewesen. Sie waren nicht einmal für einen schweren Holzdachstuhl genügend stark. Denn der 1103 erfolgte Einsturz der Nordwand ist wahrscheinlich auf einen zu schwer konstruierten Dachstuhl zurückzuführen. Die Nordwand ist dann in kaum veränderter Gestalt wieder errichtet worden. Diese Wiederherstellung mit einer wohl leichteren Holzbedachung war 1135 beendet. Die Seitenschiffe haben Kreuzgratgewölbe zwischen Gurtbögen.[72] Die so kraftvolle Wandgliederung ist also nicht durch praktisch konstruktive Notwendigkeiten bedingt, sondern nur aus dem Bedürfnis eines bestimmten architektonischen Denkens und Empfindens, das Mauerwerk plastisch-strukturell zu durchgliedern, zu erklären.

Dasselbe gilt für die Mittelschiffwände der Kollegiatkirche Saint-Omer in Lillers (Pas-de-Calais) aus den Jahren 1120–1140 [86]. Sie sind denen von Saint-Michel sehr ähnlich aufgebaut mit einem Triforium über den Langhausarkaden, die hier im Scheitel gebrochene Bögen haben. Die Doppelarkaden in dieser Zwischenzone – hier je eine in jeder Travée – sind auch in Lillers zum Dachstuhl des Seitenschiffs offen. Die den Rechteckpfeilern auf der Mittelschiffseite vorgelegten Wandsäulen steigen bis zum Dachansatz hoch und nehmen dort die Binderbalken des verschalten Dachstuhls auf. Eine konstruktive Notwendigkeit hat für diese Lösung gewiß nicht bestanden. Bei der geringen Mittelschiffbreite von nur 6 m – in der Kirche vom Mont Saint-Michel beträgt sie 8,5 m – wäre eine strukturlose Mauerscheibe für einen Holzdachstuhl zweifellos genügend tragfähig gewesen. Aus rein statischen Gründen hätte es des komplizierten

Fig. 7 Paris,
Saint-
Germain-
des-Prés

Wandaufbaus mit vorgelegten Wandsäulen gewiß nicht bedurft. Das ebenfalls flach
gedeckte Mittelschiff der Kirche von Lucheux (Somme) mit seinen völlig glatten Wänden
hat dieselbe Breite. Es sind ja bedeutend breitere von ungegliederten Wänden umschlossene Räume mit Holzdecken überspannt worden: Das Mittelschiff der Abteikirche
Abdinghof in Paderborn ist fast doppelt so breit (11,2 m) wie das von Saint-Omer,
und das Querschiff in Hersfeld hat eine Breite von 13 m. Es ist freilich denkbar, ja

wahrscheinlich, daß die Wandsäulen auch eine gewisse statische Rolle übernehmen – als Wandstreben, wie sie als konisch endende Wandsäulen in Saint-Germain-des-Prés in Paris [Fig. 7] in dem ursprünglich holzgedeckten Mittelschiff und in Morienval (Oise) den Wänden und in gleicher Form den Außenmauern in Saint-Remi in Reims vorgelegt sind. Diese Wandsäulen sind nicht ›Dienste‹, sondern echte Strebepfeiler, die das Mauerwerk da verstärken, wo der Mauer die Binder aufliegen, sie also die Last des Dachstuhls zu tragen hat. Dieselbe statisch-konstruktive Funktion haben die oben abgeschrägten breiten Wandpfeiler, die die Langhaus-Nordmauer der Kirche von Sanct Albans Abbey so kraftvoll vertikal gliedern. Ja, es mögen manchen der bis zur offenen oder verschalten Holzdecke aufsteigenden Wandsäulen – wie denen in Waltham Abbey (Essex) und in den Kathedralen von Ely [63] und Peterborough – eine doppelte konstruktive Funktion, die Wand zu verstreben und die Dachbinder zu tragen, bewußt übertragen worden sein; die Kirchen von Mont Saint-Michel und Lillers sind dabei gar nicht auszuschließen. Das widerlegt aber nicht die Einsicht, daß solche komplizierten Konstruktionen und intensiven Gliederungen der Wände ganz gewiß nicht ausgeführt worden wären, wenn nicht das ästhetische Bedürfnis zu einer optischen Klarlegung konstruktiver Ideen bestanden hätte.

Auch im Langhaus der großen Abteikirche Notre-Dame in Jumièges [120], das 1052 bis 1067 gebaut wurde und nur noch als Ruine erhalten ist, tritt dieses sinnliche Verhalten zur Wand sehr deutlich in die Erscheinung. Die vier Doppeltraveén sind durch starke Vierkantpfeiler, deren kantige Vorlagen mit vorgesetzter Halbsäule ursprünglich wohl bis zur obersten Steinschicht der Hochschiffwand aufstiegen, und mit ihnen alternierende Säulen als Arkadenstützen gebildet. Es ist zwar nicht restlos geklärt, ob die Wandsäulen, die nach Veränderungen im 17. Jahrhundert heute nur bis zur Unterkante der Hochschiff-Fenster hinaufreichen, auch von Anfang an nicht höher waren und übermauerte Schwibbögen trugen, wofür Louis-Marie Michon gute Argumente ins Feld führt.[73] Jedenfalls war das Mittelschiff niemals gewölbt. Die Wand ist aber ebenso konsequent durchgliedert wie die Mittelschiffwände gewölbter Bauten. Nur die auf der Nordseite noch erhaltenen Seitenschiffe haben zwischen Gurtbögen, die auf beiden Seiten von Wandsäulen getragen sind, Kreuzgratgewölbe. Über ihnen liegen echte Tribünen, die über jeder einfachen Travée mit drei Bögen unter einem Entlastungsbogen zum Mittelschiff geöffnet sind. Der Dachstuhl der Seitenschiffe lag hinter dem geschlossenen Wandstück zwischen den Tribünenöffnungen und den Hochschiff-Fenstern, und deshalb ist dieses hier ungewöhnlich hoch.

Im Hinblick auf die frühe ostromanische ›ottonische‹ Architektur sagt Hans Jantzen: »Die relieffreie Behandlung der Wand . . . läßt sich bis zu einem gewissen Grade als Bestreben zur ›Entkörperlichung‹ der Wand ansprechen.«[74] Von der westromanischen Architektur wäre das Gegenteil zu sagen: sie bejaht und betont die materielle Körperlichkeit von Mauer und Wand, indem sie durch deren plastisch-strukturelle Durchgliederung die physischen Kräfte und konstruktiven Zusammenhänge, das Tragen und Getragenwerden, sinnbildhaft sinnlich interpretiert und artikuliert.

# Ost- und südromanische und westromanische Räume

Die Gestalt des Raumes wird bestimmt von der Gestalt der ihn umschließenden Wände. So ist das Raumerlebnis, das wir in den ostromanischen holzgedeckten Langhausräumen haben, dem in den ebenso wandhaft umschlossenen südromanischen Kirchen sehr ähnlich. Sehr anders ist es in den westromanischen Räumen mit ihren gegliederten Wänden.

Die in ruhige Flächen gespannten ost- und südromanischen Räume wirken in ihrer Schlichtheit und durch die Ausgewogenheit ihrer Proportionen oft sehr großartig. Wir empfinden ihre herbe Schönheit gerade auch da, wo die architektonische Form rein in die Erscheinung tritt und die die Wände einst bekleidenden Malereien verschwunden oder nur noch in Resten erhalten sind und spätere Zutaten den Raumeindruck nicht beeinträchtigen. So in einigen südromanischen Kirchen wie im Duomo von Torcello (Venezia) und im Ostromanischen im besonderen in den asketisch-nüchternen Basiliken der Hirsauer Kongregation, in Alpirsbach in Württemberg [73], Schaffhausen in der Schweiz, und noch in der Ruine der Benediktinerabtei-Kirche in Hersfeld (Hessen), deren Erhabenheit uns vor allem ergreift, wenn wir in dem mächtig ausladenden Querschiff mit seinen innen wie außen ungegliederten hohen Mauern stehen.

Die sie umschließenden glatten Wände und flachen Decken geben den Räumen ostromanischer Basiliken ihre kastenförmige Geschlossenheit. Die Raumteile, die um die durch Bögen ausgeschiedene Vierung gruppiert sind, bleiben, obschon sie tatsächlich zueinander geöffnet sind, für das Raumerlebnis isoliert. Paul Frankl hat diesen Raumeindruck sehr treffend beschrieben: »Die einzelnen Räume, aus denen der Innenraum (er spricht von Sankt Michael in Hildesheim) besteht, sind so voneinander abgesetzt, daß man immer nur in einem einzelnen zu stehen meint und alle anderen wie von außen sieht.«[75] Frankl spricht von einer additiven Raumkomposition, bei der einzelne Räume »wie Schachteln aneinandergerückt« sind.[76] Die nicht verschalten, offenen Dachstühle, die in der südromanischen Architektur bevorzugt wurden, schwächen dieses Raumerlebnis kaum ab. Das tun eher die allgemein weiteren und höheren Arkaden; darauf ist schon hingewiesen worden.

Die Gegensätzlichkeit von west- und ostromanischer Wand- und Raumgestaltung möge ein Vergleich von Saint-Étienne in Nevers [76, 77; Fig. 8] und Notre-Dame-du-Port in Clermont-Ferrand (Puy-de-Dôme) [103; Fig. 11] mit der 1007 bis 1033

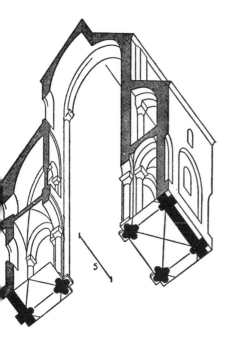

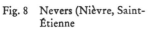

Fig. 8    Nevers (Nièvre, Saint-
          Étienne
Fig. 9    Arles (Bouches-du-Rhône),
          Saint-Trophime
Fig. 10, 11  Clermont-Ferrand
          (Puy-de-Dôme),
          Notre-Dame-du-Port

erbauten Kirche Sankt Michael in Hildesheim und der um 1130 vollendeten Stiftkirche in Quedlinburg [74] veranschaulichen.

Die Räume in Hildesheim und Quedlinburg zeigen die für die ostromanische Architektur typische kastenartige Geschlossenheit in höchst eindrucksvoller Deutlichkeit, im besonderen die Isometrie von Sankt Michael [Fig. 12]. Mit Ausnahme der Apsiden sind alle Räume – Mittelschiff, Seitenschiffe, Vierung, Querschiffarme, Chorräume – flach gedeckt. Die Mittelschiffe und Transeptarme von Saint-Étienne und Notre-Dame-du-Port haben Tonnen-, die Seitenschiffe Kreuzgratgewölbe zwischen Gurtbögen. In Notre-Dame-du-Port fehlen im Mittelschiff – wie auch in mehreren anderen auvergnatischen Kirchen – die die Travéeinteilung auf die Deckenzone übertragenden Gurtbögen (vgl. Saint-Étienne in Nevers [76], Châtel-Montagne [78, Fig. 25], Conques [75], Saint-Sernin in Toulouse [80, 81] oder Vézelay [84] usw). Es fehlen in Clermont daher auch die die Gurtbögen stützenden Wandsäulen (bis auf eine zwischen der zweiten und dritten Travée mit Kapitell und Deckplatte endende, die vielleicht einen später nicht ausgeführten übermauerten Schwibbogen in der Art wie die vier die Vierung rahmenden tragen sollte [vgl. Fig. 10]). Die Bögen der Langhausarkaden sind zwar nicht, wie in Nevers [76], abgetreppt. Den quadratischen Pfeilern sind aber in der Arkade wie in den Seitenschiffen Wandsäulen vorgelegt, von denen die Arkadenbögen, bzw. die Gurtbögen der Seitenschiffe aufsteigen (vgl. die Arkadenpfeiler in San Pedro de Roda [53]. Die Mittelschiffwände sind also in Notre-Dame-du-Port schwächer gegliedert als in Saint-Étienne und den meisten westromanischen Bauten. Das Raumerlebnis ist aber in beiden westromanischen Bauwerken gleicher Art und jedenfalls grundverschieden von dem in den flachgedeckten ostromanischen Basiliken. Steht man in Saint-Étienne oder in Notre-Dame-du-Port im Mittelschiff kurz vor der Vierung, so hat man ein Raumerlebnis, das dem in Zentralbauten ähnlich ist [Fig. 11]. Schon die Tonnen verbinden die Raumteile stärker als die Flachdecken der ostromanischen Kirchen – stärker auch als die offenen Dachstühle der südromanischen. In Notre-Dame-du-Port tun das – wie in anderen auvergnatischen Kirchen, in Orcival, Issoire, Saint-Nectaire, Saint-Saturnin – zusätzlich die Triforen in den Übermauerungen der Vierungsbögen, unter denen man, im Mittelschiff oder in einem der Querschiffarme stehend, hindurchblickt auf den konstruktiven Unterbau einer Trompenkuppel, die den Raum nach oben erweiternd die Vierung überwölbt und als den zentralen Raum hervorhebt, von dem aus die anderen Räume nach vier Seiten ausladen und sich dem Blick öffnen [75, 93, 103]. In Hildesheim und Quedlinburg ist wie in den anderen flachgedeckten ostromanischen Basiliken die Vierung in gleicher Höhe wie Mittel- und Querschiff flach gedeckt. Dadurch haben die die Vierung rahmenden, sie ›ausscheidenden‹ Bögen eine um so stärkere isolierende Wirkung [vgl. 73]. In beiden Kirchen enden die Seitenschiffe, wie in den ostromanischen Kirchen sehr häufig, am Transept. Es liegen in ihrer Achse auch keine Apsidiolen, die sich auf die Querarme öffnen (wie z. B. in San Vicente in Cardona). In Saint-Étienne und in Notre-Dame-du-Port dagegen setzen sich, wie in zahlreichen westromanischen Kirchen, die Seitenschiffe über dem Transept in einem Umgang fort,

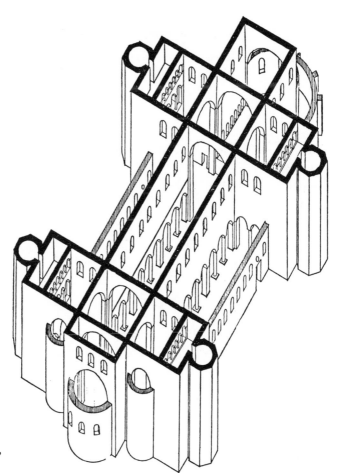

Fig. 12    Hildesheim
(Niedersachsen),
Sankt Michael

der nach innen, zum Chor hin durch eine Säulenstellung geöffnet und nach außen durch
einen Apsidiolenkranz (Kapellenkranz, Radialkapellen) vielgestaltig erweitert ist [104,
105]. So ergeben sich überall, von der Vierung her, aus den Querschiffarmen, dem Chor,
dem Umgang, in welchem Raumteil man immer sich befindet, vielfältige Durchblicke.
Die Raumteile sind nicht minder als in den ost- und südromanischen Kirchen in ein
klares, strenges Verhältnis zueinander gebracht. Sie sind aber freier, durch fließende
Übergänge miteinander verbunden. Sie werden stärker als Teilräume einer großen
Raumeinheit empfunden. Es sind transparente Räume, die um Vierung und Sanktuarium gruppiert sind.

    Einen noch stärkeren Eindruck dieser vielheitlichen Einheit, als die man diese ebenso
reich wie überschaubar gegliederten westromanischen Raumgruppen rings um die

Vierung wohl charakterisieren kann, gewinnt man in der Wallfahrtskirche Sainte-Foy in Conques [75; Fig. 21]. Dort wird das zentralraumartige Erlebnis bedeutend gesteigert durch die Dreischiffigkeit auch der Querschiffarme und die auch um sie herumgeführten Tribünen mit ihren hohen lichten Biforen unter einem sie überspannenden Blendbogen. In Saint-Sernin in Toulouse und in Santiago de Compostela ist die selbe Raumdisposition verwirklicht [81]. In Toulouse aber ist das Raumerlebnis geschwächt durch die im 18. Jahrhundert ummantelten Vierungspfeiler, den hohen um die Krypta herumgeführten Sockel, der den Umgang vom Chor trennt, und durch den mächtigen Hochaltar mit seinem Baldachin; alle Durchblicke sind verstellt. In Compostela beeinträchtigt die barocke Umgestaltung der Vierungskuppel den Eindruck.

Die ost- und südromanische Architektur kennt das Raumgebilde des Umgangchors mit Radialkapellen, von einigen wenigen Ausnahmen abgesehen, nicht. Zu diesen gehört in der experimentierfreudig konstruierenden und alle möglichen Einflüsse aufnehmenden Architektur Kataloniens die 1150 geweihte Abteikirche San Juan de las Abadesas (vgl. Anm. 65). In Germanien hat nur Sankt Godehard in Hildesheim einen Umgangchor. In Italien finden wir diese für die südromanische Architektur so exzeptionelle Konstruktion in Acerenza, Aversa und Venosa in Apulien und in Sant'Antimo bei Montalcino in der Toskana. Die mannigfachen Beziehungen, die zwischen dem mediterranen und dem nördlichen Normannenreich bestanden, haben bei der Übernahme des westromanischen Umgangchors gewiß eine Rolle gespielt. So wurde der Neubau der Kirche von Venosa im letzten Drittel des 11. Jahrhunderts unter dem Abt Berengar begonnen, der zusammen mit den Mönchen von Saint-Evroult-en-Ouche (Orne) gekommen war, die der Herzog von Apulien und Kalabrien Robert Guiscard 1063 zur moralischen Erneuerung des Klosters herbeigerufen hatte. (Daß die romanische Kirche von Saint-Evroult einen Umgangchor hatte, ist freilich unwahrscheinlich. Doch war Berengar und den Mönchen dieser bedeutenden Abtei der Umgangchor bekannt.) Die Übernahme des Umgangchors in Apulien steht aber vor allem mit der Lage von Aversa, Acerenza und Venosa an der Pilgerstraße von Rom nach Brindisi, dem Hafen, in dem die hauptsächlich aus Frankreich kommenden Kreuzfahrer zu der ›Terra Sancta‹ sich einschifften, in einem Zusammenhang. An dieser Straße, der antiken Via Appia, sind bedeutende Wallfahrtstätten entstanden, für die der Umgangchor eine so zweckvolle Konstruktion ist, daß es fast erstaunlich ist, daß er sich gegen die südromanische Bautradition nicht mehr hat durchsetzen können.

Sant'Antimo liegt ebenfalls an einer frequentierten Pilgerstraße, die von der Via Aemilia bei Parma abzweigt, über den Apennin nach Rom führt und Via Francigena genannt wurde. Die seit 813 bestehende Benediktinerabtei Sant'Antimo stand in enger Verbindung mit französischen Abteien. Nur daraus ist die Übernahme des westromanischen Umgangchors [107] zu erklären, der offenbar auf die Planung eines vermutlich aus der Auvergne stammenden, zum mindesten dort geschulten Architekten zurückgeht. Auch die Verwandtschaft der Kapitellskulpturen mit auvergnatischen läßt an die Tätigkeit eines westromanischen Bautrupps denken. Die Kirche wurde kurz vor 1118 begonnen und erst nach langer Bauzeit, beziehungsweise längeren Unterbrechungen, frühestens in der zweiten Hälfte des 12. Jahrhunderts vollendet. Daß die ursprünglich geplante Tonnenwölbung nicht ausgeführt wurde (die Seitenschiffe haben Kreuzgratgewölbe zwischen Gurtbögen), sondern das Mittelschiff einschließlich der Apsis einen offenen Dachstuhl erhielt, ist vielleicht nicht nur auf den Zwang zur Sparsamkeit zurückzuführen, sondern auch auf einen Wechsel in der Bauleitung. Denn in den später ausgeführten Bauteilen treten typisch südromanische Formen auf: Lisenengliederung und Bogenfriese an den Hochschiffmauern, flächiges Mauerwerk an Chor und Umgang, in der Gestalt des Turms und in allen Obergeschossen [149], vereinfachte Formen in den Westpartien, im besonderen den Tribünenöffnungen. (Es ist völlig unwahrscheinlich, daß der Bau, wie man aufgrund der sparsameren Ausführung der Westteile angenommen hat, im Westen begonnen wurde und nicht wie üblich im Osten.)[76a]

Wenn in Sant'Antimo aller Wahrscheinlichkeit nach eine aus dem Westen gekommene Bauhütte tätig war, so verdankt Sankt Godehard die Choranlage lediglich seinem Bauherrn, dem Bischof Bernhard von Hildesheim, nicht einem im Westen geschulten Architekten. Bernhard hatte auf seiner Reise zum Konzil zu Reims (1131) den westromanischen Umgangchor kennengelernt und wollte diese Bauidee auch in der Kirche verwirklicht sehen, die seinem Vorgänger Godehard gewidmet sein sollte, dessen Heiligsprechung er auf dem Konzil erwirkt hat.[77]

Zu der Benediktinerabtei-Kirche Sankt Godehard [106] wurde 1133 der Grundstein gelegt. Erst 1172 war der Bau vollendet. Mit seiner Doppelchörigkeit, der Anlage eines zweiten Chors im Westen, hält die Raumdisposition an einer älteren ostromanischen, in die karolingische Epoche zurückreichenden Tradition fest.[78] In der Anlage des Ostchors mit quadratischem Raum, halbrunder Apsis und Umgang, auf den sich drei Apsidiolen öffnen, folgt er einer westromanischen Bauidee. Die Wandpfeiler in den Querschiffarmen und im Chor deuten auf eine ursprünglich beabsichtigte Tonnenwölbung hin. Es wurde ihr dann aber die flache Decke vorgezogen, die im Langhaus von Anbeginn vorgesehen war. Auf einen oktogonalen Zentralturm wurde dennoch nicht verzichtet, obschon die Vierung sich nach oben nicht in eine Kuppel öffnet. Mögen auch notwendig gewordene Sparmaßnahmen eine Abweichung vom ursprünglichen Bauprogramm dabei eine Rolle gespielt haben, so ist doch offenbar, daß der Architekt in Raumvorstellungen lebte, die in den flachgedeckten ostromanischen Basiliken ihren Ausdruck gefunden haben, und daß er die aus völlig anderem architektonischen Denken und Empfinden kommende Raumidee, die auszuführen ihm übertragen war, nur in ihrem abstrakten Sockel, dem Grundriß, aufnahm, von den sich darüber erhebenden Baukörpern und Räumen sich aber keine dem Vorbild adäquate Vorstellung bilden konnte. Er hat sie nur in der Übersetzung in seine Vorstellungswelt begriffen. In den Querschiffarmen liegen alle gliedernden Elemente flach auf der Wand, und die Ringtonne im Umgang wirkt gegenüber den westromanischen Vorbildern primitiv. Die Mittelschiffwände sind flach und nur dekorativ gegliedert und durch den Stützenwechsel in den Arkaden – zwei Säulen zwischen zwei Rechteckpfeilern – rhythmisiert. Die Mauerflächen der

Apsis, des Umgangs und der Kapellen sind außen zwar durch schlanke, dünne Säulen gegliedert, die unter dem schwach ausgebildeten Dachgesims durch Bogenfriese miteinander verbunden sind. Gegliedert sind eben nur die Flächen, nicht das Mauerwerk. Das darin zum Ausdruck gekommene typisch ostromanische Verhalten zur Mauer wird uns bewußt, wenn wir westromanische Apsiden zum Vergleich heranziehen, bei denen ebenfalls Säulen zur Gliederung verwendet sind, etwa die von Conques, Chauvigny (Vienne) [43], Aulnay [154], Salles-les-Aulnay [48] oder Saint-Pierre in Melle [46]. Sankt Godehard ist in dieser Hinsicht kein Sonderfall. Fast immer sind westromanische Vorbilder, an die man sich anlehnte, in der ostromanischen Architektur in dem ihr gemäßen Empfinden umgedacht und umgestaltet worden. Dafür ist die Kirche der ehemaligen Zisterzienserabtei Eberbach (Rheingau) ein augenfälliges Beispiel [57]. Das Vorbild für den um 1170 begonnenen Bau war die Kirche der burgundischen Zisterzienserabtei Fontenay (Côte-d'Or), die 1130 begonnen und nach kurzer Bauzeit von nur 17 Jahren 1147 vollendet war [58]. Der Eberbacher Grundriß entspricht mit dem rechteckigen Chor und den drei ebenfalls rechteckigen Kapellen an jedem Querschiffarm der zisterziensischen Bautradition [Fig. 13, 14]. Cîteaux, Clairveaux (die zweite Kirche; die dritte hatte einen halbrunden Abschluß), La Ferté, Noirlac, Silvanès, Silvacane, viele Zisterzienserkirchen außerhalb Frankreichs hatten oder haben ihn, auch Fontenay (mit zwei Kapellen an jedem Querschiffarm), das wohl unmittelbare Vorbild für Eberbach. Obschon die Zisterzienserkirchen alle schmucklos, nüchtern streng sind und in dieser Hinsicht sich Eberbach von Fontenay nicht unterscheidet, sind die Abweichungen von dem Vorbild doch, ja gerade charakteristisch für die der westromanischen gegensätzliche ostromanische architektonische Auffassung.

Daß in Eberbach eine Tonnenwölbung, die Fontenay hat, von allem Anfang an geplant war, ist nicht ganz sicher. Es ist das zwar allgemein angenommen worden. Dagegen aber spricht, daß die die Gurtbögen tragenden Pfeilervorlagen im Mittelschiff erst in Höhe der Kämpferzone der Arkaden beginnen, während die Pfeilervorlagen in den Seitenschiffen vom Boden aufsteigen. Sollten die Seitenschiffe schon bei Baubeginn mit Kreuzgratgewölben zwischen Gurtbögen geplant gewesen sein, das Mittelschiff aber mit flacher Decke und bei der Aufmauerung der rechteckigen Arkadenpfeiler der Entschluß zur Wölbung auch des Mittelschiffs gefaßt worden sein? Jedenfalls ist man von dem burgundischen Vorbild abgewichen und hat, um eine direkte Belichtung des Mittelschiffs zu erreichen, der Tonne ein Kreuzgratgewölbe vorgezogen. Für die Gestalt des Raumes ist jedenfalls entscheidend, daß die Wände, auch die Arkadenlaibungen, völlig ungegliedert sind und die streng wandhafte Geschlossenheit durch die enge Reihung der Pfeiler noch gesteigert ist, wodurch Mittel- und Seitenschiff um so stärker voneinander isoliert sind. Das hat auch Ernst Gall hervorgehoben: »entscheidend für den Eindruck des Innenraums«, schreibt er, »ist der wandhaft geschlossene Aufbau ... Noch wandhafter umschlossen als das Mittelschiff sind die Seitenräume des Querhauses, zumal die im Osten angeordneten Kapellen sehr niedrig sind, so daß die darüber befindliche Mauer, die oben nur ein kleines Fenster hat, in fast voller Höhe und Breite ohne jede

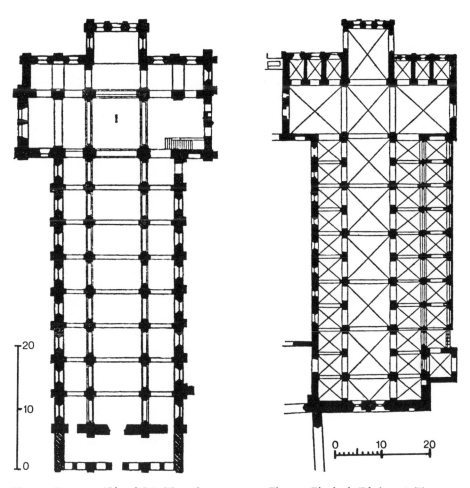

Fig. 13 Fontenay (Côte-d'Or), Zisterzienserabtei-Kirche

Fig. 14 Eberbach (Rheingau), Zisterzienserabtei-Kirche

Gliederung bleibt.«[79] Bei aller Nüchternheit, die in dem heute von allen Ausstattungs-
stücken und jedem Gestühl befreiten Inneren sehr großartig wirkt, hat der Raum in
Fontenay nichts von der kastenartigen Geschlossenheit in Eberbach. Die hohen, breiten Arkaden, in deren Laibung Wandsäulen den Bogenunterzug tragen, geben den Blick
in die mit Quertonnen gewölbten Seitenschiffe frei. Man hat in Fontenay bei aller
Schwere der Mauermassen den Eindruck eines bedeutend weiteren Raumes als in
Eberbach, obschon dort das Mittelschiff einen Meter schmäler ist und nur durch die Fenster in den Schmalseiten Licht empfängt.

## Basilika

Von der Menge kleiner Pfarrkirchen und Kapellen abgesehen, sind die meisten romanischen Kultbauten des Abendlandes dreischiffige basilikale Longitudinalbauten, deren Raumordnung im großen ganzen für den romanischen Kirchenbau verbindlich war. In ihnen wird das Mittelschiff, das der Hauptversammlungsraum der Laien ist, durch Fenster in den über den Arkaden aufgemauerten, die Pultdächer der Seitenschiffe überragenden Wänden durch die Hochschiffenster, den sogenannten Obergaden, direkt belichtet. Die zum Mittelschiff durch Arkaden geöffneten Seitenschiffe haben ebenfalls Fenster, so daß das ganze Langhaus in allen Räumen annähernd gleichmäßig erhellt ist.[80] Zwischen Langhaus und Chor, der wie das Adyton des paganen Tempels im Osten liegt, ist ein über die Außenmauern der Seitenschiffe mehr oder weniger weit ausladender Raum, das Querhaus (Transept), eingeschoben, das die Höhe und Breite von Mittelschiff und Chorraum hat. Der zentrale Raum, in dem diese mittleren Räume das Querschiff durchkreuzen, die Vierung, ist durch Bögen eingefaßt und hervorgehoben, ›ausgeschieden‹. Nur selten ist sie durch seitliche kleinere Bogenöffnungen zwischen vorgezogenen Mauerzungen ›abgeschnürt‹, oft aber dem Chorhaus, d. h. dem dem Klerus vorbehaltenen Raumkomplex, einbezogen. Der rechteckige oder quadratische Chorraum ist eine Art Vorraum zur Apsis. In ihm sind zu beiden Seiten die Sitze für die Geistlichen, das Chorgestühl, aufgestellt. In der Apsis – meist dicht vor ihr – steht der Altar. Die Seitenschiffe dienen vor allem auch den Prozessionen, ihrer Beschleunigung; sie haben deshalb zumeist besondere Ausgänge. An den Ostwänden der Querschiffarme, in die die Seitenschiffe münden, stehen, zumeist in Nebenapsiden (Apsidiolen), Altäre für den Heiligenkult. Diese Raumordnung entspricht den Bedürfnissen des Kultes, bringt aber auch im Grundriß und im Baukörper das christliche Symbol, den crucifixus, sinnfällig zur Geltung. Sie ist eine originale Schöpfung der romanischen Architektur. Die Basilika aber ist das nicht.

Über den Ursprung der Basilika gibt es eine Menge kontroverser Theorien.[81] Gewiß ist nur, daß die christliche Basilika nicht unbeeinflußt von der profanen Basilika der späthellenischen und römischen Epoche entstanden sein kann, deren Raumprogramm aber nicht unverändert übernommen worden ist. Die antiken Markthallen- und Gerichtsbasiliken hatten zum Beispiel durchaus nicht immer, wie die Basilica Ulpia in Rom, eine ›tribuna‹ in einer halbrunden Apsis, und für die öfter geäußerte Behauptung, antike Gerichtsbasiliken seien unter Konstantin in Kirchen umgewandelt worden, gibt es keine historischen Beweise. Die basilikale Konstruktion war jedoch schon früh so allgemein üblich geworden, daß sie im Raum der Mittelmeerantike unterschiedslos für profane Zwecke wie für pagane, christliche und jüdische Kulte verwendet wurde.[82] Sie ist in verschiedenen Varianten verbreitet – mit holzgedecktem Mittelschiff und in Syrien mit steingewölbtem Mittelschiff –, so daß es kaum möglich sein wird, ihren Ursprung eindeutig zu lokalisieren. In der vermutlich pythagoreischen tonnengewölbten, heute unterirdischen Pfeiler-›Basilika‹ von Porta Maggiore in Rom, die aus den Jahren zwischen 41 und 45 stammt, hat man eine Art Prototyp des dreischiffigen christlichen gewölbten Pfeilerbaus mit halbrunder Apsis in der Achse des Mittelschiffs an der Ostwand und einer Vorhalle an der westlichen Schmalseite gesehen. Nicht zu Unrecht vielleicht, soweit es die Grundrißgestaltung und die Pfeilerkonstruktion zur Abstützung der Gewölbe und zur Arkadenbildung betrifft. Eine echte Basilika mit direkt belichtetem Mittelschiff aber ist dieses Bauwerk nicht.[83] Ob diese Pfeiler-›Basilika‹ von Porta Maggiore auf die spätere Entwicklung einen Einfluß hatte, ist ebenso unsicher wie ihre Zweckbestimmung. Gewiß ist nur, daß in Rom und in den römischen Provinzen seit dem 4. Jahrhundert, dem Toleranzedikt von Mailand (313), eine Menge für den christlichen Kult bestimmter und seinen Bedürfnissen entsprechender basilikaler Bauten entstanden sind: in Rom selbst die dreischiffigen Kirchen mit Apsis und Vorhalle, San Clemente (384–399), Santa Sabina (425–432) und mit fünf Schiffen, ausladendem Querschiff, Apsis am Mittelschiff und Atrium mit Vorhalle Alt Sankt Peter, 324 von Konstantin begonnen, 349 vollendet.[84]

In Gallien ist die zweifellos älteste uns in den Fundamenten bekanntgewordene christliche Basilika die in der 585 zerstörten Römerstadt Lugdunum Convenarum (Saint-Bertrand-de-Comminges, Haute-Garonne). Sie hatte drei Schiffe und eine pentagonale Apsis und dürfte vor der zweiten Hälfte des 5. Jahrhunderts gebaut worden sein.[85] Die um 550 errichtete Kathedrale von Parenzo (Istrien) hatte am Mittelschiff eine etwas gestelzte Halbkreis-Apsis, in der der Altar stand, und am Ende jedes Seitenschiffes eine Apsidiole, kein Querschiff, im Westen aber einen Narthex, eine Art Atrium und davor nochmals eine hexagonale Vorhalle. Die Nebenapsiden sind dort – wie bei Saint-Martin in Autun (Saône-et-Loire, 589–600), dessen Raumdisposition wir aus einem Plan von 1658 kennen – rechteckig ummauert.[86]

In Germanien ist die Benediktiner-Abteikirche in Fulda (Hessen) [Fig. 41], deren Erlöser-Altar 751 von Bonifatius geweiht wurde, eine der ältesten uns in den Fundamenten bekannten Basiliken. Sie hatte kein Querschiff, aber eine Halbkreis-Apsis am Mittelschiff. Aus dem 9. Jahrhundert kennen wir eine Reihe von Basiliken mit Querschiff, aber ohne den rechteckigen Chorraum vor der Apsis. Der Altar stand meist im Querschiff. Ein basilikal aufgebautes Langhaus mit drei durch Arkaden zueinander geöffneten holzgedeckten Schiffen, ausladendem Querschiff, Apsis in der Achse des Mittelschiffs und je einer Apsidiole an jedem Querschiffarm ist in der karolingischen Epoche öfter gebaut worden. Dieser Typ begegnet uns zum Beispiel in der sogenannten Einhart-Basilika in Steinbach bei Michelstadt im Odenwald (821–827), hier mit Vorhalle, und in Sankt Justinus in Höchst bei Frankfurt am Main (626–847), wo der ursprüngliche Zustand zwar nicht rein erhalten, aber mit Sicherheit rekonstruierbar ist. In Höchst sind wie in den frühchristlichen Kirchen Roms und in den byzantinischen Ravennas die Arkadenstützen Säulen. In Steinbach und in der ebenfalls von Einhart als Bauherrn errichteten Benediktiner-Abteikirche von Seligenstadt (Hessen) sind sie gemauerte Pfeiler. Über die Bedeutung des Übergangs von der Säulen-Basilika zu der in Germanien bevorzugten Pfeiler-Basilika für den Raumeindruck, die kastenartige Geschlossenheit des

Raumes, war schon die Rede. Die Vierung ist in der Kirche von Steinbach und in den in der Anlage ihr ähnlichen karolingischen Basiliken vom Mittelschiff und den Querschiffarmen zwar abgetrennt (in Steinbach sogar abgeschnürt), aber doch nicht klar ›ausgeschieden‹, meist auch nicht quadratisch. Quadratisch war sie, nach dem erhaltenen Riß zu urteilen, in der Sankt Galler Kirche (864–867) vielleicht zum erstenmal.[87]

Jedenfalls ist weder die basilikale Konstruktion mit Obergaden zur direkten Belichtung des Mittelschiffs noch die Raumteilung in Mittelschiff, Seitenschiffe, Transept, Apsis und Apsidiolen eine romanische Erfindung. Aber erst die romanische Architektur hat diese Raumteile in eine feste klar überschaubare Ordnung gebracht. Erst in der romanischen Architektur begegnen wir mit großer Regelmäßigkeit dem der Apsis vorgelegten rechteckigen Chorraum. Erst in ihr ist die ausgeschiedene Vierung zu dem zentralen Raum geworden, dessen Maß auch für die Maße der anderen Raumteile mehr oder weniger bestimmend geworden ist, so daß häufig die Querschiffarme und der Chor auf dem Grundriß von einem, anderthalb oder zwei Quadraten aufgebaut sind. Im sogenannten gebundenen System der ostromanischen Architektur ist ein quadratischer Schematismus sehr streng durchgeführt [Fig. 42]. Das Vierungsquadrat ist dort dergestalt zur Maßeinheit geworden, daß dem Chor und den beiden Querschiffarmen ein Quadrat von gleicher Größe wie das Vierungsquadrat zugrunde liegt und das Mittelschiff quadratische Travéen der selben Größe hat, denen in den Seitenschiffen je zwei Quadrate von halber Seitenlänge entsprechen. Dieses maßstäbliche Ordnungsprinzip ist aber zugunsten einer freieren Rhythmisierung der Arkaden und Travéenfolge auch in der ostromanischen Architektur nicht immer streng durchgeführt worden, am allerwenigsten in der westromanischen.

Das Ordnungsprinzip des gebundenen Systems wird zuweilen durch einen Wechsel der Arkadenstützen nachdrücklich akzentuiert, der mit ihm aber nicht in einem ursächlichen Zusammenhang steht. Die romanische Architektur nahm mit dem Stützenwechsel möglicherweise Anregungen vom frühen Kirchenbau im Orient auf, wo wir ihm in Sankt Demetrius in Saloniki im 5. Jahrhundert und in der Gegend von Edessa und Rusafa in Kirchen aus dem 7. Jahrhundert begegnen. In der ostromanischen Architektur finden wir den Stützenwechsel, unabhängig vom gebundenen System, wohl zum erstenmal im ersten Bau der Abteikirche von Werden an der Ruhr aus dem Beginn des 9. Jahrhunderts. Dann erscheint er in der zweiten Hälfte des 10. Jahrhunderts in Sankt Cyriakus in Gernrode [66], wo die Bögen der Langhausarkaden abwechselnd auf einem Pfeiler und einer Säule ruhen und dadurch die Teilung des Mittelschiffs in zwei große quadratische Doppeljoche prononciert ist. Die Arkaden der Tribünen haben entsprechend beiderseits des Pfeilers sechs Bögen auf fünf Säulen. Hier, ebenso in Sankt Michael in Hildesheim und in Sankt Servatius in Quedlinburg [74] bekräftigt der Stützenwechsel die spannungslose Ausgeglichenheit ostromanischer Langhausräume. Denn der Stützenwechsel hemmt den Bewegungsimpuls zum Chor hin, den gleichmäßig gereihte Arkaden dem Eintretenden geben. Focillon sagt zu Recht: L'alternance »fait chatoyer la perspective des vaisseaux«.[88]

 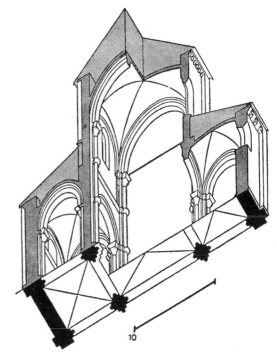

Fig. 15    Speyer (Rheinland-Pfalz),       Fig. 16    Vézelay (Yonne), Sainte-Madeleine
Kathedrale

In der Außenansicht ist der basilikale Aufbau des Langhauses eindeutig ablesbar.
Der Mittelschiffkörper erhebt sich über die Seitenschiffe, deren Pultdächer unter dem
Obergaden ansetzen (vgl. die Querschnitte der Kathedrale von Speyer, der Kirchen von
Vézelay [Fig. 15, 16], von Boscherville, wo an der Innenwand zwischen Arkaden und
Hochschiff-Fenstern ein Triforium eingeschaltet ist [82; Fig. 49], und von Saint-Étienne
in Nevers und Jumièges mit Tribünen über den Seitenschiffen [76, 120; Fig. 8]).
Die direkte Belichtung des Mittelschiffs, die durch den basilikalen Aufbau erreicht
werden soll, ist bei flacher Decke am einheitlichsten, weil auch diese gleichmäßig erhellt
wird. Durch die Wölbung aber ergaben sich für die Raumbelichtung besondere Probleme, die großenteils zum Verzicht auf eine direkte Belichtung des Mittelschiffs geführt haben. Am schwierigsten war der basilikale Aufbau mit der Tonnenwölbung der
Mittelschiffe zu vereinbaren, da bei ihr der Gewölbeschub am stärksten ist. Dennoch
gibt es im Südosten und Südwesten Frankreichs, in Nordspanien und Katalonien, wo
der Tonnenwölbung vor allen anderen Möglichkeiten der Steindeckung der Vorzug
gegeben wurde, auch tonnengewölbte direkt belichtete Mittelschiffe, in der Provence
z. B. in Saint-Trophime in Arles [Fig. 9] und in den Kathedralen von Vaison-la-Ro-

maine und Saint-Paul-Trois-Châteaux, auch in Katalonien (San Vicente im Schloß von Cardona [54], vgl. Seite 44 f.), im Languedoc in Saint-Guilhem-du-Désert (Hérault). Die zwischen Arkaden und Tonnenansatz eingebrochenen Fenster sind aber oft nur sehr klein und unregelmäßig verteilt, so daß man kaum von einem regelrechten basilikalen Lichtgaden wird sprechen wollen. In Burgund und im Berry gibt es eine Reihe tonnengewölbter Basiliken, neben kleineren auch mehrere Hauptwerke der romanischen Architektur wie Paray-le-Monial, Saint-Lazare in Autun, Notre-Dame in Beaune.[89] Aber auch da sind die Hochschiff-Fenster nicht nur relativ klein, sondern auch – zweifellos aus statisch-konstruktiven Gründen – sparsam verteilt. In Autun gibt es in jeder Travée nur ein Fenster [83]. In Paray-le-Monial sind es drei. Die Mauern aber sind, weil sie zusammen mit äußeren Rechteckstreben dem Gewölbeschub widerstehen müssen, so dick, daß die Fenster treffend charakterisiert wurden als »stollenartige Fensterbildungen, in denen das Licht sich mehrfach brach, bevor es den Innenraum erreicht«.[90] Manchmal ist versucht worden, die Lichtzufuhr durch in das Tonnengewölbe eingeschnittene Stichkappen zu verbessern, z. B. in der Kirche von Bussy-le-Grand und in Til-Châtel (Côte-d'Or).[91]

Alle diese tonnengewölbten Basiliken haben eingeschossige Seitenschiffe. Nur einmal hat ein Architekt einen basilikalen Aufbau auch bei zweigeschossigen Seitenschiffen, d. h. einem Bau mit Tribünen, gewagt: in Saint-Étienne in Nevers [76; Fig. 8]. Der Bau ist 1068 mit gleichzeitiger Errichtung von Chor und Transept und dem Zweiturm-Massiv im Westen begonnen worden. Das Langhaus war bei der Weihe von 1097 noch nicht vollendet. Zum mindesten war das Mittelschiff zu dieser Zeit noch nicht gewölbt. Wahrscheinlich war seine Wölbung ursprünglich auch nicht vorgesehen, sondern eine Holzdeckung geplant, die zunächst auch die Basiliken in der Normandie (La Trinité und Saint-Étienne in Caen) hatten, ehe sie – nach etwa 1120 – Kreuzrippengewölbe erhielten. In Nevers jedoch hat der Architekt um die Zeit der Weihe den Entschluß gefaßt, den Plan zu ändern und das Mittelschiff mit einer Tonne zu decken. Das hat wenigstens Francis Salet aus einer sehr sorgsamen Untersuchung des im wesentlichen wohlerhaltenen Baubestandes von Saint-Étienne schließen können – und bei allem Vorbehalt, den er selbst macht, sind seine Folgerungen sehr überzeugend.[92]

Der basilikale Aufbau einer tonnengewölbten Tribünen-Kirche ist eine so kühne Konstruktion, daß er in der romanischen Epoche keine Nachfolge gefunden hat. Es gibt zwar gewölbte Basiliken mit zweigeschossigen Seitenschiffen. Keine aber hat ein tonnengewölbtes Mittelschiff. Sie sind wie der Adso-Bau in Montiérender (970–982), Notre-Dame von Jumièges (1040–1067) oder waren ursprünglich wie Saint-Remi in Reims (1015–1047) [120; Fig. 17, 18], Saint-Étienne und La Trinité in Caen (beide um 1070) holzgedeckt. Ihre spätere Deckung mit Kreuzrippengewölben war nicht mit dem selben konstruktiv-statischen Risiko verbunden wie die Tonnenwölbung von Saint-Étienne in Nevers. Denn – ganz davon abgesehen, welche statische Rolle die Rippen bei diesen frühen Kreuzrippengewölbekonstruktionen tatsächlich gespielt haben – bei allen Kreuzgewölben ist der Gewölbeschub bedeutend geringer als bei Tonnengewölben.

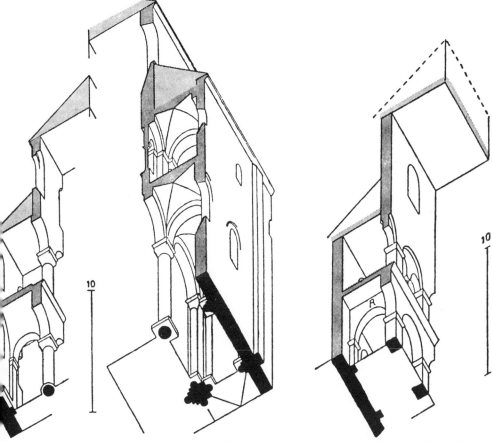

Fig. 17 Reims (Marne), Saint-Remi, und Jumièges (Seine-Maritime), Notre-Dame

Fig. 18 Montiérender (Haute-Marne), Abteikirche

Deshalb haben auch für die burgundischen Basiliken mit nur eingeschossigen Seitenschiffen manche Architekten Kreuzgewölben vor Tonnengewölben den Vorzug gegeben, z. B. in Sainte-Madeleine in Vézelay [84; Fig. 16], Saint-Lazare in Avallon, der Kirche von Ancy-le-Duc.

Um die selbe Zeit, in der sich der Architekt von Saint-Étienne in Nevers zu dem so riskanten basilikalen Aufbau eines tonnengewölbten Mittelschiffs mit zweigeschossigen Seitenschiffen entschloß, ist weit davon entfernt der erste basilikale Aufbau eines Langhauses mit zweigeschossigen Seitenschiffen und kreuzgewölbtem Mittelschiff realisiert worden: in der Kathedral-Abteikirche von Durham [64; Fig. 20]. Sie ist einer der großartigsten und stolzesten Repräsentationsbauten der mittelalterlichen Mönchsaristokratie – die architektonische Repräsentanz der klerikalen Macht und des unbeugsamen Herrschaftsanspruchs der mit ihr verschworenen normannischen Usurpatoren, erbaut

67

über den bewaldeten Steilufern des Wear-Flusses inmitten eines burgartig befestigten Klosterbezirks, der ein niemals erobertes Bollwerk Northambrias gegen die rebellierenden Schotten war. Als christliche Kultstätte hatte Durham einige Bedeutung gewonnen, nachdem sich die von dänischen Piraten von Lindisfarne, der kleinen der schottischen Ostküste vorgelagerten Insel, vertriebenen Mönche 995 dort niederließen und der von ihnen mitgeführte Sarg ihres zum Heiligen erklärten Bischofs Cuthbert zum Gegenstand kultischer Verehrung geworden war. Ihren hohen kirchlich-politischen Rang aber verdankt die bischöfliche Abtei von Durham einem klerikalen Günstling Wilhelm des Eroberers, dem von diesem 1080 zum Bischof von Durham ernannten Guillaume de Saint- Calais. Dieser William de Carileph, wie er mit seinem anglisierten Namen hieß, stand eine Zeitlang auch als Minister in des Königs Diensten. Als Bischof von Durham ließ er 1093 die seit hundert Jahren dort bestehende Kirche, wahrscheinlich einen Holzbau der Art, wie er bis heute in Sanct Andreas in Greensted-iuxta-Ongar (Essex) erhalten ist, abreißen und den großen Bau errichten, der mit seinen drei mächtigen Türmen jetzt rußgeschwärzt die Bischofsfestung und alten Backsteinmauern der Stadt überragt.[93]

In der Geschichte der romanischen Architektur, genauer gesagt: in der Entwicklungsgeschichte der gewölbten Basilika, nimmt diese Kathedrale eine hervorragende Stellung ein. Saint-Étienne in Nevers ist eine Konstruktion, die ohne Nachfolge geblieben ist. Eine schulbildende Wirkung hat dieser Bau nur auf die auvergnatische nichtbasilikale Architektur ausgeübt. In der Kathedrale von Durham aber ist in dreißigjähriger Bauzeit der Typus der kreuzgewölbten Basilika mit doppelgeschossigen Abseiten entstanden, der bis in die frühe gotische Epoche hinein immer wieder gebaut worden ist.

Bei der Herkunft ihres Bauherrn und seiner engen Verbindung mit der kontinentalen normannischen Kultur ist die enge Verwandtschaft der Architektur von Durham mit den großen Kirchenbauten der Normandie nicht erstaunlich. Der Wandaufbau in Durham ist bis auf die Proportionen dem von Notre-Dame zu Jumièges [Fig. 19] so ähnlich, daß man kaum daran zweifeln kann, daß der Architekt von Durham den Bau von Jumièges aus eigener Anschauung, zumindest durch Vermittlung von Rissen gekannt hat.[94] Im Gegensatz zu Jumièges aber wurde das Mittelschiff in Durham gewölbt, zunächst um 1104 das des Chors (nachdem dessen Seitenschiffe schon um 1066 in gleicher Weise gewölbt waren) und ein Jahrzehnt später auch das Mittelschiff des Langhauses. Mit Kreuzgratgewölben sind schon seit längerer Zeit, schon in der präromanischen Epoche, Seitenschiffe und kleinere Räume (Krypten) gedeckt worden, um 1090 bei dem von Kaiser Heinrich IV. veranlaßten Umbau auch das Mittelschiff in Speyer [Fig. 15]. Dort ist wahrscheinlich zum erstenmal in der romanischen Epoche ein so breiter Raum (von etwa 13 m lichter Breite) mit Kreuzgratgewölben zwischen Gurtbögen überspannt worden. In Durham aber sind es Kreuzrippengewölbe – zwar nicht die ersten romanischen überhaupt, aber die ersten, durch die die steigenden Linien der Wandvorlagen in den Rippen der Deckenzone eine Fortsetzung finden und dadurch diese mit der durchgliederten Wand verklammert wird – sehr viel stärker jedenfalls, als das durch die Gurtbögen unter den Tonnen geschieht. Die lichte Breite des Mittelschiffs beträgt in

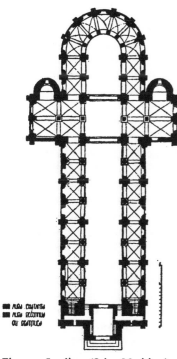

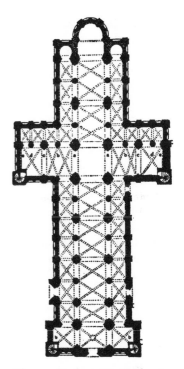

Fig. 19    Jumièges (Seine-Maritime),
           Notre-Dame

Fig. 20    Durham (Co. Durham),
           Kathedrale

Durham 10 m und gleicht der in den größten Kirchen der Normandie (Jumièges 9,50 m, Saint-Étienne in Caen 10 m) und den ebenfalls holzgedeckten in Britannien (Sanct Albans 9,42 m).

Wenn der Seitenschub bei Kreuzgrat- und Kreuzrippengewölben auch bedeutend geringer ist als bei Tonnengewölben und dadurch ein zweigeschossiger Aufbau der Seitenschiffe kein so großes statisches Wagnis ist wie in der Basilika von Saint-Étienne in Nevers, so bleibt doch noch immer ein Gewölbeschub, der der Abstützung durch Streben bedarf. In Durham übernehmen diese Aufgabe, ähnlich wie bei vielen Tonnengewölben, Viertelkreisbögen in den Tribünen und Rechteckstreben an den Außenmauern von Seitenschiffen, Tribünen und Hochschiff. In der spätromanischen Architektur (z. B. im Basler Münster) und in frühgotischen Kirchen mit Tribünen (Kathedralen von Laon und Paris) ist dieses Strebewerk von der Wand abgelöst. In der Hochgotik sind die Wände immer dünner und das von der Wand gelöste Strebewerk immer mehr zu einem über alle statische Notwendigkeit hinaus zu einem die konstruktiven Gedanken in drastischer Übertreibung sinnfällig machenden vielgliedrigen Gerüst geworden, mit dem Chor und Langhaus umstellt sind.

69

## Nichtbasilikale Longitudinalbauten –
## Die praktische und konstruktive Funktion der Tribünen

Bezeichnet man als Basilika nur die Bauten, bei denen die Mittelschiffmauern über die Seitenschiffdächer emporgeführt sind, um Fensteröffnungen zur direkten Belichtung des Mittelschiffs aufnehmen zu können, so sind in der kontinentalen westromanischen Architektur nichtbasilikale Longitudinalbauten ebenso häufig wie basilikale.

Aus welchen praktischen Gründen die Steindeckung trotz der mit ihr verbundenen Nachteile der Holzdeckung vorgezogen worden sein mag – etwa der geringeren Brandgefahr wegen –, die Absicht, die Räume in eine stimmungsvolle Düsternis zu hüllen, war dafür gewiß weniger entscheidend als dies oft angenommen wird. Die farbigen Verglasungen haben zwar das ihre getan, die Räume in ein tiefes Halbdunkel zu tauchen, wie wir es heute noch in den Kathedralen von Paris, Chartres, Bourges, Straßburg erleben. Die Architekten hatten aber kaum Anlaß, ihrerseits Anstrengungen zur Verstärkung des Dämmerlichts zu machen. Sie dürften im Gegenteil bestrebt gewesen sein, möglichst große Fensteröffnungen zu konstruieren, sei es auch nur, damit für die in farbigem Glas dargestellten Heiligenlegenden große Flächen verfügbar waren. Jedoch wagten sie zumeist nicht, das Mauerwerk stärker zu durchbrechen und dadurch zu schwächen, da man ja kräftiges Mauerwerk als Auflager und Widerlager zum Auffangen des Gewölbeschubs brauchte. Oft waren sie gewiß vorsichtiger, als es notwedig gewesen wäre. Das läßt die kühne Konstruktion von Saint-Étienne in Nevers vermuten.

Bei der Verteilung der Lichtquellen spielte zweifellos der Wunsch, die Helligkeit vom Schiff zur Vierung und von der Vierung zum Chor hin abzustufen, eine Rolle. Eine verbindliche Regel hat es dafür freilich nicht gegeben. In zahlreichen Fällen aber wurden die Raumteile und Wände offensichtlich so konstruiert, daß die liturgisch den Chorräumen meist einbezogene, den Laien nicht zugängliche Vierung als hellster Raumteil hervorgehoben ist. Es wurde deshalb oft über ihr eine Kuppel mit Laternentambour gebaut. So z. B. in Conques (Aveyron) [75], Le Dorat (HauteVienne) [94], Bénévent-l'Abbaye (Creuse), Saint-Amant-de-Boixe (Charente), Angoulême (Charente), ebenso in normannischen Kirchen auf dem Festland (z. B. in Saint-Étienne in Caen [95] wie in Britannien (mit flacher Decke in Sanct Albans, Norwich usw.) und später im gotischen Kirchenbau (z. B. Lisieux, Calvados). Die Vierungskuppeln von Toro (Zamora) [96] und der Catedral Veja in Salamanca haben sogar einen zweigeschossigen Laternentambour. Die Chorräume mit ihren Umgängen, in denen zumeist wohl alle Fenster einstmals farbig verglast waren, sind – oder waren – dagegen der dunkelste, jedoch künstlich durch Öllämpchen oder Kerzen erleuchtete Raumteil. Nicht immer ist ein regelrechter Laternentambour ausgebildet, sondern lediglich ein Kranz von in die Kuppelschale eingeschnittenen Öffnungen gebildet. So z. B. in Cardona (Barcelona), in Almazán (Soria, Spanien), in Beaulieu-sur-Dordogne (Corrèze), in der Kathedrale von Straßburg. Oft ist auch die Vierung direkt durch ein Fenster über dem Chorbogen belichtet.

In auvergnatischen Kirchen wird ihr von den fast immer relativ hellen Querschiff-armen durch Öffnungen in den Mauern über den Vierungsbögen Licht zugeführt. So liegt auch die Kuppel ohne Laternentambour nicht völlig im Dunkeln [93; Fig. 63]. Beim basilikalen Aufbau des Langhauses sind Mittelschiff und Abseiten ziemlich gleich-mäßig belichtet [84]. Beim nichtbasilikalen Aufbau dagegen haben die Seitenschiffe mehr Licht als das fensterlose Mittelschiff. Einen gewissen Ausgleich können allenfalls sehr hohe, weite Tribünenöffnungen bewirken, wie in Sainte-Foy in Conques [75], wo denn auch im Langhaus keine zu schroffen Helligkeitskontraste bestehen.

Vermutlich ist aber die ungleichmäßige Helligkeit der Langhausräume und die Düsternis des Mittelschiffs nicht immer als ideal angesehen worden. Darauf deutet der anzunehmende Planwechsel in Saint-Étienne in Nevers hin (vgl. Seite 66). Man darf das auch aus einem uns recht genau bekannten Umbau schließen, der in der cluniazen-sischen Prioratkirche von Châtel-Montagne (Allier) vorgenommen wurde [78; Fig. 25]. Dort ist der Ende des 11. oder zu Beginn des 12. Jahrhunderts errichtete Bau um die Mitte des 12. Jahrhunderts weitgehend erneuert worden. Nicht nur erhielt der Chor anstelle der einen Apsis zwischen zwei Apsidiolen in der Achse der Seitenschiffe einen Umgang mit Kapellenkranz, nicht nur wurde der Westfassade eine dreischiffige Vor-halle mit Tribüne angefügt. Es wurde auch das Langhaus umgebaut, damit das vorher fensterlose Mittelschiff durch einen Obergaden direktes Licht erhalte. Die Mittelschiff-wände wurden über den Arkaden aufgemauert, der Ansatz des Tonnengewölbes um vier Meter höhergelegt, und die so erhöhte Mittelschiffwand erhielt einen Obergaden. (Im ersten Bau waren die Seitenwände des Mittelschiffs wie in Néris und Saint-Désiré – beide ebenfalls im Allier –, wie in den Kirchen der Auvergne und so zahlreichen ande-ren in Südwestfrankreich und Nordspanien fensterlos.) Auch die Seitenschiffe wurden erhöht. Sie erhielten anstelle der früheren Gratgewölbe oder Quertonnen zur wirk-samen Abstützung des Gewölbeschubs Vierteltonnen. Die nun höher aufgemauerten Mittelschiffwände wurden zur Gewichterleichterung oder auch aus nur dekorativen Gründen, vermutlich aber auch, um ihnen zusätzliches Licht über das jetzt helle Mittel-schiff zuzuführen, durch Arkaden – in jeder Travée drei Öffnungen – unterbrochen, wie sie in Vignory (Haute-Marne) vielleicht aus den selben Gründen, im besondern zur Er-hellung der Seitenschiffe, konstruiert sind.[95] – Wie sehr man nach konstruktiven Lösun-gen suchte, um die gewölbte Decke möglichst ebenso stark zu belichten wie die Seiten-schiffwände, ist schon in einem anderen Zusammenhang erörtert worden (Seite 66). Nicht nur sollte die gewölbte Decke das Licht stärker reflektieren. Es sollten auch durch die Lichtführung Wand und Decke stärker aneinander gebunden werden, was dann freilich erst vollkommener durch Kreuzgrat- und vor allem erst durch Kreuzrippen-gewölbe erreicht worden ist.

Die mit der Wölbung verbundenen konstruktiven Probleme haben wesentlich dazu beigetragen, daß sich gerade im nichtbasilikalen Longitudinalbau eine so große Viel-gestaltigkeit der Baukörper und Raumformen im westromanischen Gewölbebau ent-wickeln konnte. Seitenschiffe und Tribünen erfüllen nicht nur funktionale Bedürfnisse.

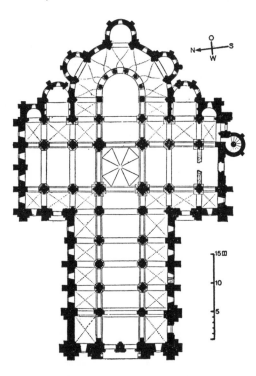

Fig. 21    Conques (Aveyron), Sainte-Foy

Sie übernehmen auch statisch-konstruktive Aufgaben. Ja, es scheint, daß die praktische Nutzung der Tribünen gegenüber ihrer konstruktiven Funktion oft von geringerer Bedeutung gewesen ist. Freilich erfüllten die Tribünen auch praktische Zwecke. Ja, darum dürften sie zunächst gebaut worden sein, nämlich auch in holzgedeckten Kirchen, in denen sie keine statisch-konstruktiven Funktionen zu übernehmen hatten. Vor allem scheinen sie dazu bestimmt gewesen zu sein, von den Teilnehmern am Kult gewisse Gruppen abzusondern. Wie in Synagogen und Moscheen waren die Geschlechter beim Gottesdienst auch in syrischen, byzantinischen und altchristlichen Kirchen getrennt. Die Tribünen waren den Frauen vorbehalten, was auch Paulus Silentarius in seiner Beschreibung der Hagia Sophia erwähnt. Sie werden deshalb auch γυναικαῖα oder matronaea genannt. In Frauen- und Doppelklöstern sind die Tribünen über den westlichen Eingängen und zum Teil auch noch die über den Seitenschiffen die Beträume für die Nonnen. Die Oratorien über den Eingangshallen, oft chorus angelorum oder chorus angelicus genannt, waren auch der Standplatz der Sänger; mit Orgeln, die später dort aufgestellt wurden, waren die Kirchen in der romanischen Epoche ja noch nicht ausgestattet. Zum Teil sind die Tribünen über den Seitenschiffen recht geräumig, nicht nur in den holzgedeckten (bzw. ursprünglich holzgedeckten) normannischen Kirchen auf dem Festland und in Britannien [Fig. 17, 18], sondern auch in gewölbten [Fig. 8, 22],

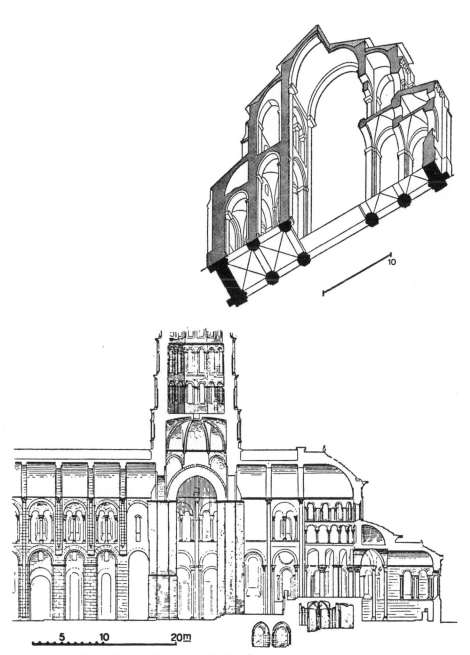

Fig. 22, 23  Toulouse (Haute-Garonne), Saint-Sernin

z. B. in den Wallfahrtskirchen Sainte-Foy in Conques [75; Fig. 21], Saint-Sernin in Toulouse [81; Fig. 22], Santiago de Compostela. Vielleicht haben sie dort sogar bei großem Andrang zur Beherbergung der Pilger gedient. Weiträumig sind sie auch in Sant'Ambrogio in Mailand, im Basler Münster, in rheinischen Kirchen; in Andernach führen sogar zwei breite geradläufige Treppen zu ihnen hinauf. Jedenfalls ist nicht daran zu zweifeln, daß solche geräumigen Tribünen auch einen praktischen Zweck, welcher Art er immer gewesen sein mag, erfüllten. Ein unverzichtbarer Bestandteil des Raumprogramms waren sie jedoch selbst bei von Pilgern stark frequentierten Kirchen nicht. Weder Charroux (s. Seite 83 f.) noch Sainte-Madeleine in Vézelay hatten Tribünen (Vézelay freilich im Narthex).

Es gibt andererseits Tribünen, deren praktische Nutzbarkeit für den Kult recht fragwürdig, zum mindesten in Anbetracht des materiellen Aufwands recht gering erscheint. So möchte man bei den auvergnatischen Kirchen, bei Notre-Dame-du-Port in Clermont-Ferrand und der Kirche in Orcival, bezweifeln, ob die hoch unmittelbar unter dem Ansatz des Tonnengewölbes mit relativ kleinen Bi- und Triforen, nur über enge Wendeltreppen in massivem Mauerwerk der Westfassaden zugänglichen Tribünen für den Kult eine sehr große Bedeutung etwa über die Verwendung zu festlicher Illumination hinaus hatten. Die noch viel engeren, dunkleren, in jeder der breiten Travéen nur durch eine kleine Bifore zwischen die hohen Langhausarkaden und dem Gewölbeansatz zum Schiff geöffneten Tribünen in der Abteikirche von Beaulieu-sur-Dordogne (Corrèze) waren wohl kaum für den Aufenthalt von Menschen bestimmt.[96] Sie waren praktische Laufgänge für Reparaturarbeiten, die Illuminierung usw., aber kaum mehr. Choisy meint, solche für die Aufnahme größerer Menschengruppen unzulänglichen Tribünen seien nur als Depoträume verwendet worden, in denen Kreuzfahrer vor ihrem Auszug ihre Kostbarkeiten verwahren ließen, und erwähnt, daß auch die Muselmänner vor ihrer Wallfahrt nach Mekka ihre Schätze in die Moscheen trugen. Choisy sieht seine Annahme darin bestätigt, daß solche eigentlich unzugänglichen Tribünen nur in der Zeit der Kreuzzüge angelegt wurden, aber nicht mehr im späten 13. Jahrhundert.[97]

Aber welcher Art die praktische Nutzung solcher Tribünen wie der auvergnatischen und der von Beaulieu immer gewesen sein mag, ihre Konstruktion ist auf jeden Fall von entscheidender Bedeutung für die statische Äquilibration der Bauwerke, nicht minder aber auch für ihre architektonisch-ästhetische Äquilibration. Die Tonnengewölbe des Mittelschiffs sind in den Tribünen, z. B. in denen der auvergnatischen Kirchen, durch relativ niedere übermauerte Halbkreisgurtbögen abgestützt. Zuweilen sind – so z. B. in der Kirche von Ennezat (Puy-de-Dôme) – die Gurte auch Viertelkreisbögen. Mittelschiff und Abseiten liegen unter einem gemeinsamen massiven Dach ohne Luftraum zwischen den Gewölberücken und der Abdeckung mit Steinplatten [Fig. 10], wie Mittel- und Seitenschiff in Saint-Martin-du-Canigou [Fig. 3].

So einleuchtend die statisch-konstruktive Funktion der Tribüne in diesen auvergnatischen Bauten ist, so stellt sie doch nicht die einfachste konstruktive Lösung des Problems dar, die Mittelschiffgewölbe wirksam abzustützen. Dazu bedürfte es, worauf

Fig. 24   Parthenay-le-Vieux (Deux-Sèvres)        Fig. 25   Châtel-Montagne (Allier)

auch Choisy hingewiesen hat, keineswegs eines zweigeschossigen Aufbaus der Abseiten. Derselbe statisch-konstruktive Effekt ist ohne diesen zweigeschossigen Aufbau in den Hallenkirchen des Poitou erreicht: in Parthenay-le-Vieux (Deux Sèvres) [Fig. 24], Notre-Dame-la-Grande in Poitiers, in Saint-Pierre in Chauvigny (Vienne), Saint-Savin-sur-Gartempe, Aulnay-de-Saintonge, Saint-Pierre [91] und Saint-Hilaire in Melle (Deux-Sèvres) etc., unabhängig davon, ob die Seitenschiffe, wie meist, Tonnengewölbe haben oder, wie Le Dorat, Gratgewölbe oder, wie in Saint-Eutrope in Saintes, Halb-tonnen. In Bénévent-l'Abbaye [71], wo die Seitenschiffe nur schmale Gänge sind, die

75

durch die Pfeiler der Quertonnen durchgebrochen sind, finden wir eine Konstruktion, die in zweifellos vollkommenerer Weise in Tournus und in der Zisterzienserkirche von Fontenay [58] ausgebildet ist.

Offensichtlich waren jedoch für einen zweigeschossigen Aufbau der Mittelschiffwand mit Arkaden und mit über den Seitenschiffen liegenden Tribünen konstruktive Gründe und die Absicht, zusätzlichen Raum zu gewinnen, nicht allein entscheidend, zumal der Nutzeffekt der Tribünen ja großenteils recht gering war. Aus bloß konstruktiven und praktischen Gründen sind ja auch jene Scheintribünen, deren Arkaturen sich auf den Dachstuhl der Seitenschiffe öffnen, wie in der Kirche vom Mont Saint-Michel [85], in Lessay usw., nicht erklärbar. Der praktische Zweck, den Dachstuhl der Seitenschiffe zu durchlüften, wäre auf sehr viel einfachere Weise zu erreichen gewesen, und er ist ja auch oft auf sehr viel schlichtere Art befriedigt worden (s. S. 50). Ebenso sind die Arkaturen in den Mittelschiffwänden in Vignory und Châtel-Montagne durch praktisch-konstruktive und praktisch-funktionale Überlegungen allein nicht genügend motiviert. Diese Arkaturen und Scheintribünen, ebenso viele echte Tribünen befriedigen offenbar, ja wohl in erster Linie, ein ideelles ästhetisches Bedürfnis, die plastisch-strukturelle Wanddurchgliederung zu steigern, zu bereichern, zu artikulieren. So verstanden, bestärken sie unsere in einem anderen Zusammenhang gewonnene Einsicht, daß die Durchgliederung der Wand nicht nur aus praktisch-konstruktiven Überlegungen und Notwendigkeiten oder nur aus praktisch-funktionalen Bedürfnissen erfolgt ist, sondern, daß darin jenes sinnlich-intellektuelle Verhalten zu Mauer, Wand, Raum seinen Ausdruck gefunden hat, das in der westromanischen Architektur allenthalben manifest geworden ist. Wenn diese Scheintribünen bei festlichen Raumilluminationen auch zur Aufstellung von Öllampen oder Kerzen genutzt worden sein sollten, so wäre das jedenfalls eine nur sekundäre Funktion. Daß sie diese hatten, lassen die schmalen Laufgänge vermuten, die in der Kathedrale San Sabino in Bari [79] in den Seitenschiffen auf (heute nur noch zum Teil erhaltenen) Konsolen angebracht und an der Westwand über einen Steg miteinander verbunden waren.

Wieviel stärker das Bedürfnis war, die Wand zu gliedern, als den Raum durch Tribünen zu erweitern, wird auch in gotischen Bauten des 13. Jahrhunderts evident: in der Kollegiatkirche von Eu (Seine-Maritime), in den Kathedralen von Rouen und Meaux (Seine-et-Marne). Wir finden dort ähnlich wie in Vignory offene Arkaturen in den Mittelschiffwänden, die keine Tribünenöffnungen sind. Selbst wenn ursprünglich in Eu und in Meaux auch Tribünen geplant gewesen sein sollten, so zeigt doch, daß ihre Ausführung unterblieben ist, ein wie wenig dringendes Bedürfnis die Konstruktion von Tribünen war. In Rouen hat der Architekt des zweiten Bauabschnittes bewußt auf die Tribünen verzichtet und die großartige Wirkung der Öffnung der Seitenschiffe zum Mittelschiff auch über den großen Langhausarkaden beabsichtigt. Aus der reichen Gestaltung der Pfeiler an der Seitenschiffwand geht das sehr deutlich hervor.[98]

## Zentralbauten

Gegenüber der Menge der Longitudinalbauten ist die Zahl der Bauwerke, die über einem kreisrunden oder regelmäßigen polygonalen Grundriß errichtet sind, auch in der romanischen Epoche klein. Wie die christlichen Longitudinalbauten mit den paganen Basiliken in einem gewissen, wenn auch keineswegs unmittelbar derivativen, Zusammenhang stehen, haben auch die romanischen Zentralbauten ihre Vorbilder in Bauwerken der paganen Mittelmeerantike. Man darf sie in den den Heroen geweihten Monumenten sehen, für die schon in minoischer Zeit runde Kuppelbauten bevorzugt wurden (Kuppelgräber in Mykene, Orchomenos usw.). Auch die meisten der kleinen Zentralbauten der romanischen Epoche sind Grabeskirchen oder haben doch einen engen Bezug auf den Totenkult. Das Oktogon, das Anfang des 12. Jahrhunderts für das Hospital Maison-Dieu in Montmorillon (Vienne) gebaut wurde, diente in seinem unteren Teil als Beinhaus. Darüber liegt die Kapelle für die Feier der Funeralien. Ebenso ist es bei dem nach 1250 in Tulln (Niederösterreich) erbauten ›Karner‹ (Beinhaus), einem außen elfeckigen, innen runden Bau mit geosteter Apsis. (Der etwa gleichzeitige ›Karner‹ von Petronell in Niederösterreich ist nicht als Beinhaus errichtet worden, aber später zur Gruft einer Adelsfamilie geworden).[98a]

Unmittelbar derivative Zusammenhänge bestehen mit Zentralbauten des christianisierten Orient. Die Rotunde der Anastasis, die in frühchristlicher Zeit über dem Grabe Jesu in Jerusalem errichtet worden war, hat in der Epoche der Kreuzzüge die Anregung zu Zentralbauten auch im Abendland gegeben. Einigermaßen getreue Nachbildungen der Anastasis sind zwar nicht nachzuweisen. Ein, wenn auch nur lockerer, Zusammenhang mit ihr besteht aber fast immer.

Der um 1200 errichtete Vierkonchenbau von Villeneuve-d'Aveyron gehörte zu einer Abtei, die sich ›Saint-Sépulcre‹, nannte [Fig. 26].[99] Für die Rotunde von Neuvy-Saint-Sépulcre (Indre) [Fig. 27] bezeugen alte Texte, sie sei »ad formam Sancti Sepulcri Ierosalimitani« errichtet worden. Von einer auch nur einigermaßen getreuen Nachbildung kann bei dieser zweigeschossigen Rotunde freilich nicht die Rede sein, auch wenn ihr ursprünglicher Zustand (Gründung 1042) durch Umbauten des 12. Jahrhunderts nicht mehr erkennbar ist. Möglicherweise, ja wahrscheinlich, haben wir es hier mit einer Ungenauigkeit des Chronisten zu tun. Denn eine anscheinend recht getreue Nachbildung der Anastasis befand sich im Zentrum der Rotunde. Sie ist aber von einem Pfarrer der Kirche 1806 zerstört worden, und wir gewinnen nur aus Beschreibungen eine Vorstellung dieses Monuments, das einen Durchmesser von zweieinhalb Meter und einen drei Meter hohen Turm hatte.[100] Jedenfalls steht die Rotunde von Neuvy zur Jerusalemer Grabeskirche in einer engen kultischen Beziehung. Diese ist auch in anderen Zentralbauten offenkundig. So wurde die Grabeskirche von Northampton (1111–1120) von Simon de Senlis nach seiner Heimkehr von einem Kreuzzug gestiftet.[100a] Nicht zufällig sind auch die Kapellen des Templer-Ordens, wie die in Laon, Zentralbauten. Daß die Anregungen zum Bau von Zentralräumen in der romanischen Epoche aus dem

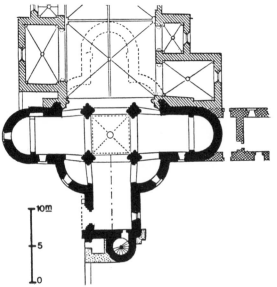

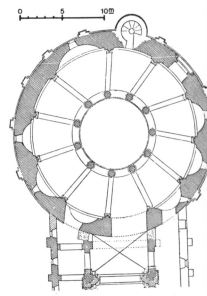

Fig. 26    Villeneuve-d'Aveyron (Aveyron)         Fig. 27    Neuvy-Saint-Sépulcre (Indre)

Orient kamen, ist wohl nicht zu bezweifeln. Zugleich aber sind auch karolingische Zentralbauten, die Pfalzkapellen von Nimwegen, Aachen, Germigny-des-Prés usw., nicht ohne Einwirkung auf die weitere Entwicklung der Zentralraumkonstruktionen geblieben. Eine ziemlich getreue, in der Ausführung aber nur bescheidene Nachahmung hat die Aachener Kapelle in der in der ersten Hälfte des 11. Jahrhunderts errichteten Kirche des Benediktiner-Nonnenklosters von Ottmarsheim (Haut-Rhin) gefunden.[101] Alle anderen von karolingischen vermutlich beeinflußten Rotunden-Konstruktionen sind nur in ihren Fundamenten bekannt geworden. Inwieweit sie auch im Aufbau den karolingischen tatsächlich ähnlich waren, wissen wir nicht.

Anregungen haben auch die Baptisterien für die romanischen Zentralbaukonstruktionen gegeben. Sie dürften aber vor den Einflüssen orientalischer Bauwerke im Zeitalter der Kreuzzüge zurückgetreten sein. Die zentrale Anlage ergab sich bei den Baptisterien schon aus den funktionalen Bedingungen als naheliegende Lösung. Denn es war ein Raum zu schaffen, der das runde oder polygonale Wasserbecken, in das der Täufling hinabsteigen mußte, umgibt. Dieses Bassin war in den Boden vertieft. Drei oder sieben Stufen – die Zahl stand mit der Zahlensymbolik in Verbindung – führten zu ihm hinab. Über seiner runden oder oktogonalen Brüstung erhob sich ein Baldachin über Säulen, zwischen denen beim Taufakt Vorhänge gespannt wurden. Der Raum bildete einen um dieses Becken herumführenden Umgang, an dessen Umfassungsmauern oder in sie eingetieft apsidiale Nischen lagen. In einer dieser Nischen stand ein Altar, während die anderen als Aus- und Einkleideräume dienten. Da die Taufe nur vom Bischof vorgenommen werden durfte, waren die Baptisterien Annexe von Kathedralen und mit ihnen durch Couloirs verbunden, die meist nicht mehr erhalten sind.

Die in Gallien mehr oder weniger vollständig erhaltenen Baptisterien von Fréjus (Var), Marseille, Aix (Bouches-du-Rhône), Riez (Basses-Alpes), Poitiers (Vienne) stammen alle aus präromanischer Zeit.[102] Denn seit dem 7. Jahrhundert wurde der Brauch, die Taufe durch Untertauchen (submersio) oder durch Eintauchen (immersio) des ganzen Körpers vorzunehmen, mehr und mehr durch bloßes Aufgießen des Wassers auf den Kopf des Täuflings ersetzt. Es sind daher in der romanischen Epoche im Westen und Osten keine Baptisterien mehr errichtet worden. Nur Italien macht eine Ausnahme. Dort sind noch bis in die spätromanische Epoche und noch später Baptisterien gebaut worden, z. B. in Cremona, Parma, Pisa, Lenno, Asti. Die Anlage des Baptisterium von Florenz geht zwar auf das 7. oder 8. Jahrhundert zurück, hat aber seine heutige Gestalt erst im Zusammenhang mit dem Neubau der Kathedrale erhalten. Wir haben es also zwar mit einer Erneuerung eines präromanischen Baptisterium zu tun. Aber das Wasserbecken in seiner Mitte hatte später wohl nur noch eine symbolische Bedeutung. Denn um 1200 gab es ja auch in Italien längst keine paganen Erwachsenen mehr, die hätten getauft werden können. Der frühchristliche Ritus bestand auch dort im 11. und 12. Jahrhundert nicht mehr. Freilich wurde in diesen Bauwerken getauft, aber nach dem neuen Ritus. So war im Baptisterium di San Pietro in Asti (Piemont), das gar nicht zu einer Kathedrale gehörte, wohl schon bei seiner Errichtung im späten 11. Jahrhundert auf ein Wasserbecken verzichtet worden und an seine Stelle ein Taufstein getreten. Das Florentiner Baptistierium ist schließlich auch Grabeskirche geworden. Nach 1425 wurde dort das Grabmal für den Papst Johannes XXIII. aufgestellt. So deutet alles darauf, daß die präromanische, altchristliche Raumform zu einem dem Kult Johannes des Täufers geweihten Bau und zum Monument des christlichen Tauf-Sakraments geworden ist. Das heißt: es überlebte, wie es ja nicht selten der Fall ist, eine Raumform ihre ursprünglich funktional bedingte Gestalt und hatte nur mehr noch eine symbolische Bedeutung.

Jedenfalls sind – mit Ausnahme der italienischen – die romanischen Zentralbauten nicht Abkömmlinge der präromanischen Baptisterien, sondern der Grabkirchen des Orient und weiter zurück der mittelmeerantiken paganen Grabmonumente. Die konstruktiv gestalterischen Probleme der Raumüberwölbung und deren Abstützung, auch die der Belichtung durch in die Kuppel eingebrochene Fenster oder durch einen befensterten Tambour sind freilich im wesentlichen gleicher Art. So werden die romanischen Architekten auch daher konstruktive Anregungen erhalten haben. Das gilt natürlich auch für die karolingischen Pfalzkapellen, die übrigens hinsichtlich der Meisterung konstruktiver und raumgestalterischer Probleme vielen romanischen Zentralbauten weit überlegen sind. Das ist zum mindesten von denen in Aachen und in Germigny-des-Prés zu sagen.

So ist auch der wohl berühmteste westromanische Zentralbau, die Rotunde von Neuvy-Saint-Sépulcre (Indre) keineswegs eine architektonische Meisterleistung [111]. Wir kennen freilich den 1042 gestifteten Bau nicht, sondern nur den Umbau des 12. Jahrhunderts. Bei diesem sind für die Wandsäulen, von denen die Gurte des Umgangs aufsteigen, wahrscheinlich Kapitelle des Gründungsbaus wieder verwendet worden. Das läßt ein Vergleich mit den reicheren und entwickelteren Kapitellen der Umgangsäulen vermuten. Der Blick in die Rotunde ist immerhin imponierend. Man schaut in einen zweigeschossigen Zentralraum, der durch die Fenster des Tambour einer (allerdings erst von Viollet-le-Duc neu errichteten) Kuppel belichtet wird. Beim Durchschreiten des Umgangs und beim Studium des Grundrisses erkennt man jedoch mehrere konstruktive Unbeholfenheiten, die sich auch in der Raumform ungünstig auswirken. Zunächst fällt im Umgang der sehr ungleiche Abstand und die nicht exakte radiale Führung der Gurtbögen auf [Fig. 27]. Diese Unregelmäßigkeiten mögen damit zusammenhängen, daß die Arkade elf, nicht zwölf in gleichem Abstand aufeinanderfolgende kräftige Säulen hat, so daß sie ein dem Kreis schwer einzuschreibendes Elfeck bilden. Dadurch wird sich wohl auch die unterschiedliche Breite der in die über zwei Meter dicke Umfassungsmauer mit flacher Rundung eingetieften Nischen erklären lassen. Es fehlt also ein klarer axialer Aufbau. Die obere Galerie, die ursprünglich wahrscheinlich nur einen offenen Dachstuhl hatte, harmoniert nicht recht mit dem Umgang des Erdgeschosses. Die Verbindung mit dem rektangulären Raum einer dreischiffigen Kirche, zu der die Rotunde eine Art Annex ist und von der aus sie zugänglich ist, ist sehr unorganisch. Sie wirkt unbeholfen und behelfsmäßig. Die Bögen des unteren Umgangs sind profiliert. Auch außen ist das Mauerwerk durch eine Blendarkatur in einer für die westromanische Architektur charakteristischen Weise gegliedert.

Die Unvollkommenheiten von Neuvy-Saint-Sépulcre, deren noch weitere aufzuzählen wären, mindern das Raumerlebnis. Dieses hat man wohl reiner in der ebenfalls doppelgeschossigen Rotunde von San Tomaso in Lemine, einer Wallfahrtskirche in Almenno San Bartolomeo (Bergamo) aus dem 11. Jahrhundert [Fig. 28, 29]. San Tomaso ist eine mit vollkommener Regelmäßigkeit und klarer axialer Orientierung – der Eingang und die rektanguläre Kapelle mit halbrunder Apsis liegen in der West-Ost-Achse – aus zwei konzentrischen Zylindern aufgebaute Rotunde. Im kreisrunden Raum zwischen den Zylinderwänden führen die Treppen zur oberen Galerie hinauf, die über dem zwischen Gurten kreuzgratgewölbten Umgang liegt und sich wie dieser mit acht Arkaden zu dem kuppelgewölbten oktogonalen Mittelraum öffnet, der durch die vier Fenster des Tambour und eine zylindrische Laterne belichtet wird. Am Umgang liegen regelmäßig verteilt kleine halbrunde Nischen. Die Außenmauern zeigen die für den ›premier art roman‹ charakteristischen Lisenen (hier in der Form von dünnen Wandsäulen, im Tambour rechteckig) mit Bogenfries.

Weniger bekannt, aber vielleicht noch eindrucksvoller als Neuvy-Saint-Sépulcre ist der Zentralbau von Rieux-Minervois (Aude) aus der ersten Hälfte des 12. Jahrhunderts. Er ist ein siebenkantiger Bau, in dem sieben hohe Stützen – vier Pfeiler und drei

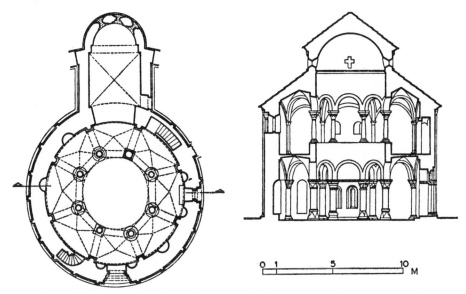

Fig. 28, 29    Almenno San Bartolomeo (Bergamo), San Tomaso in Lemine

zwischen sie gestellte aus Steintrommeln aufgebaute Säulen – die Kuppel tragen, die durch den mit einer Ringtonne gedeckten Umgang abgestützt ist. Der sich über der Kuppel erhebende Glockenturm ist später umgebaut worden.

In der ostromanischen Architektur war wohl die aus dem 11. Jahrhundert stammende Rotunde Sankt Martin, die vor dem Ostchor der Kollegiatkirche (›Münster‹) in Bonn lag und 1812 auf Abbruch verkauft worden ist, der hinsichtlich Raumgestaltung, Konstruktion und formaler Durchbildung interessanteste und schönste Zentralbau. Er hatte Tribünen über dem Umgang und einen erhöhten Mittelraum, war also der Gesamtkomposition von Neuvy verwandt.

Unter den westromanischen Zentralbauten zeigt die selbe Raumkomposition wie Neuvy in vollendeter Regelmäßigkeit und mit kraftvoll durchgegliederten Wänden die Grabeskirche von Cambridge [115, 116]. Diese zweigeschossige Rotunde, die wohl noch aus dem ersten Viertel des 12. Jahrhunderts stammen dürfte, ist zwar im 19. Jahrhundert sehr stark restauriert, ja zum Teil neu aufgebaut worden. Doch ist die Raumgestalt nicht verfälscht worden, so daß wir ein authentisches und höchst eindrucksvolles Erlebnis eines proportional vortrefflich ausgewogenen romanischen Zentralbaues haben. Acht massive Säulenpfeiler bilden einen Arkadenring, dessen Bögen mehrfach abgetreppt sind. Über ihnen öffnet sich die Galerie mit acht Doppelarkaden zum Mittelraum, der aus acht Fenstern eines hohen Tambours unter einer achtteiligen Kuppel belichtet ist. Auch dies ›Holy Sepulchre‹, ist keine Kopie des Jerusalemer, aber die Raumform ist wie die der anderen romanischen Rotunden gewiß durch den Jerusalemer Bau angeregt, was ganz allgemein für die Wahl der zentralen Anlagen in der romanischen Epoche wird gelten dürfen.

Die Konzentrationstendenz tritt selten – nicht nur im Raum selbst, sondern auch im Baukörper – so rein in die Erscheinung wie in San Tomaso in Lemine oder in Saint-Michel d'Entraigues (Charente). Denn zumeist ist der Baukörper durch Anbauten verunklärt, und es ist selten gelungen, den Zentralraum den rektangulären Räumen oder umgekehrt diese jenen organisch einzubeziehen. Von den beiden großen Kirchen, in denen das sehr bewußt angestrebt und wohl auch im hohem Maße gelungen war, sind leider nur kümmerliche Reste erhalten geblieben, so daß wir von dem ehemaligen Zustand nur noch eine recht unvollkommene Vorstellung gewinnen können: von Saint-Bénigne in Dijon (Côte-d'Or) und der Abteikirche von Charroux (Vienne).

Von der Abteikirche Saint-Bénigne in Dijon, die Wilhelm von Volpiano 1002–1017 bauen ließ, ist nur die Krypta erhalten geblieben, und unsere Kenntnis beruht wesentlich auf Stichen in der 1738 erschienenen ›Histoire de Bourgogne‹ von Dom Urbain Plancher [109, 110; Fig. 30]. Der Mittelraum der Krypta hatte keine Decke, sondern war nach oben offen, so daß man vom Boden der Krypta durch einen drei Geschosse hohen zylindrischen Mittelraum bis in die Kuppel hinaufblicken konnte, die sich über einer Blendarkatur (mit Öffnungen?) wölbte. Wie die Krypta hatte auch das obere Geschoß zwei durch einen Säulenkranz getrennte Umgänge. Diese ebenso ungewöhnliche wie grandiose und kühne Konstruktion war eine höchst originale Bauidee des Wilhelm von Volpiano oder seines Architekten, zu der die Grabrotunde in Jerusalem die Anregung gegeben haben dürfte, die aber auch im präromanischen Gallien ferne Ahnen hatte (vgl. Anm. 98 a), aber kaum Nachfolge gefunden hat. Nur im Chorturm von Charroux ist die Bauidee in wohl noch großartigerer Weise aufgegriffen und realisiert worden.

Das von Wallfahrern sehr frequentierte Grabmonument war in Saint-Bénigne mit dem Chorhaupt einer dreischiffigen Basilika verbunden, die wir uns etwa wie die von Jumièges mit einem offenen Dachstuhl über dem Mittelschiff und Kreuzgratgewölben in den Seitenschiffen vorstellen dürfen. Der Chor hatte einen im Halbkreis runden Umgang, der zur Rotunde des Grabmonuments offen war. Die Seitenschiffe endeten in einer Apsidiole. In der Anordnung dieser Apsidiolen darf man eine der frühesten Verwirklichungen des in der westromanischen Architektur sehr verbreiteten, in der ostromanischen in Bauten der Hirsauer Kongregation anzutreffenden benediktinischen Staffelchors sehen (vgl. S. 97 f.). Das Chorhaupt in Dijon war nun, aus dem von Dom Plancher publizierten Grundriß zu schließen, mit der Grabrotunde so verzahnt, daß die Seitenschiffapsidiolen in das starke massive Mauerwerk der Rotunde eingemuldet waren.

Die Rotunde von Saint-Bénigne war mehr ein Annex des Chors als ein diesem und dem Langhaus integrierter Raumteil. Denn der Chorraum war nur durch schmale Durchgänge mit der Rotunde über dem Märtyrergrab verbunden, und die Seitenschiffe waren nicht unmittelbar zu ihr geöffnet.[103] Ganz anders war es in der Abteikirche von

Fig. 30   Dijon (Côte-d'Or), Saint-Bénigne     Fig. 31   Charroux (Vienne), Saint-Sauveur

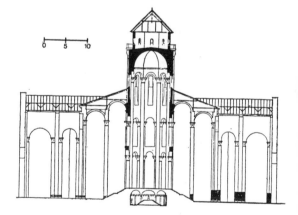

Fig. 32   Charroux (Vienne), Saint-
Sauveur

Charroux (Vienne). Dort war die Rotunde nicht ein Anbau an den Chor der Kirche. Sie war vielmehr das Zentrum des Gesamtraums, nämlich die Vierung, also ein Langhaus, Querschiff und Chor völlig integrierter Raumteil.

Von dem Bau in Charroux, der mit einer Gesamtlänge von 126 m (La Charité-sur-Loire: 122 m – Vézelay: 120 m) einer der größten romanischen Kirchen in Frankreich war, ist nur wenig erhalten geblieben. Nach Zerstörungen in den Religionskriegen

(1762) ist die Abtei aufgehoben worden. Konventbauten und Kirche wurden abgebrochen, beziehungsweise wie ein Steinbruch ausgebeutet. Nur der jetzt als isolierter Turm [114] aufragende Kern der Rotunde ist dank der Bemühung von Prosper Mérimée, der Inspecteur général des Monuments Historiques geworden war, erhalten geblieben. Grabungen in den Jahren 1949–1951 ermöglichten eine Restitution des Grundrisses von Querschiff, Vierung (Rotunde) und Chor [Fig. 31, 32].[104] Das von Wilhelm von Volpiano in Dijon für den Heiligen Benignus errichtete Grabmonument mochte dazu angeregt und ermutigt haben, für die in Charroux verehrten, für echte Fragmente des Kreuzes Christi gehaltenen Reliquien ein ähnliches, aber doch auch ganz anderes Monument zu bauen. Aus der schriftlichen Überlieferung lassen sich sichere Daten nicht gewinnen. Für die Datierung in die erste Hälfte des 12. Jahrhunderts gibt es ebensowenig Sicherheit wie für die neuere These, die die Konstruktion ins Ende des 11. Jahrhunderts datiert und einen erst nachträglichen Krypteneinbau annimmt, wenn auch diese These durch die Forschungen von Gisela Schwering-Illert an Wahrscheinlichkeit gewonnen hat.

Der erhalten gebliebene innere Ring aus acht Stützen, die der poitevinischen Tradition folgend als Vierpaßpfeiler ausgebildet sind, hat einen Durchmesser, der in den Außenmaßen etwa der Breite des Mittelschiffs entspricht. Die heute als Turm in die Erscheinung tretende Konstruktion erhob sich drei Geschosse hoch wie ein riesiges Ciborium über dem Altar, der über einer Confessio oder einer Krypta stand [Fig. 32]. Die je acht Arkaden der zwei unteren Geschosse öffneten drei Umgänge zu dem Mittelraum, in dem man – ähnlich wie in Dijon – hinauf in die Kuppel über einem hohen Tambour blickte. Durch dessen acht Öffnungen fiel das Licht in den Altarraum. Alle drei Umgänge waren vermutlich zwei Etagen hoch. Zum mindesten war der an den zylindrischen Mittelraum anschließende Umgang zwei Geschosse hoch. Der ehemalige Ansatz des Daches ist an dem erhaltenen Turmfragment [114] erkennbar, und die äußere Halbsäule steigt ohne Unterbrechung in die zweite Etage auf. Der Aufbau eines hohen Zylinderraums ist also dem in Saint-Bénigne in Dijon sehr ähnlich. Die Verbindung der Rotunde mit dem Langhaus ist aber anders als in Dijon. Sein Seitenschiff setzte sich in wenigstens optisch gleicher Breite in dem äußeren Umgang fort, der den Arm des Querschiffs da tangierte, wo im Quadrat stehende mächtige Pfeiler, die stärksten der Rotunde, vermutlich einen Turm getragen haben. (Ebenso starke Pfeiler im Westen und Osten gegen das Mittelschiff und gegen den Chor, offenbar aus statischen Gründen.) Die Querschiffarme luden über die Rotunde um etwas mehr als Umgangsbreite aus. Sie waren rektangulär und hatten in ihrer Ostwand eine Halbkreisapsidiole. Eine weitere gleicher Größe öffnete sich jederseits auf den äußeren Rotundenumgang. Der Chor in der Mittelachse des Langhauses hatte eine im Halbkreis schließende Apsis und jederseits eine Apsidiole gleicher Größe wie die erwähnten an Querschiffarm und Rotunde.

Den Raumbedürfnissen einer Wallfahrtskirche, in der regelmäßig Prozessionen stattfanden, war die Rotunde mit ihren drei Umgängen zweifellos sehr angemessen. Ja, es dürften diese funktionalen Gesichtspunkte ausschlaggebend gewesen sein, daß man sich für eine so aufwendige und ungewöhnliche Gestaltung der Vierung entschlossen hat. Die eine Tendenz zum Zentralraum in sich bergende konstruktive Idee des westromanischen Umgangchores, die Seite 56 f. beschrieben ist, hat in Charroux eine Steigerung ins Grandiose erfahren. Ja, sie ist dort so übersteigert worden, daß die klare Überschaubarkeit wohl verloren gegangen war, durch die sich die kreuzförmige Raumdisposition der Longitudinalbauten mit Umgangchor und Radialkapellen auszeichnet. Jedenfalls mußte die Gerichtetheit des Kirchenraums zum Chor weniger deutlich in die Erscheinung getreten sein. Das mochte außer den konstruktiven Schwierigkeiten, mit denen man in Charroux offensichtlich nur schwer zurecht kam, mit ein Grund dafür gewesen sein, daß diese Art der Kombination von Rotunde und Longitudinalbau sonst nicht versucht worden ist. Die Durchblicke vom Langhaus durch den Säulenwald der Vierung hindurch zu dem Chor mit seinem Säulenhalbrund müssen aber dereinst überaus eindrucksvoll gewesen sein. – Die Gestalt des Langhauses ist unbekannt. Was die Ausgrabungen frei gelegt haben, läßt auf einen den poitivinischen Hallenkirchen ähnlichen Raum schließen, dem von Saint-Savin-sur-Gartempe oder von Saint-Pierre in Chauvigny (beide Vienne) verwandt.

Außer Rotunden mit kreisrunder Umfassungsmauer gibt es eine Reihe romanischer Zentralräume, die über einem quadrigonalen, oktogonalen Grundriß oder über dem Grundriß des griechischen Kreuzes errichtet sind. Die Gestalt des Baukörpers weicht dann stark ab von der des Longitudinalbaus und ordnet sich ihm nicht recht ein. Zumeist aber sind die Zentralbauten als nur kleine Annexe den Longitudinalbauten angegliedert und mit diesen außer durch eine Türe räumlich nicht verbunden. So ist zum Beispiel in Saint-Léonard-de-Noblat (Haute-Vienne) die eingeschossige Chapelle Sainte-Luce [Fig. 33], die früher Chapelle du Sépulcre hieß, was einen Hinweis auf ihre ursprüngliche kultische Funktion gibt, mit ihren vier an einem Umgang liegenden Nischen, die nach außen wie Halbkreisapsidiolen vorspringen, in den Winkel zwischen Langhaus, Querschiff und Turm förmlich eingezwängt. Sie ist von der Kirche räumlich so unabhängig, daß sie vom Kirchenschiff nicht einmal zugänglich ist. (Es gehören freilich Langhaus mit Umgangschor, der an der Nordseite angebaute Glockenturm und die Kapelle verschiedenen, wenn auch alle ins 12. Jahrhundert zu datierenden, Bauabschnitten an.)[105]

Zu den wenigen frei stehenden Zentralbauten gehört der von Saint-Michel-d'Entraygues (Charente) [112, 113; Fig. 34]. Er wurde von Mönchen von La Couronne, eines Augustinerklosters nahe von Angoulême, 1137 gebaut. Abadie hat den Bau, dessen Kuppel eingestürzt und Ende des 17. Jahrhunderts durch einen offenen Dachstuhl ersetzt worden war, Mitte des 19. Jahrhunderts wiederhergestellt. Seine Rekonstruktion hat, von den Details abgesehen, den Raum in seinem ursprünglichen Zustande im wesentlichen richtig wieder erstehen lassen. Auf ein Oktogon öffnen sich acht gleich große Halbkreisapsidiolen in ihrer ganzen Sehnenbreite. Das in eine Apsidiolenmauer eingestufte Portal und die Apsidiole mit dem Hauptaltar, die durch reichere Gliederung hervorgehoben ist, liegen in einer Achse. Die Wände sind strukturell klar und recht kraftvoll gegliedert. Die Apsidiolen werden durch Wandsäulen voneinander getrennt. Auf dem Abakus ihrer Kapitelle steht ein Pilaster, von dem die bandartigen Rippen der oktogonalen Kuppel, eines Klostergewölbes, aufsteigen. Abadie hat der Kuppel, die von ihm aufgrund ihrer erhalten gebliebenen Ansätze rekonstuiert werden konnte, ein Laternentürmchen aufgesetzt, durch das dem Raum über eine runde Öffnung im Kuppelscheitel auch von oben Licht gespendet wird. Das dürfte etwa dem ursprünglichen Zustande entsprechen. In der Hauptsache wird der Raum aber durch die acht Fensteröffnungen in den Zwickeln über den Apsidiolen erhellt. Wie im Innern die Wände sind auch die Außenmauern gegliedert, besonders reich durch je fünf Blendarkaden auf zwei Apsidiolen verteilt, zu beiden Seiten des Portals, und in ähnlicher Weise die Mauer der Altarapsidiole. Die Raumgestalt ist auf den ersten Blick am Baukörper ablesbar.[106]

Über dem Grundriß eines griechischen Kreuzes ist der Ende des 11., Anfang des 12. Jahrhunderts entstandene, aber in seinem ursprünglichen Zustande nicht mehr rein erhaltene Zentralbau des Klosters Saint-Sépulcre in Villeneuve-d'Aveyron errichtet [Fig. 26]. Dort ist um vier im Quadrat stehende Pfeiler, die die eine Art Vierung mit dekorativ geripptem Klostergewölbe rahmenden Bögen tragen, durch die konvexe Ausrundung der Eckwinkel von vier einander durchdringenden Langräumen eine Rotunde gebildet. Diese öffnet sich nach vier Seiten auf kurze Arme. Drei dieser Arme enden in einer halbrunden Apsis. Nur der westliche, der mit einer Tribüne überbaut

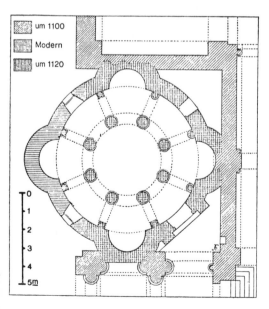

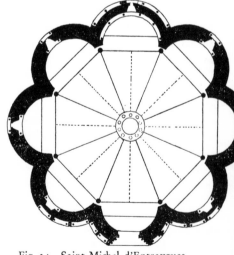

um 1100

Modern

um 1120

0
1
2
3
4
5m

Fig. 34    Saint-Michel-d'Entraygues
            (Charente)

◁  Fig. 33   Saint-Léonard-de-Noblat (Haute-
            Vienne)

ist, unter der seitlich das Portal liegt, ist rektangulär, hat aber etwa die gleiche Länge wie die anderen.

In der Tendenz zur Raumkonzentration besteht eine ganz allgemeine Verwandtschaft dieser konstruktiven Idee sowohl mit der, die in der karolingischen Kirche von Germigny-des-Prés verwirklicht ist, als auch mit den großartigen Dreikonchenräumen Kölner Kirchen, so wenig von irgendeiner direkten Abhängigkeit die Rede sein kann. Es ist aber bemerkenswert, daß die romanische Epoche zwar immer einmal wieder Zentralräume gebaut hat, sei es in Form von Rotunden, sei es mit Zugrundelegung der griechischen Kreuzform – es wäre hier auch an Saint-Front in Périgueux zu erinnern –, daß sie dabei aber großenteils recht unsicher experimentierte. Ihre schöpferische Kraft hat sich jedenfalls sehr viel entschiedener auf die Entwicklung des Longitudinalbaus konzentriert, und sie hat dabei vor allem in der westromanischen Kombination von Vierung, Querschiff und Umgangchor die großartigsten komplexen Raumgebilde geschaffen, die dann auch in der gotischen Epoche Nordwestfrankreichs und Britanniens das Hauptthema des Kirchenbaus geblieben sind.

In der Architektur haben orientalische Leitbilder die Raumschöpfungen weit weniger stark bestimmt als andere Bereiche künstlerischen Schaffens. Mit am unmittelbarsten haben sie sich zweifellos in der Konstruktion von Zentralräumen ausgewirkt. Nicht zufällig sind die meisten in den Zeiten der Kreuzzüge entstanden, und großenteils waren sie Stiftungen von Kreuzrittern oder Templerbauten. Von eigentlichen Kopien der jerusalemer Anastasis kann nirgends die Rede sein. Es war mehr die Zentralraum-Idee als solche und im allgemeinen, für die sich die Bauherren und Architekten des Abendlandes begeisterten und für die sie Anregungen aus der Kenntnis orientalischer Bauwerke schöpften. Es waren aber auch nicht nur christliche Bauten des Orients, die einen mehr oder weniger direkten Einfluß auf die Zentralraum-Architektur des romanischen Abendlandes ausgeübt haben. Denn die oktogonalen Kapellen des späten 12. Jahrhunderts in Navarra sind offenbar stark von der islamischen Architektur beeinflußt. Die Ermita de Nuestra Señora in Eunate mit ihrer Rippenkuppel und der gleichfalls gerippten Halbkuppel ihrer Apsis ist, ob sie nun Friedhofskapelle war oder einem anderen Kult diente, wohl mit Recht als ein von der Al-Sakhra-Moschee (Omar-Moschee) in Jerusalem beeinflußter Bau angesehen worden. Dieses Vorbild mag für den Architekten oder Bauherrn um so näher gelegen haben, als diese Moschee in den Besitz der Templer übergegangen war. Ebenso weist die wohl großartigste Rippenkuppel aus der romanischen Epoche in der Iglesia del Santo Sepulcro von Torres del Rio [97] auf maurische Vorbilder hin, was auch für Detailformen wie für die der Konsolen und vielleicht auch für den Laternenturm gilt. Die Verwandtschaft mit maurischen Bauformen, im besonderen mit dem zweiten Mihrab der Mezquita von Córdoba, ist so evident, daß man dieses prachtvolle Bauwerk vielleicht mit Recht für die Schöpfung eines morisken Architekten erklärt hat. Bei der Kuppel handelt es sich um eine Flachkuppel aus sorgsam bearbeiteten und zusammengefügten Hausteinen, übersponnen von einem Netz einander mehrfach überschneidender rechteckiger, ebenfalls aus Hausteinen zusammengesetzter Rippen. Daß wir es hier mit einem wesentlich dekorativ, weniger strukturell empfundenen Rippensystem zu tun haben, zeigt sich darin, daß die von Wandsäulen aufsteigenden Rippen in dem Winkel auslaufen, der von den sich kreuzenden Rippen gebildet ist, die auf Konsolen ruhen und zur nächsten vierten Oktogonseite die Kuppelfläche überqueren. Es offenbart sich hier ein dem romanischen, im besonderen dem westromanischen, völlig fremdes architektonisches Empfinden: ein maurisches. In keinem der romanischen Zentralbauten, außer in diesen spanischen, begegnet uns Vergleichbares. Wie stark sonst orientalische Vorbilder in die Sprache des okzidentalen romanischen Strukturgefühls übersetzt sind, wird sich auch aus der Betrachtung der aquitanischen Kuppelkirchen ergeben.

## Kuppelkirchen

Zumeist wird als das Muster einer romanischen Kuppelkirche Saint-Front in Périgueux zitiert. Saint-Front ist überaus eindrucksvoll. Dehio hat sie geradezu hymnisch beschrieben: »Es gibt auf der Welt keinen architektonischen Raum, der diesem an abstrakter Schönheit gleichkäme. Selbst im Pantheon des Agrippa ist die Dekoration der Wand- und Kuppelfläche nicht gleichgültig für die beabsichtigte Wirkung. Hier aber ist absolute Architektur, verzichtend auf jegliche Mitwirkung der dekorativen Künste ... Der Erbauer hat sich allein auf seine Raumkunst verlassen, auf die sich selbst genügende Harmonie reingestimmter Verhältnisse ... Der unbekannte Meister von Saint-Front hat auf dem weiten Gebiete der Baukunst nur einen ebenbürtigen Gesinnungsgenossen: den großen Bramante. Auch ihm erscheint die architektonische Idee in solcher Reinheit, daß aller Schmuck zu müßigem Beiwerk wird und nur soviel von Kunstformen zur Verwendung kommt, als zum irdischen Kleide der Idee unumgänglich nötig ist ... Die Fenster stehen relativ höher als irgendwo sonst; eine herrlich abgewogene Fülle des Lichts dringt durch sie ein; aber keine prosaische Tageshelle, kein träumerisches Halbdunkel, kein malerisches Spiel mit Kontrasten, sondern gerade so viel und so wenig, als die Raumwirkung zu ihrer Unterstützung bedarf. Selbst wenn abends beim Lichte der Lampen die Dimensionen ins Unermeßliche sich auszuweiten scheinen, trennen sich die Massen noch ruhig und bestimmt wie am Tage. Es gibt Kunstwerke, deren Wesen kein Bild, geschweige denn das Wort wiederzugeben vermag. Zu diesen gehört Saint-Front«.[108]

Wie weit immer man in Dehios Hymnus einstimmen mag, es dürfte wohl von niemand bestritten werden, daß Saint-Front eines der stärksten Raumerlebnisse vermittelt, die in romanischen Bauten Frankreichs zu gewinnen sind. Die 1852 begonnene radikale Restaurierung durch Abadie, die sich über Jahrzehnte hinzog, hat den großartigen Raum zwar purifiziert, ihn in seinen Grundzügen jedoch nicht verfälscht. Wenn man in diesen auf dem Grundriß eines griechischen Kreuzes errichteten Fünfkuppelraum eintritt, ist man überrascht, daß er so viel weniger byzantinisch wirkt, als es der

Anblick des Außenbaues mit seinen Kuppeln und vielen kleinen Türmchen, die Abadie ihm ringsum aufgesetzt hat, vermuten ließ. Man verspürt in diesem Raum mehr römischen als byzantinischen Baugeist und erinnert sich, daß man am Rande von Vesunna, der gallisch-römischen Stadt der Petrucorii, steht. Auch Dehio war der Überzeugung, daß die ungewöhnliche Grundrißdisposition durch San Marco in Venedig vermittelt sei, sein die Kraft der Raumgestalt empfindendes Auge fühlte sich aber nicht an byzantinische Kuppelbauten erinnert, sondern an das Pantheon und an Bramante.

Félix de Verneilh hatte 1851 den Bau von Saint-Front auf Ende des 10. oder Beginn des 11. Jahrhunderts datiert, und diese Datierung ist Jahrzehnte lang unbestritten geblieben.[109] Die von ihm für Saint-Front angenommene frühe Bauzeit ist aber sicher nicht zutreffend. Sie ist es auch aus stilistischen Gründen nicht. Es fehlen zwar Dokumente, die unzweideutig Aufschluß geben könnten. Das überlieferte Weihedatum von 1047 kann sich aber nur auf die Kirche beziehen, deren Reste heute eine Art Vorhalle zu dem Kuppelbau bilden. Dieser selbst ist aber gewiß nicht vor dem Brand begonnen worden, der 1120 den alten Bau großenteils vernichtet hat. Er war erst in den sechziger oder siebziger Jahren vollendet.[110]

Saint-Front ist innerhalb der Gruppe der sechzig auf dem schmalen Landstrich zwischen Cahors und Souillac im Lot und Saintes in der unteren Charente dicht gesäten kuppelgedeckten romanischen Kirchen eine durchaus exzeptionelle Erscheinung.[111] Saint-Front ist nämlich der einzige dieser Bauten, der über dem Grundriß in Form des griechischen Kreuzes errichtet ist, und auch der einzige, in dem der Grundriß eines byzantinischen Bauwerks, vermutlich der Kirche San Marco in Venedig, kopiert ist [Fig. 35, 36]. Alle anderen Kuppelkirchen können nicht als Kopien irgendwelcher byzantinischer Bauten angesehen werden. Sie sind einschiffig und, wenn sie ein Querschiff haben, auf dem Grundriß eines lateinischen Kreuzes errichtet. Lediglich die Kuppeldeckung erinnert an Byzanz. Zum Teil sind sie auch älteren Datums als Saint-Front, so daß keine Rede davon sein kann, daß diese in der romanischen Architektur so fremdartig anmutende Fünfkuppelkirche die spezifisch aquitanische und sich bis in die Gotik des Anjou erhaltende Bautradition, die Kirchenschiffe mit einer Reihe von Kuppeln zu überdecken, begründet habe. In Périgueux selbst ist Saint-Étienne-de-la-Cité, die bis 1669 die périgourdiner Kathedrale war, älter als Saint-Front, nämlich schon zwischen 1101 und 1106 erbaut worden. (Von ihr sind nur noch zwei der ursprünglich vier überkuppelten Travéen erhalten. Eine, die jüngste, ist der Chor). Auch die Kirchen in Cahors und in Souillac (beide im Département Lot) und die ursprünglich mit Pendentifkuppeln geplante Abteikirche Saint-Avit-Senieur (Dordogne), 1118 vollendet, sind älter als Saint-Front.[112]

Es liegt nahe, die Vorbilder für die aquitanischen Kuppelkirchen in der byzantinischen Architektur zu suchen. Man hat auf die Verwandtschaft mit Kuppelkirchen auf Zypern, z. B. mit Peristerona bei Nikosia, hingewiesen.[113] Da Zypern eine der Stationen auf dem Pilgerweg nach Jerusalem und für den Ost-West-Handel ein bedeutender

Umschlagplatz war, sind seine Bauten aquitanischen Bauherren und vielleicht auch Architekten bekannt geworden. Zur Vermittlung der rein bautechnischen Kenntnisse im Kuppelbau hat es dieser Begegnung mit byzantinischer Architektur im Zeitalter der Kreuzzüge jedoch nicht mehr bedurft. Die Baumeister des Westens, im besonderen des christlichen Gallien, hatten seit langem Erfahrungen in allen Wölbetechniken. Das bezeugen präromanische Baptisterien, Krypten und karolingische Palastkapellen wie die von Aachen und Germigny-des-Prés. Die nach der Mitte des 11. Jahrhunderts in der kontinentalen westromanischen Architektur allgemein üblich gewordene Überkuppelung von Vierungen, Turmräumen etc. setzen ältere Erfahrungen voraus.[114] Die Quellen dieser Kenntnisse im Gewölbebau sind wohl in der römischen Architektur und vor allem in Byzanz oder Persien zu suchen. Für alle konstruktiven Verfahren der romanischen Epoche sind dort ferne Ahnen nachzuweisen. So für die statische Äquilibrierung von Gratgewölben mit Quertonnen in Tournus in der Konstruktion von Tag-Eïvan in Persien, für die Kuppeln von Saint-Honorat-des-Alyscamps in Arles und ähnliche Kuppeln mit hohem zylindrischen Tambour in Vatopedhiou (Halbinsel Athos) und in der Haghii Apostoli in Athen [Fig. 37, 38].[115] Wie sollte sich dann die neue direkte Begegnung mit der Architektur des Vorderen Orient gerade in dem Lande, dessen ritterliche Herrenschicht zur Eroberung Jerusalems aufgerufen hatte, nicht ausgewirkt haben? Es sind jedoch nicht die Kuppelkonstruktionen selbst das auf den ersten Blick befremdende Ergebnis dieser intensiven Berührung mit dem Vorderen Orient und seiner Architektur. Es ist das doch mehr die Idee, Kuppeln, die sonst nur die Vierung der Kirchen deckten, nun im Langhaus ananderzureihen. Dazu dürfte freilich die byzantinische Architektur einige Bauherren und ihre Architekten ermutigt haben – merkwürdigerweise aber nur solche aus dem Périgord und Poitou. Nur dort hat die einmal an einem nicht mehr zu ermittelnden Ort erstmals geplante Kuppeldeckung Schule gemacht.[116]

Es ist aber die Frage, ob es lediglich oder in erster Linie eine ästhetische Affinität war, die die Bauidee der Kuppelkirche ausgelöst hat. Zum mindesten könnten dabei ganz andere Motive mitgespielt haben. Man mochte sich nämlich bewußt geworden sein, daß durch eine Überkuppelung der Kirchenschiffe die wesentlich konstruktiv bedingte Enge und Lichtlosigkeit der Kirchen, gerade auch der poitevinischen Hallenkirchen, zu überwinden war. Denn es können mit Kuppeln breitere Kirchenschiffe überwölbt werden als mit Tonnen, weil deren Seitenschub – auch der von im Scheitel gebrochener Tonnen – erheblich stärker ist. Außerdem konnte beim Verzicht auf die großenteils sehr engen Seitenschiffe, die ja auch eine konstruktiv-statische Funktion erfüllen, die nur indirekte Belichtung des Hauptschiffes vermieden werden. Gerade daran scheint man interessiert gewesen zu sein, wie der Seite 71 erwähnte Umbau in Châtel-Montagne zeigt. Auf die Seitenschiffe haben viele Bauherren dieser Vorteile wegen wohl gerne verzichtet.

Einschiffige Kirchen sind auch in anderen Landschaften Frankreichs keine Seltenheit. Aus der Provence wären anzuführen: Notre-Dame-des-Doms in Avignon, die Kathe-

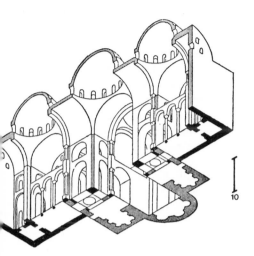

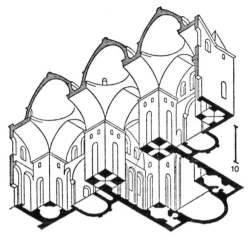

. 35    Venedig, San Marco

Fig. 36    Périgueux (Dordogne), Saint-Front

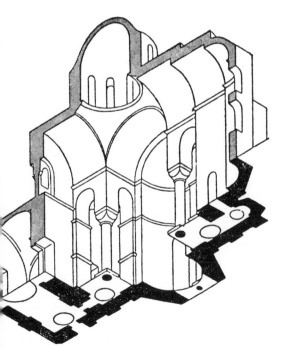

. 37    Vatopedhiou (Athos, Griechenland)

Fig. 38    Athen, Haghii Apostoli

drale von Cavaillon, die Kirchen von Saint-Restitut, Montmajour, Le Thor, Les Saintes-Maries-de-la-Mer. In Aquitanien sind sie sehr häufig. Aber nicht alle sind mit Kuppeln gedeckt. Dies war nur bei breiten Schiffen eine konstruktive Notwendigkeit. Die nach Sankt Peter in Rom größte Kirche des Abendlandes, die Abteikirche von Cluny, hatte ein nur 10 m breites tonnengewölbtes Mittelschiff. Breitere Räume wären nur mit einem Holzdachstuhl zu überdecken gewesen (der holzgedeckte erste Bau von Saint-Hilaire in Poitiers, 1049 geweiht, hatte die exzeptionelle Breite von 15,45 m und wurde dann ja auch mit Kuppeln gewölbt [92]). Die kuppelgedeckten Kirchenschiffe sind aber größtenteils noch breiter: in Souillac und Solignac freilich nur 14 m, auch in Angoulême nur 15 m, in Saint-Front in Périgueux und in Fontevrault aber 16 m, in Saint-Avit-Senieur 16,50 m, in Saint-Étienne-de-la-Cité in Périgueux 18,60 m, in Cahors sogar 20 m. Daß kleinere Kirchen, bei denen für die Kuppeldeckung eine konstruktive Notwendigkeit nicht bestand, dem Beispiel der größeren folgten, ist nicht verwunderlich (das Langhaus in Paussac ist nur 6,50 m, das von Grand-Brassac nur 6 m breit). Faßt man etwas mehr die konstruktiven Vorteile der Überkuppelung ins Auge, so mögen die aquitanischen Kirchen etwas weniger rätselhaft erscheinen als beim ersten überraschenden Hinblick.

Symbolische Gründe wie bei den Nachbildungen der Jerusalemer Grabeskirche haben hier sicher keine Rolle gespielt. Ästhetische Motive waren aber auch nicht allein entscheidend. Ja, es ist die Frage, ob es gerade das spezifisch Orientalisch-Byzantinische war, das den Anreiz zum Bau der Kuppelkirchen gab. Nur bei Saint-Front mag es so gewesen sein. Sie ist Kopie eines byzantinischen Vorbildes. Möglicherweise aber war dies Vorbild nicht San Marco selbst – oder nicht nur San Marco, sondern auch und mehr noch ihr justinianisches Vorbild, die von Anthemios von Tralleis und Isidoros von Milet 536–546 erbaute, 1455 zerstörte Apostelkirche in Konstantinopel. Dem klassisch-römischen Baugeist der Apostelkirche ist Saint-Front jedenfalls näher verwandt als allem Byzantinischen.

Auf die Rolle, die konstruktiv-praktische Gesichtspunkte für die Überkuppelung der Kirchenschiffe gespielt haben, weisen einige recht instruktive Fälle hin. Der eine betrifft die um 1100 notwendig gewordene Neuerrichtung der Abteikirche von Moissac. Von dem romanischen Langhaus sind nur noch geringe, zum Teil erst durch Grabungen festgestellte Reste erhalten. Aus diesen geht hervor, daß die 1063 geweihte Kirche so groß wie die jetzige aus spätgotischer Zeit (1435 geweiht) war und schmale Seitenschiffe hatte. Bei dem Neubau um 1100 wurden dann die Seitenschiffe aufgegeben, um einen ca. 14 m breiten einschiffigen Raum zu gewinnen. Dieser wäre aber nicht mehr durch ein Tonnengewölbe zu decken gewesen (die Kreuzrippenkonstruktion wäre noch, wenn auch damals schon nicht völlig unbekannt, so doch mangels Erfahrung zu gewagt gewesen). Mittels Pendentifkuppeln mit ihrem geringen Seitenschub aber war es möglich. Eben dazu hatten die orientalischen Kuppelbauten ermutigt. Es wurden also die noch im heutigen Bau erkennbaren quadratischen Travéen gebildet und überkuppelt.[117]

Die unter Bischof Géraud III de Cardaillac (1090–1113) erbaute Kathedrale von Cahors (Lot) war wahrscheinlich schon begonnen, als Géraud 1109 seine Orientreise antrat, von der er 1112 zurückkehrte. Es ist deshalb die Kuppeldeckung kaum mit dieser Reise in Verbindung zu bringen. Die Breite des Chors mit seiner halbrunden Apsis, auf die sich ohne den Zwischenraum eines Umgangs drei Apsidiolen öffnen, muß schon vor der Reise des Bischofs geplant gewesen sein und demnach auch die Breite des Schiffs, die zwischen den mächtigen Pfeilern 16 m und zwischen den nur eine raumabschließende Funktion erfüllenden Seitenwänden 20 m beträgt [Fig. 39]. Nichts deutet darauf hin, daß zuerst ein dreischiffiges Langhaus und ein Umgang im Chor geplant gewesen ist. Die außerordentliche Weiträumigkeit von Chor und Schiff ist offenbar von Anbeginn beabsichtigt gewesen. Die sechs Pfeiler, auf denen das ganze Gewölbe ruht, sind die zuerst, wohl schon Ende des 11. Jahrhunderts, errichteten Elemente der Konstruktion.[118]

Der Baubefund in Cahors deutet jedenfalls auch auf die Tendenz zu weiten einschiffigen Langhausräumen hin, die im Südwesten Frankreichs im 12. Jahrhundert allenthalben spürbar wird, und die dünnberippten Domikalkuppeln sind eine ›gotisch‹ abgewandelte Form der romanischen Pendentifkuppeln. Auch bei dem Neubau des Langhauses von Sainte-Radegonde in Poitiers hat man in den ersten Jahrzehnten des 13. Jahrhunderts, ebenso wie hundert Jahre früher in Moissac, die ursprünglich dreischiffige Anlage, die der stehengebliebene Chor des 11. Jahrhunderts mit seinem Umgang noch erkennen läßt, verworfen zugunsten eines annähernd 14 m breiten einschiffigen Langhauses und dessen vier quadratischen Travéen mit den überhöhten angevinischen Domikalgewölben überkuppelt. Der Aufbau der Seitenwände entspricht ganz dem der Traufseitenmauern romanischer Kuppelkirchen, von Solignac, Saint-Étienne-de-la-Cité in Périgueux, Angoulême, Fontevrault usw. Eine Blendarkatur trägt einen durch die dicken Pfeiler der Gurtbögen hindurchgeführten Laufgang, wie er uns in den romanischen Kuppelkirchen und später auch in der Kathedrale von Poitiers begegnet [99].

Ja, die Wandgliederung der romanischen Kuppelkirchen ist allenthalben so typisch westromanisch, wie die Kuppeln orientalisch-byzantinisch erscheinen und ohne die Begegnung mit dem Orient auch wohl kaum hätten entstehen können [89]. Unterschiedlich aber ist sowohl das Material wie die Mauertechnik. Die abendländischen Kuppeln sind mit Steinen, die byzantinischen mit Backsteinen gemauert.[119] Die Pendentifs sind sphärische Triangel wie im Orient, aber der westromanischen Tradition gemäß in horizontalen Schichten gemauert, nicht wie die byzantinischen in radialen. Die Kalotten, deren Auflagen meist etwas zurückgesetzt sind, sind bei den älteren Kirchen (z. B. in Saint-Étienne-de-la-Cité in Périgueux, in Cahors, in Solignac mit Bruchsteinen, bei den jüngeren (z. B. Angoulême, Fontevrault, Gensac) mit sehr regelmäßig horizontal geschichteten Hausteinen gemauert. Diese Konstruktion ist zwar weniger stabil als die andere, läßt aber die Aufmauerung ohne Lehre zu. Im übrigen hat man zur Verminderung des Seitenschubs die Kuppeln – wie in den späteren angevi-

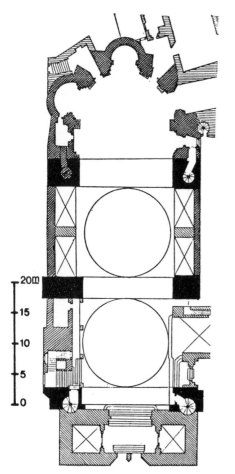

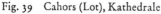

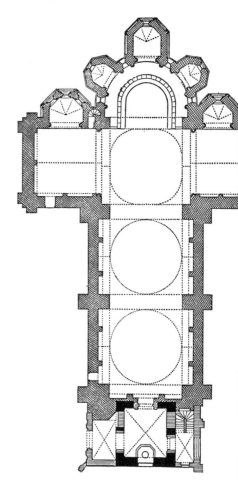

Fig. 39   Cahors (Lot), Kathedrale                    Fig. 40   Souillac (Lot), Sainte-Marie

nischen – zumeist erhöht und auch die rahmenden Schild- und Gurtbögen im Scheitel gebrochen.[120] Zur besseren Ableitung des Regenwassers haben die jüngeren Kuppeln einen Dachstuhl, z. B. die Chorkuppel von Saint-Étienne-de-la-Cité, die älteren noch nicht, z. B. die Kuppel der noch erhaltenen letzten Langhaustravée dieser Kirche.

Nicht nur technisch-konstruktive Details, sondern nicht minder die Durchgliederung der Seitenwände bezeugen, wie stark die Kuppelkirchen in der Tradition der westromanischen Architektur, im besonderen der des Süd-Westen Frankreichs wurzeln, beziehungsweise wie vollkommen die durch die byzantinische Architektur gegebenen Anregungen dem westromanischen Baugeist assimiliert sind. Der Eindruck herber Nüchternheit wird vor allem durch die mächtigen Pfeiler, die von ihnen aufsteigenden breiten unprofilierten Schild- und Gurtbögen und die mit Bruchsteinen gemauerten Kalotten – im besonderen in den Kirchen von Cahors [Fig. 39], Souillac [87; Fig. 40] und Solignac – bewirkt. Aber die Gliederung der Traufseitenwände durch Blendarkaturen, der Fenstergewände durch Ecksäulen – auch wenn sie sonst, wie in Souillac und Solignac ungegliedert bleiben – entspricht ganz der Wandgliederung in anderen westromanischen Bauten. Blendarkaturen wie in Saint-Étienne-de-la-Cité, Solignac, Fontevrault, Gensac-la-Pallue (Dordogne) finden wir an den Langhaustraufseiten in der Kathedrale von Le Mans [65], der Kirche von Plaimpied (Cher) und häufig außen an den Mauern, z. B. des Hochschiffs von Sequeville (Calvados) [40], an den Apsiden von Saint-Pierre und Notre-Dame in Chauvigny (Vienne) [43]. Die Westtürme der Kuppelkirchen (z. B. von Souillac, Solignac, Trémolet, Sainte-Radegonde in Poitiers, Moissac) unterscheiden sich in der Art der Gliederung nicht grundsätzlich von anderen westromanischen, im besonderen südwestfranzösischen Türmen. Die Westfassaden der Kuppelkirchen von Angoulême, Fontevrault, Gensac-la-Pallue sind wie andere poitevinische gegliedert. Ja, sie werden so sehr als selbständiger Plattenkörper empfunden, daß das Schema der einem dreischiffigen Langhaus entsprechenden Dreiteilung ohne Rücksicht auf die dahinterliegenden Räume auch einschiffigen Kirchen vorgesetzt wird, auch tonnengewölbten einschiffigen Kirchen, wie den Kirchen von Échillais und Le Seurre (beide Charente-Maritime) [152]. Lasteyrie spricht hier von einer Art Schirmmauer (une sorte d'écran), die ohne Bezug auf die dahinterliegende Raumkonstruktion so reich wie möglich gegliedert und dekoriert ist. Bei den Chorräumen ist dagegen aus der Einschiffigkeit des Langhauses die Konsequenz gezogen. Sie haben keinen Umgang, in dem sich sonst die Seitenschiffe fortsetzen. Ihre Radialkapellen öffnen sich auf ein weites Halbrund von der Breite des Schiffs [88, 90; Fig. 39]. Wo, wie in Sainte-Radegonde in Poitiers und in Fontevrault, auch Kuppelkirchen einen dreischiffigen Chor haben, war der Bauplan zwischen der Errichtung des Chors und der des Schiffs geändert worden.[121]

## Staffelchöre – Ursprung der Umgangchöre – Kryptenformen

Zur Aufstellung von Nebenaltären waren schon in der vorromanischen Epoche den Querschiffarmen Apsidiolen angegliedert oder bei querschifflosen Anlagen in der Achse der Seitenschiffe angelegt worden. So bei der Kathedrale von Parenzo (Mitte 6. Jh.), bei Saint-Martin in Autun (586–600), beim ersten Bau von Sankt Emmeran in Regensburg (8. Jh.). In frühromanischer Zeit wurde dann ziemlich allgemein der Apsis ein quadratischer oder oblonger Raum vorgelegt. Ebenso oft erhielten auch die sie flankierenden Apsidiolen solche Vorräume.

Zur Gewinnung eines dem Sanktuarium gleich oder annähernd gleich großen Raumes zur Verehrung eines zweiten Schutzpatrons der Kirche oder auch zur Aufstellung des

Grabmals eines Heiligen wurde in der ostromanischen Architektur häufig, in der süd-und westromanischen aber nur sehr selten, im Westen des Langhauses ein zweiter Chor gebaut.[122] Bei der vorromanischen Kirche von Fulda [Fig. 41] steht die Anlage eines zweiten westlichen Chors mit der Beisetzung eines Heiligen in einem eindeutigen Zusammenhang. Die 744 von Abt Sturmi begonnene Kirche, deren Hauptaltar von Bonifatius 751 dem Salvator geweiht worden war, war noch nicht vollendet, als Bonifatius 754 starb. Der bald notwendig gewordene neue, 790 oder 792 begonnene, 819 vollendete Bau wurde dann außer dem Salvator auch dem in Friesland massakrierten Bonifatius geweiht und dessen Leichnam in der dazu eigens errichteten westlichen Apsis oder auch in der erhöhten, aber nicht ausgeschiedenen Vierung, auf die sich diese Apsis öffnete, vielleicht aber auch in der unter dieser Vierung liegenden, erst unter Abt Eigil (812–822) erbauten Krypta beigesetzt. Gleichartige Anlässe haben auch bei anderen Kirchenneu- oder -umbauten zur Anlage eines einem zweiten Schutzpatron geweihten Westchors geführt. In vielen Fällen ist dieser freilich nicht, wie in Fulda, mit einem Grab verbunden, sondern nur der Verehrungsort eines bedeutenden Heiligen und seiner Reliquien. Diese Bauidee ist wahrscheinlich durch die Raumgestaltung paganer Basiliken angeregt worden, die wohl auch für die doppelchörigen frühchristlichen Kirchen in Nordafrika das Vorbild waren.[123]

Die Doppelchörigkeit verändert den Charakter des Kirchenraums. Er verliert seine eindeutige Gerichtetheit zum Chor hin. Denn es werden einander aufhebende Akzente gesetzt. Man hat darin eine latente Tendenz zur Gestaltung eines Zentralraums sehen wollen.[124] Von einem zentralraumartigen Erlebnis wird jedoch nicht die Spur vermittelt. Zutreffender ist jedenfalls der Vergleich der beiden Chöre mit Waagschalen, deren Balance alle Gegensätzlichkeiten aufhebt.[125] So hat es auch Carl Schnaase gesehen. »Es gehörte«, schreibt er in seiner ›Geschichte der bildenden Künste im Mittelalter‹ (1869), »ein eigentümlicher Mangel oder eine eigentümliche Richtung des architektonischen Gefühls dazu, um die klare Anordnung der Basiliken, in welchen alle Teile ihre Bestimmung so deutlich aussprechen, aufzugeben und eine Anlage zu bilden, welche Anfang und Ende nicht unterscheiden ließ.« Zur Aufstellung von Nebenaltären begnügt sich die ost- und südromanische Architektur mit dem Anbau von je einer Apsidiole an jedem Querschiff. Für weitere Altäre werden keine besonderen Räume geschaffen. Sie werden in den Seitenschiffen aufgestellt, wie das schon das für die Abteikirche von Sankt Gallen aufgestellte Raumprogramm vorsah.[126]

Die ost- und südromanischen Chorräume setzen sich in der Regel aus einer meist quadratischen Travée, die den Mittelschiffraum über die Vierung hinaus fortsetzt, und einer mit einer Halbkuppel (Koncha) gedeckten Halbkreisapsis zusammen. Zuweilen fehlt der rektanguläre Chor. Die Apsis öffnet sich dann unmittelbar auf das Mittelschiff oder auf das Querschiff, beziehungsweise die Vierung.[127] Auch rechteckige Chorabschlüsse kommen vor.[127a] Über diese einfachen Raumformen gehen in der ostromanischen Architektur nur die niederrheinischen Dreikonchenbauten und die Hirsauer Kirchen, die den westromanischen Staffelchor übernehmen, hinaus.

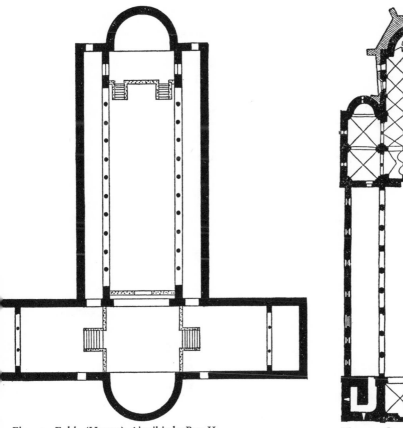

Fig. 41    Fulda (Hessen), Abteikirche Bau II

Fig. 42    Quedlinburg
(Sachsen-
Anhalt),
Stiftkirche

Dieser Staffelchor ist eine in der kontinentalen westromanischen Architektur ent-
wickelte Chorform und für die in ihr so stark ausgeprägte Tendenz zu vielgliedrigen
Raumgebilden charakteristisch. Eine nur geringe Staffelung des Chorhaupts ergibt sich
zwar bei allen Kirchen, deren Chorapsis von Apsidiolen flankiert ist – auch schon bei
vorromanischen Kirchen, z. B. bei der sogenannten Einhart-Basilika von Steinbach im
Odenwald. Beim Staffelchor aber springen bis zu vier, ja bis zu sechs Apsidiolen zu
Seiten der am weitesten vorgeschobenen Apsis des Hauptchors verschieden weit vor,
so daß sich im Osten des Querschiffs außen ein mehrfach gestaffelter Baukörper, im
Innern ein aus mehreren Raumteilen ungleicher Tiefe zusammengesetztes Raumge-

97

bilde ergibt. Die Apsis und die Apsidiolen öffnen sich dann nicht mehr, wie z. B. in San Clemente in Tahull [Fig. 2] und in vielen ost- und südromanischen Kirchen unmittelbar auf das Mittelschiff und auf die Seitenschiffe – oder auch, wie in der Kathedrale von Trani (Apulien) [Fig. 43] direkt auf das Querschiff. Es sind den Apsidiolen längere Vorräume vorgelegt, die den Hauptchor flankieren und die Seitenschiffe des Langhauses in Breite und Höhe (dies wenigstens zumeist) über das Querschiff hinaus fortsetzen. Kürzere Vorräume sind oft auch den Apsidiolen an den Querschiffarmen vorgelegt. Jedenfalls ist der Hauptchor von ebenso langen oder kürzeren Nebenchören flankiert, die meist zwischen Gurtbögen tonnen-, vielfach auch kreuzgewölbt und durch Arkaden zum Hauptchor geöffnet sind. An der Ostwand jeden Querschiffarms liegt eine weitere Apsidiole mit oder ohne Vorraum, zuweilen noch eine zweite Apsidiole ohne oder mit kürzerem Vorraum.

Es waren gewiß funktionale Überlegungen, die diese in verschiedenen Variationen auftretenden Chorräume haben entstehen lassen. Man wollte für die zahlreicher gewordenen Kleriker das Sanktuarium, das durch Schranken von dem den Laien zugänglichen Kirchenraum abgetrennt ist und die Vierung oft einbezieht, insgesamt ver-

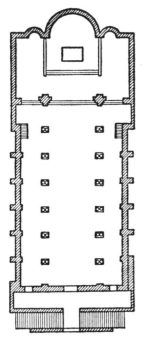
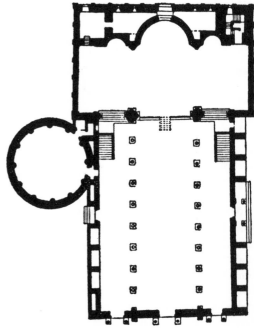

Fig. 43   Trani (Apulien), Kathedrale      Fig. 44   Bari (Apulien), Kathedrale

größern, zugleich aber auch vor den Nebenaltären abgesonderte Raumteile schaffen. Außerdem sollte die differenziertere Raumordnung für die Wechselgesänge der Geistlichen akustische Verbesserungen bringen.

Wir sehen diese Raumordnung des Sanktuarium zu Beginn des 11. Jahrhunderts in Kirchen des Benediktinerordens verwirklicht, der sie seitdem auch beibehalten hat, so daß man sie mit guten Gründen benediktinisch nennt. Saint-Pierre-le Vieux, die zweite unter Abt Majolus für die Abtei von Cluny errichtete Kirche, deren Chor spätestens 963 vollendet war[128], wird allgemein wohl mit Recht als der Prototyp der benediktinischen Staffelchor-Kirchen angesehen [vgl. Fig. 45]. Die Apsis dieses nur in seinen Fundamenten bekannten Baus schloß zwei rechteckige Chortravéen ab und war von sehr schmalen, nur zwei Meter breiten Seitenschiffen (Nebenchören) mit rechteckig ummauerten Apsidiolen in Hufeisenform begleitet. Der Hauptchor – 6–7 m breit, 18–19 m lang – war über Arkaden zu den Nebenchören geöffnet. Rechts und links befanden sich noch zwei weitere Rechteckräume, die aber mit Querschiff und Chor nur durch schmale Zugänge verbunden waren. Da diese fünf Chorräume verschieden tief waren, trat das Chorhaupt nach außen als gestaffelter Baukörper in die Erscheinung.[129]

In der holzgedeckten Pfeilerbasilika der Benediktinerabtei von Romainmôtier (Schweiz, Wallis), die mit Cluny unter einem Abt vereinigt war, ist der Hauptchor ebenfalls von Nebenchören flankiert und mit diesen durch Arkaden verbunden. An das Querschiff waren im Gegensatz zu Cluny II keine Apsidiolen oder rechteckigen Räume angebaut. Das Chorhaupt hatte gleichgroße Halbkreisapsiden. Die unter dem Nachfolger des cluniacenser Abtes Majolus, dem Abt Odilo (994–1049), in den Jahren 1000 bis 1030 errichtete Kirche hatte also keinen Staffelchor, obschon sie in Anlehnung an Saint-Pierre-le-Vieux geplant gewesen sein dürfte.[130] Die benediktinische Raumdisposition des Staffelchors finden wir dagegen in schon klar ausgeprägter Form in den beiden Kirchen, die Wilhelm von Volpiano hatte bauen lassen: in Saint-Bénigne in Dijon (1007) und in der Abteikirche von Bernay (Eure, 1020), so verschieden auch die Grundrisse beim ersten Hinblick erscheinen mögen. In Dijon ist sie aus der Kryptenanlage und älteren Zeichnungen [109, 110; Fig. 30] zu erschließen, in Bernay aus den Fundamenten zu restituieren. Für Bernay [Fig. 45] darf mit annähernder Gewißheit angenommen werden, daß der oblonge Chorraum vor der Apsis gegen die zwei zwischen Gurtbögen kreuzgewölbten Travéen der ihn flankierenden Nebenchöre in zwei Arkaden geöffnet war. Außerdem gibt es in der Ostwand jeden Querschiffarms eine Apsidiole. Raumgebilde grundsätzlich gleicher Art treffen wir in ungezählten Benediktinerabtei-Kirchen, freilich in variabler Ausbildung der Apsidiolen und der Öffnungen zwischen Haupt- und Nebenchor, an.[131] So haben in der Normandie die Nebenchöre meist einen geraden Schluß, z. B. in Lessay, in Cericy-la-Forêt (beide im Département Manche) und in Saint-Georges-de-Boscherville (Seine-Maritime) [Fig. 49] und öffnen sich über zwei Arkaden von Travéenbreite zu dem gestreckten Hauptchor. In Saint-Outrille-les-Graçay und in Châteaumeillant (beide im Département Cher) schließen die Nebenchöre im Halbkreis und sind durch Doppelarkaden – in Les Aix-d'Angillon [Fig. 56, 56a]

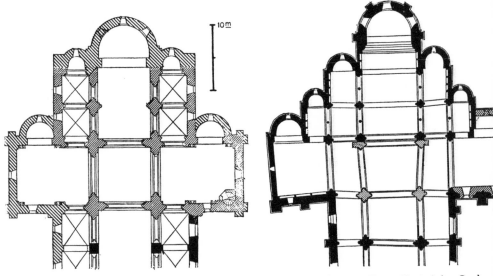

Fig. 45  Bernay (Eure), Abteikirche)          Fig. 46  Châteaumeillant (Cher), Saint-Genès

durch drei Arkaden – mit dem Hauptchor verbunden. In Châteaumeillant [Fig. 46; 102] öffnen sich auch die inneren Kapellen am Querschiff mit einer Doppelarkade zu den Nebenchören. So tritt dort der benediktinische Staffelchor ins Grandiose gesteigert in die Erscheinung. Dieselbe Raumkonzeption hatte ursprünglich, vor dem Bau des jetzigen Umgangchors, in La Charité-sur-Loire (Nièvre) die vielleicht reifere Verwirklichung gefunden, von der wir aus dem restituierten Plan allerdings kein unmittelbar anschauliches Bild zu gewinnen vermögen. Das Chorhaupt war auch dort wie in Châteaumeillant vierfach gestaffelt. Wahrscheinlich war auch in La Charité der Hauptchor wie in Châteaumeillant zu den ihn flankierenden Nebenchören mit zwei Doppelarkaden geöffnet. Aber nur in Châteaumeillant ist vor dem reich gegliederten Raumgebilde mit fünf miteinander verbundenen Teilräumen ein unmittelbar anschaulicher Eindruck zu gewinnen.[132]

Einer anderen, nicht weniger eindrucksvollen Ausbildung des Benediktinerchors begegnen wir in der Abteikirche Saint-Genou (Indre) [101; Fig. 55]. Hier ist der Hauptchor sehr tief. Optisch wird der Eindruck eines langgestreckten Raumes noch verstärkt durch die enge Stellung der hohen zylindrischen Pfeiler der Arkaden, die ihn zu den schlanken Nebenchören öffnen, auch durch die Blendarkatur darüber. Die Apsidiolen an den Querschiffarmen sind aber von diesem dreischiffigen Chorraum zu isoliert, als daß dieses Raumgebilde durch sie eine weitere Bereicherung, wie in Châteaumeillant, erfahren hätte. Ja, ihre Isolierung wird noch verstärkt durch die Doppelarkaden, die – ähnlich wie im Westquerschiff der Kathedrale von Nevers, in Saint-Martin-de-Boscherville und in Saint-Nicolas in Caen [Fig. 49, 47] – die über das

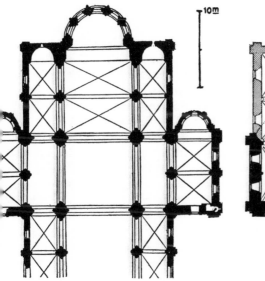

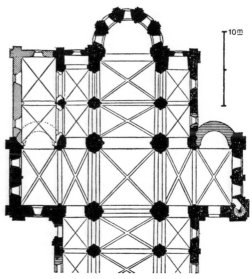

7 Caen (Calvados), Saint-Nicolas

Fig. 48 Lessay (Manche), Sainte-Trinité

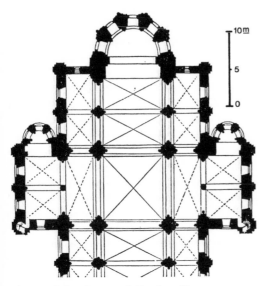

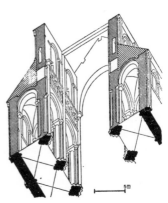

Fig. 49 Saint-Georges-de-Boscherville
(Seine-Maritime)

Fig. 50 Saint-Georges-de-Boscherville
(Seine-Maritime)

Langhaus ausladenden Querschifftravéen abtrennen. Verwandt mit dem Chor von Saint-Genou ist der ebenfalls dreischiffige Langchor von Saint-Benoît-sur-Loire (1067–1108). Dort münden jedoch die Abseiten des Langchors über einen eingeschobenen Querraum, der wie ein zweites Transept ist, in einen Chorumgang aus. Der benediktinische Staffelchor ist also mit einem Umgangchor kombiniert. Am Chorhaupt erscheinen insgesamt vier Apsidiolen – zwei am Umgang, zwei weitere an den Armen des eingeschobenen Querraums –, die einen regelrechten Kapellenkranz bilden [100; Fig. 54].

Die westromanische (normannische) Architektur Britanniens übernimmt die Chorraumdispositionen der in der Normandie im 11. Jahrhundert errichteten Kirchen, variiert sie aber schon sehr bald in mannigfacher Weise. Schon für die Londoner Westminster Abbey, die vor der normannischen Eroberung von Eduard dem Bekenner, der lange Zeit als Emigrant in der Normandie gelebt hatte, 1042 begonnen und 1065 kurz vor seinem Tode geweiht wurde, darf eine Anlehnung an die 1037 begonnene Abteikirche von Jumièges, in der Chorpartie an die Kirche von Bernay angenommen werden. Nach der Eroberung Englands durch den Herzog der Normandie Wilhelm II., der sich 1066 als Wilhelm I. zum König von England krönen ließ, werden die Bauten der Normandie allgemein zum Vorbild. Wilhelm der Eroberer, unter welchem Namen er in die Geschichte eingegangen ist, hatte schon als Normannenherzog die Kirche seinen politischen Interessen dienstbar gemacht. In Caen hat er die Abbaye-aux-Hommes Saint-Étienne gegründet und 1063 Lanfranco von Pavia, der sich 1042 in die Einsiedelei Le Bec zurückgezogen hatte, zu ihrem Abt berufen. Seine Gemahlin Mathilde hat 1059 die caenaiser Abbaye-aux-Dames La Trinité gegründet. Als König von England hat Wilhelm 1070 Lanfranc zum Erzbischof von Canterbury gemacht, der damit der erste Bauherr der romanisch-normannischen Kathedrale geworden ist. Mit Lanfrancs Unterstützung hat 1077 Abt Paul de Caen den Bau der Abteikirche Sanct Albans (Hertfordshire) begonnen. Zu deren vierfach gestaffelten Chorhaupt [Fig. 51] mit einem langgestreckten dreischiffigen Chorraum mit Halbkreisapsiden und zwei Apsidiolen an jedem Querschiffarm dürfte der Plan von La Trinité von Caen das Vorbild geliefert haben. Der Hauptchor war zu seinen Abseiten nicht durch Arkaden geöffnet. Nur schmale Durchgänge verbanden die Räume und die Abseiten mit den Vorräumen der Apsidiolen an den Querschiffarmen, an deren Ostwand noch eine zweite Apsidiole ohne Vorraum angebaut war. Das alles ist nicht mehr erhalten, aber aus den Fundamenten restituierbar. Eine Vorstellung gibt der Chor von La Trinité in Caen, bei dem die Chance, eine Raumeinheit mit miteinander kommunizierenden Teilräumen (wie in Châteaumeillant) zu bilden, ja ebenfalls nicht wahrgenommen ist.

Während in Sanct Albans die Raumdisposition sehr getreu von La Trinité übernommen ist, entfernen sich andere romanische Chorräume in Britannien von den kontinentalen Gestaltungen etwas mehr. Sie halten aber an der aus liturgischen Gepflogenheiten entwickelten benediktinischen Konzeption fest. Der Umgangchor mit Kapellenkranz ist dagegen in Britannien selten gebaut worden. Der Staffelchor wird aber bis in die späte Gotik bevorzugt und zu Raumkompositionen von enormen Ausmaßen entwik-

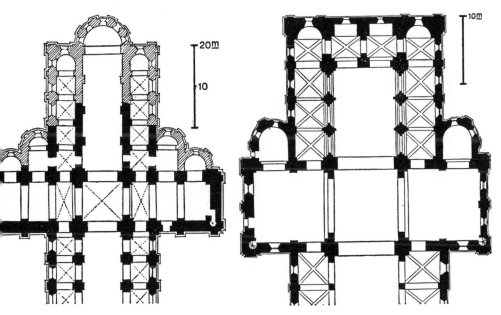

Fig. 51   Sanct Albans (Hertfordshire)      Fig. 52   Romsey (Hampshire), Abteikirche

kelt. Die Tendenz, die Chorräume zu strecken, zeigt sich schon in der romanischen
Architektur allenthalben. Die romanischen Chöre sind allerdings meist nur noch aus
Fundamenten zu restituieren, selten in größeren Teilen noch erhalten. Auch in der
Kathedrale von Durham ist der romanische Chor nicht mehr erhalten [Fig. 20]. Bevor
im 13. Jahrhundert die in reichen hochgotischen Formen errichtete, den damals ebenfalls erneuerten dreischiffigen Chor wie ein Querhaus abschließende Kapelle (›Chapel
of the nine altars‹) gebaut war, hatte auch diese Kirche einen benediktinischen Staffelchor. Der sechs Travéen tiefe Hauptchor schloß mit einer Halbkreisapsis. Seine
Abseiten mit vier in die Länge gestreckten Travéen hatten halbkreisförmige, rechtwinklig ummauerte Apsidiolen, die Querschiffarme an der Ostwand je drei rechteckige
Kapellen. Bemerkenswert ist die kühne Konstruktion des Langchors. Die Chorseiten-
schiffe waren schon 1096, das Chormittelschiff um 1104 mit einem Kreuzrippengewölbe
gedeckt, dem ersten der abendländischen Architektur. Wie später in der Gotik allgemein – Kathedralen von Exeter (Devonshire), Salisbury (Wiltshire), Wels (Somerset-
shire), Lincoln (Lincolnshire), York (Yorkshire) usw. – werden schon in der romanischen
Epoche gerade umschlossene Chöre und Kapellen bevorzugt. So hat z. B. die 1120
begonnene Abteikirche von Romsey (Hampshire) [Fig. 52], wo der romanische Charakter noch fast ungestört erhalten ist, an jedem Querschiffarm zwar eine Halbkreisapsidiole, der dreischiffige Chor ist aber nicht gestaffelt, sondern ein auf quadratischem

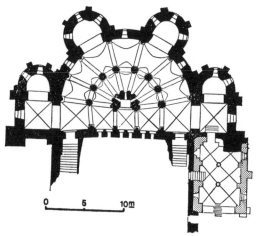

Fig. 53   Saint-Benoît-sur-Loire (Loiret), Krypta

Fig. 54   Saint-Benoît-sur-Loire (Loiret), Ch

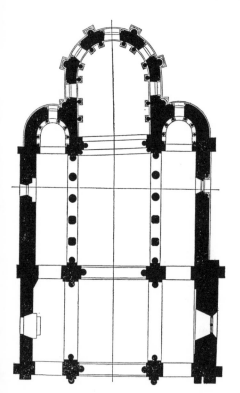

Fig. 55   Saint-Genou (Indre)

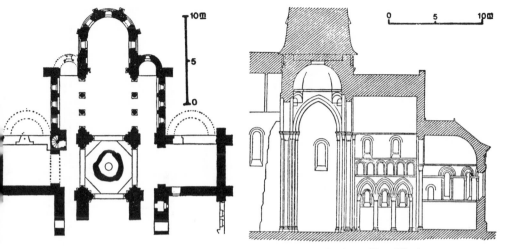

56　Les Aix-d'Angillon (Cher)　　　　Fig. 56a　Les-Aix-d'Angillon (Cher)

Grundriß sich erhebender dreischiffiger Raum mit rechtwinklig ummauerten Halb-kreisapsidiolen an den Nebenchören. Dieses Chorhaupt ohne vorspringende Apsis ist ungewöhnlich und keine traditionsbildende Neuerung, sondern nur eine regionale Abwandlung der typischen benediktinischen Chorform.

Obschon die Bauherren einiger Benediktiner-Abteikirchen mit gestaffelten Chorräu-men Lombarden waren: Wilhelm von Volpiano und Lanfranco von Pavia, kennt die romanische Architektur in Italien den Staffelchor nicht. Dagegen finden wir ihn in der ostromanischen Architektur in den Bauten der sogenannten Hirsauer Kongregation, die sich zur cluniacensischen Mönchsethik bekannte und in dem Investiturstreit ein sehr entschiedener Gegner des klerikalen Territorialfürstentums war. Ihre rigorose Moral und Weltabgewandtheit fanden nicht nur in dem von dem Hirsauer Abt Wilhelm verfaßten, die cluniacenser Regeln verschärfenden ›constitutiones Hirsau-gienses‹ ihren Ausdruck, sondern auch in der herben Architektur der Chorräume, die der Hirsauer Liturgie funktionsgerecht angepaßt sind.

　Für die unter Abt Wilhelm in Hirsau (Württemberg, Schwarzwaldkreis) gebaute Kirche Peter und Paul, 1087 begonnen, 1091 geweiht, hatte der zweite Bau in Cluny, Saint-Pierre-le-Vieux, wohl entscheidende Anregungen gegeben. Vielleicht darf das auch schon bei dem späteren Umbau des Chors der 1059 begonnenen, 1071 geweihten Hirsauer Aurelius-Kirche angenommen werden. Von dieser Kirche ist nur noch das Langhaus erhalten. Die ausgegrabenen Fundamente aber lassen erkennen, daß die ältere Choranlage verändert worden ist [Fig. 57]. Die Querschiffapsidiolen sind der

105

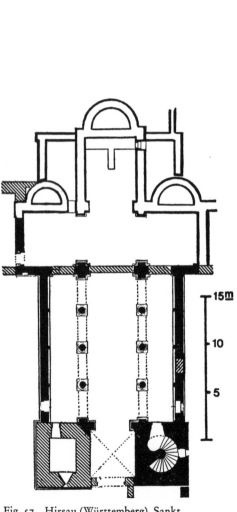

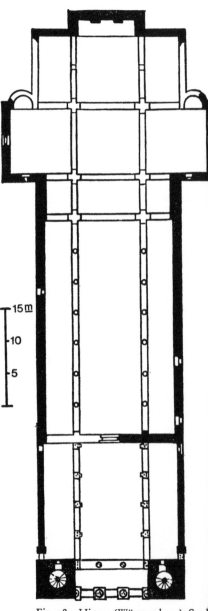

Fig. 57   Hirsau (Württemberg), Sankt
Aurelius

Fig. 58   Hirsau (Württemberg), San
Peter und Paul

Konstruktion der dem Hauptchor beiderseits angebauten Nebenchöre, wie sie Cluny II in ähnlicher Gestalt hatte, zum Opfer gefallen. Die neue, von dem Hirsauer Reformator erbaute Kirche hat dann das Raumprogramm von Cluny II den constitutiones Hirsaugienses angepaßt und bedeutend erweitert. Der Hauptchor hatte an seiner Ostwand drei ziemlich tiefe Altarnischen mit einer Tribüne darüber und war zu den Nebenchören mit zwei Arkaden geöffnet. Das Querschiff hatte zwei kleine Halbkreisapsidiolen. Der Chor war, wie das auch sonst – in den britischen Kirchen, im dritten Bau von Cluny – der Fall ist, bis ins letzte Langhausjoch vorgezogen, so daß die Kirche zur Hälfte Laien-, zur Hälfte Mönchkirche war. Ja, der Mönchchor war so lang wie das Langhaus, seine Flächenausdehnung noch bedeutend größer [Fig. 58].[133] Wilhelms Bau in Hirsau ist für alle anderen Kirchen der Kongregation das Vorbild geworden.

Diese ›Hirsauer‹ Architektur ist von betonter Schlichtheit, von einer grandiosen funktionsgerechten Nüchternheit, die nur noch von der Zisterzienser-Architektur übertroffen ist. Denn die von der 1098 gegründeten Abtei von Citeaux ausgegangene Reformbewegung, deren großer Ordensmeister Bernhard von Clairvaux war, hatte für den Bau der Kirchen – im Gegensatz zu den Cluniazensern – sehr rigorose, fast calvinistisch anmutende Regeln aufgestellt, die eine klare schlichte Kreuzform des Grundrisses und gerade Abschlüsse für die Chorräume forderten. Die Rechteckabsiden sind zwar nicht nur zisterziensisch, aber für alle Zisterzienserkirchen so charakteristisch wie in der kontinentalen westromanischen Architektur der Umgangchor für Wallfahrtskirchen.

Leider ist gerade von den Chören in den Kirchen der Hirsauer Kongregation so wenig unverändert und unentstellt erhalten geblieben, daß wir aus unmittelbarer Anschauung kaum noch ein dem ursprünglichen Zustande angemessenes Raumerlebnis gewinnen können. Nur die in den in ihren Proportionen so meisterlich gegeneinander abgewogenen Langhaus- und Querschiffräume in Alpirsbach [73] und Schaffhausen zeugen auch heute noch von der hohen Hirsauer Baukultur. Immerhin lassen uns die aus Grundrissen und Resten rekonstituierbaren Ostteile erkennen, wie die der ostromanischen Architektur eigene Tendenz, die Räume kastenartig gegeneinander abzuschließen (wovon Seite 54 die Rede war), auch in den Hirsauer Staffelchorräumen offenbar geworden ist. In Hirsau waren bis auf zwei kleine Apsidiolen am Querschiff alle Räume, auch die Chorräume, flach gedeckt. Ebenso ist auch in den anderen Kirchen der Kongregation auf eine Wölbung mindestens aller oblonger Räume verzichtet worden. Die Flachdecken verstärken noch die kastenartige Geschlossenheit der Räume. In der westromanischen Architektur aber zeigt sich auch bei den Staffelchören die entgegengesetzte Tendenz. Es ist da alles getan, die Chorräume gegeneinander aufzuschließen, die Raumteile miteinander zu verklammern. Wie die Wände werden auch die Räume stark gegliedert. Der Raum wird nicht nur in Raumteile zerlegt. Diese werden auch so miteinander verbunden, daß die Gesamtraumkomposition möglichst als ein gegliedertes Ganzes erlebbar wird. Das ist schon bei den westromanischen Staffelchören so (La Trinité in Caen gehört zu den Ausnahmen). Noch entschiedener kommt diese Gestaltungstendenz in den Chorraumkonstruktionen mit Umgang und Kapellenkranz zum Ausdruck.

Der Ursprung beider Chorformen ist in funktionalen Bedingungen und Überlegungen verschiedener Art zu suchen. Die benediktinischen Staffelchöre haben sich mit der Differenzierung der Liturgie, aus dem Bedürfnis, mehrere Altäre in besonderen Räumen aufzustellen, und aus der Notwendigkeit, für die angewachsene Zahl der Kleriker und der Chorsänger größere Räume zu schaffen, entwickelt, also aus in der Oberkirche entstandenen Raumbedürfnissen. Der Umgangchor hingegen hat sich in den um die Confessio herum entstandenen Räumen, den sogenannten Krypten, entwickelt, also aus der Reliquienverehrung, nicht aus und mit der Liturgie.

Ursprünglich war die Confessio eine Kammer in den Fundamenten des Altars, in der der Sarkophag eines Heiligen – oft auch nur ein Reliquienschrein – eingebaut war, den die Gläubigen durch eine kleine Öffnung sehen oder auch mit der Hand berühren konnten. Zu dieser Kammer führten Stollen – in der Einhart-Basilika in Steinbach mehrere einander kreuzende – oder ein im Halbkreis um die Confessio herumgeführter über zwei Treppen beiderseits zugänglicher Gang. Diese Ringkrypta genannte Anlage kennen wir von Sant'Apollinare in Classe (6. Jh.). Durch Ausgrabungen wurde sie in der über dem Grabe des ersten Bischofs von Béziers, Aphrodisius, um 900 erbauten Kirche Saint-Aphrodise in Béziers festgestellt. Aus der selben Zeit stammt die Ringkrypta der Kathedrale von Chartres und aus dem 8. Jahrhundert die von Sankt Emmeran in Regensburg. Zur Aufstellung mehrerer Altäre sind auch seitliche Oratorien gebaut worden, u. a. zu Beginn des 9. Jahrhunderts in Saint-Philibert-de-Grandlieu (Loire-Atlantique). In Saint-Pierre-le-Vif in Sens (Yonne, um 920) liegen in der Außenmauer der Ringkrypta drei halbkreisförmige Nischen. Solche waren in den Krypten von Saint-Martin in Tours und der Kathedrale von Clermont-Ferrand, die beide ins 10. Jahrhundert zu datieren sind, zu richtigen apsidialen Kapellen ausgebildet [Fig. 59].[134] Das Gewölbe des zentralen Raums war in diesen Krypten von Säulen getragen. Eine gleichartige Kryptenanlage ist aus der Zeit um 1000 von der Kirche Saint-Aignan in Orléans bekannt [Fig. 60].[135] Die Grundrisse dieser noch präromanischen Krypten lassen uns den Ursprung der Chorräume mit Umgang und Radialkapellen auf den ersten Blick erkennen, die in der kontinentalen westromanischen Architektur neben den Staffelchören, zuweilen auch in Verbindung mit ihm (zum Beispiel in Saint-Benoît-sur-Loire [Fig. 54]) allenthalben anzutreffen sind, in Britannien auch in abgewandelter Form mit Tangentialkapellen, zum Beispiel in Canterbury und Norwich.

Im allgemeinen entspricht die Gestalt der Chorräume der der Krypten, weil deren Mauern und Stützen den konstruktiven Unterbau bilden. So liegen über den Krypten mit Umgang und apsidialen Oratorien zumeist auch Chöre mit Umgang und Kapellenkranz. Wo der Chor, wie in Saint-Saturnin (Puy-de-Dôme), keine Kapellen, sondern nur einen Umgang hat, hat auch die Krypta nur einen Umgang, und dieser ist wie der darüber im Chor durch sechs in ein Halbrund gestellte Säulen gegen den zentralen Raum abgetrennt [Fig. 61–63]. Es haben aber die Krypten meist auch die Form der

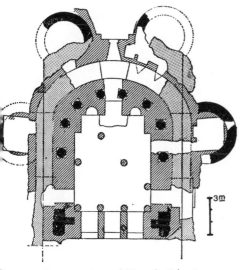

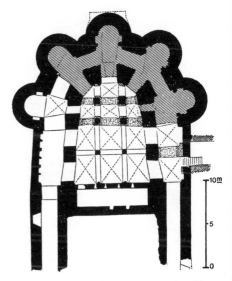

Fig. 59  Clermont-Ferrand (Puy-de-Dôme),
Kathedrale, Krypta

Fig. 60  Orléans (Loiret), Saint-Aignan,
Krypta

über ihnen erst später errichteten Chorräume bestimmt. So hat der um 1220 im wesentlichen vollendete Chor der Kathedrale von Auxerre (Yonne) nicht einen den großen gotischen Kirchen eigenen Kapellenkranz, sondern wie die vor 1030 erbaute Krypta nur einen Umgang ohne Apsidiolen, und der Chorabschluß, die ›Chapelle de la Vièrge‹ in der Mittelschiffachse, hat denselben quadratischen Grundriß wie das große Oratorium der Krypta, über dessen Mauerwerk er erbaut ist [Fig. 64, 65]. Von diesem Kryptenraum hat Mérimée gesagt, er sei »un monument d'un immense interêt«. Er ist in der Tat einer der schönsten in Frankreich.[135a]

Trotz aller späteren Veränderungen hat auch der gotische Chor der Kathedrale von Winchester (Hampshire), um ein weiteres Beispiel anzuführen, die Raumdisposition der überbauten romanischen Krypta beibehalten. Gewiß haben das hier wie in Auxerre und in vielen anderen Fällen konstruktive Notwendigkeiten und ökonomische Gründe nahegelegt. Es sind aber auch die gotischen Raumvorstellungen den westromanischen durchaus nicht konträr. Die konstruktiven Erfindungen der Gotik haben ja weniger absolut neue Raumkompositionen erzeugt, als daß sie die romanischen Chorformen, im besonderen den Umgangchor mit Kapellenkranz, in neuer Weise zu gesteigerter Wirkung brachten.

Seit Ende des 10. Jahrhunderts sind vor allem in den Wallfahrtsorten die Krypten immer mehr zu weitläufigen Untergeschossen ausgebaut worden. Sie dehnen sich manchmal nicht nur unter den Chören aus, sondern, wie in Saint-Eutrope in Saintes (Charente-Maritime) auch noch unter dem ganzen Querschiff. Im übrigen ist dort die

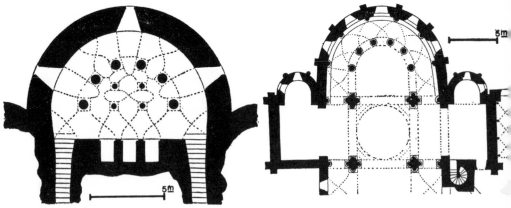

Fig. 61   Saint-Saturnin (Puy-de-Dôme), Krypta          Fig. 62   Saint-Saturnin (Puy-de-Dôme), Chor

Fig. 63   Saint-Saturnin (Puy-de-Dôme)
Schnitt

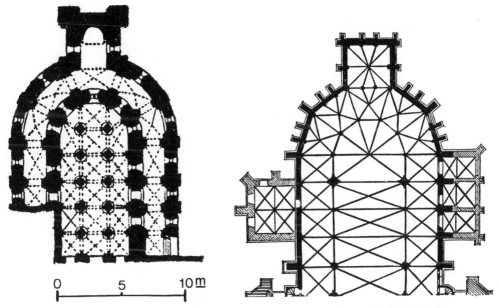

0      5      10 m

Fig. 64    Auxerre (Yonne), Kathedrale, Krypta    Fig. 65    Auxerre (Yonne), Kathedrale, Chor

Tiefenausdehnung unter einem lang gestreckten Chor beträchtlich. Auch in Speyer dehnt sich die Krypta unter Chor und Transept aus. Es sei noch auf einige Sonderfälle hingewiesen, in denen die Krypten – ähnlich wie in Saintes und Speyer – regelrechte Unterkirchen sind. So breitet sich die Krypta in der um 1005 erbauten kleinen Kirche von Saint-Martin-du-Canigou (Pyrénées-Orientales) unter der ganzen Kirche aus, wozu die Beschaffenheit des Baugrundes den Anlaß gegeben haben mag [Fig. 3]. Ebenso waren es in Saint-Gilles (Gard) besondere Umstände, Umbauten und Erweiterungen, die die heute 40 m (acht Travéen) lange dreischiffige Krypta nicht unter dem Chor, sondern unter einem Teil des Langhauses haben entstehen lassen. Doch auch hier ist die Konkordanz mit den Räumen der Oberkirche vollkommen.

Nur selten stimmen Krypta- und Kirchengrundriß nicht überein. Das ist zum Beispiel in Saint-Sernin in Toulouse insofern der Fall, als die Krypta nur eine Halbkreisapsis unter den Arkaden des Chorumgangs hat, nicht aber einen Umgang mit Radialkapellen wie der Chor [vgl. Fig. 23]. Bei der Abteikirche von Montmajour (Bouches-du-Rhône) haben wohl mehr die besonderen Bodenverhältnisse zu der ausgedehnten Kryptenanlage geführt als ein kultisches Bedürfnis [Fig. 66, 67]. Dort ist Mitte des 12. Jahrhunderts auf steil abschüssigem Gelände eine weiträumige prachtvolle Krypta mit fünf Kapellen konstruiert worden. Für die Anlage einer so großen Krypta hat aber kaum ein Bedürfnis bestanden. Denn die dem Papst unmittelbar unterstellte Abtei

verdankte ihre Bedeutung und Attraktion keineswegs hoch verehrten Reliquien, sondern einem ihr 1030 verliehenen Recht zur Erteilung eines Ablasses, des ›Pardon de
Montmajour‹. Die umfangreiche Kryptenanlage kann daher kaum durch die Notwendigkeit veranlaßt sein, einen Prozessionsweg zur Reliquienverehrung zu schaffen, was
sonst das Motiv für die Konstruktion solcher Krypten mit Umgang und Kapellen war.
Außerdem ist in der provençalischen Architektur der Umgangchor mit Kapellen so
wenig üblich wie in der übrigen ostromanischen Architektur. Der Chor der Kirche hat
denn auch nur eine innen im Halbkreis schließende, außen abgekantete Apsis.[136]

Der Heiligenkult und die Reliquienverehrung blühten im östlichen und südlichen
Abendland kaum weniger als im westlichen. Doch haben sie dort nicht den Antrieb
zur Entwicklung von so stark aufgegliederten Krypten- und Chorräumen gegeben,
die das Erscheinungsbild des westromanischen Chorhaupts auch nach außen entscheidend geprägt haben [104, 105]. Kryptenräume mit Umgang und Kapellen fehlen in
der ost- und südrömischen Architektur selbst da, wo der westromanische Umgangchor
mit Radialkapellen übernommen worden ist. Sankt Godehard in Hildesheim (vgl.
S. 59 f.) hat keine Krypta. Auch in Sant'Antimo steht der Umgangchor mit seinen drei
Radialkapellen, mit dem 1118 der Neubau der Benediktinerabtei-Kirche unterhalb
von Castelnuovo Abate bei Montalcino (Siena) begonnen worden ist, nicht über einer
Krypta. Unter dem Altar liegt nur eine präromanische Confessio. – In der vorromanischen Epoche ist zwar in der Wiperti-Krypta in Quedlinburg (Sachsen-Anhalt) die
Ringkrypta zu einer dreischiffigen Krypta mit einem zentralen Raum, der durch in

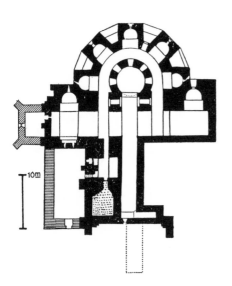

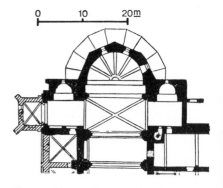

Fig. 66   Montmajour (Bouches-du-
Rhône), Krypta

Fig. 67   Montmajour (Bouches-du-
Rhône), Chor

einen Halbkreis gestellte Säulen gegen einen Umgang abgegrenzt ist, erweitert worden [118]. Am Umgang liegen aber keine Apsidiolen, sondern in der Umfassungsmauer nur rechteckige Nischen. Diese Raumdisposition hat weder in Krypten noch in Chören der ostromanischen Architektur Nachfolge gefunden. (Man könnte sich hier an den nur als Ruine erhaltenen, 1227 geweihten Chor der Kirche von Heisterbach im Rheinland erinnern, wo ebenfalls an einem Umgang keine Apsidiolen, sondern nur Nischen in der runden Apsismauer liegen. Diese Bauidee steht aber nicht nur in keinerlei Zusammenhang mit der Quedlinburger Krypta. Sie ist auch gar nicht ost-, sondern westromanischen Ursprungs. In Heisterbach ist eine in der Picardie, z. B. in Dommartin realisierte Chorform übernommen worden. Übrigens haben die Kirche von Heisterbach wie die von Dommartin als Zisterzienserbauten auch keine Krypten). In der ostromanischen Architektur sind im 11. Jahrhundert die düsteren, kellerartigen, engen dreischiffigen Krypten mit gedrungenen quadratischen Pfeilern, die ein schwer lastendes Gewölbe tragen – solche Krypten sind z. B. in Sankt Michael in Rohr (Thüringen, Gründung um 820) und in der Ostkrypta der Stiftskirche von Gernrode (um 960) erhalten –, mehr und mehr von drei- und mehrschiffigen Hallenkrypten mit runden Pfeilern, später auch mit schlanken Säulen und mit von Gurten gerahmten Kreuzgratgewölben verdrängt worden. Schon die in die Zeit um 1000 zu datierende Krypta der Damenstiftkirche Sainte-Gertrude in Nivelles (Belgien) zeigt den neuen Typus der Hallenkrypta. Diese liegt häufig auch unter einem erhöhten Chor und ist manchmal zu weiträumigen unterirdischen Kirchen ausgebaut worden.

Die großartigste ostromanische Hallenkrypta ist die der Kathedrale von Speyer. Sie umfaßt die Fläche unter Chor und Querschiff und besteht aus drei durch Pfeilerstellungen gesonderten Rechteckräumen, die den drei Querschiffquadraten entsprechen, und aus einem an seiner westlichen Seite abgekanteten ovalen Raum unter der Apsis. Das um 1100 erneuerte Gewölbe aus zwischen Gurten kreuzgewölbten Feldern, je neun in den Rechteckräumen und elf in dem ovalen Raum, ist gestützt von kräftigen runden Pfeilern mit hohen attischen Basen auf Sockeln und Würfelkapitellen. In dem enorm massiven Mauerwerk der Ostwände der Rechteckräume sind sechs halbkreisförmige Altarnischen seicht eingetieft, im Scheitel des ovalen Raums eine weitere. Die hohe Säulenhalle (Scheitelhöhe 7 m) hat aber nicht dem Reliquienkult gedient. Sie war von Anfang an zur Grab- und Gruftkapelle für die Kaiser bestimmt. Noch vor Vollendung des um 1030 begonnenen, 1061 geweihten Baues sind Konrad II., der erste Bauherr der mächtigen Kathedrale, seine Gemahlin Gisela und Heinrich III., der die Gewölbe der Krypta erneuern ließ, im Boden des Mittelschiffs vor der Vierung beigesetzt worden. Die zu Seiten der Gräber zur Krypta führenden Treppen sind später aufgegeben worden. Die Zugänge wurden in die Seitenschiffe gelegt. – Mit dem Übergang zur Hallenform scheint sich schon in der ottonischen Architektur öfter auch die Funktion der Krypta gewandelt zu haben. Sie diente vielfach nicht mehr dem Reliquienkult, sondern war Grabstätte von weltlichen und klerikalen Fürsten. Von der großen Krypta, die sich in der Kölner Dreikonchenkirche Maria im Kapitol (Mitte

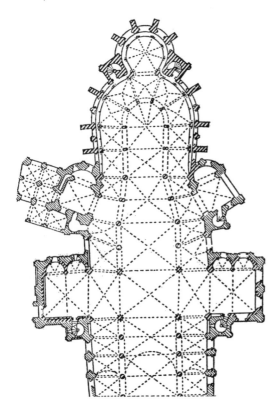

Fig. 68   Canterbury (Kent),
Kathedrale, Krypta

11. Jh.) bis zur Mitte der Vierung und seitlich bis unter die Eckräume im Winkel der Apsiden erstreckt, sagt eine Nachricht von 1299 sogar, sie sei als Baptisterium benutzt worden. Wie dem auch sei, jedenfalls sind im ostromanischen wie im südromanischen Bereich die Krypten immer mehr zu geräumigen, manchmal wie die der 1174 geweihten der Kathedrale von Gurk und des Duomo Santa Maria Assunta in Piacenza (um 1130) zu wahren Säulenwäldern ausgestaltet worden. Man zählt in der Krypta von Piacenza nicht weniger als hundert Säulen. Die Krypten sind auch heller und mit dem Langhaus darüber offener verbunden worden, vor allem in Italien. Dort sind sie häufig beiderseits eines am Ostende des Mittelschiffs aufgestellten Altars (so z. B. in San Miniato in Florenz [67] oder zu Seiten einer breiten zum tribünenartig erhöhten Chor hinaufführenden Treppe durch Arkaden zum Mittelschiff weit geöffnet. In San Zeno in Verona führt sogar schon vor der Wand der Chortribüne eine Treppe in voller Breite des Mittelschiffs zu den drei Arkaden hinab, mit denen sich die Krypta (um 1130) zum Langhaus öffnet [117]. So sind diese Säulenhallen nicht mehr abgetrennte

unterirdische Räume, sondern spielen für den im Mittelschiff zu gewinnenden Raumeindruck eine nicht unwichtige Rolle.[137]

In Britannien gibt es ähnlich ausgedehnte Krypten wie Italien. Die von Winchester wurde schon erwähnt. Die Kathedrale von Rochester (Kent) hat eine fünfschiffige Westkrypta (1115–1125), die von Worcester (Worcestershire), einem 1084 begonnenen Bau mit Chorumgang in der Art von Jumièges, entspricht dem darüber liegenden Chorteil mit Umgang und radialen Kapellen. Erhalten aber ist nur der dreischiffige Mittelraum, dessen Seitenschiffe sich in einen Umgang fortsetzen, und drei zweischiffige Seitenräume, einer links, zwei rechts, die mit dem Hauptraum nur durch schmale Öffnungen verbunden sind. Ursprünglich haben sich auch zwei dieser Seitenräume wohl in einem zweiten Umgang fortgesetzt, während der äußerste rechts platt mit einer Nische in der Ostwand endete. Das Kreuzgewölbe zwischen Gurten wird von insgesamt fünfzig recht eng gestellten schlankschäftigen Säulen getragen. Es zeigt sich also auch hier die für Germanien und besonders für Italien charakteristische Tendenz, die Kryptenräume möglichst auszuweiten. Im übrigen spiegeln – in Canterbury [Fig. 68] und Gloucester – die Krypten die Chorformen mit Tangential- bzw. Radialkapellen wie in der kontinentalen westromanischen Architektur getreu wider.

Wenn sich in der kontinentalen westromanischen Architektur der Chor mit Umgang und radialen Kapellen aus gleichartigen Kryptenformen entwickelt hat und die Raumformen von Unter- und Oberkirche genau übereinstimmen, sind in den ost- und südromanischen Kirchen unter den Chorteilen meist Kryptenräume entstanden, die ein sehr anderes Raumerlebnis vermitteln. Die Krypten haben eine vielgliedrige Raumgestalt, die die großartige Schlichtheit der Chorform über ihnen nicht hat.

# Baukörper

## Westmassive

In der ost- und westromanischen Architektur haben größere Kirchen im Westen öfter einen über der Einganghalle zum Langhaus sich hoch und massig auftürmenden Baukörper mit einem nach Osten über Arkaden geöffneten Raum im Obergeschoß. Die südromanische Architektur kennt solche Westmassive nicht, für die sich in der deutschen kunsthistorischen Literatur die meist nicht sehr präzise gebrauchte Bezeichnung Westwerk eingebürgert hat. Wir kennen mehrere dieser imposanten architektonischen Schöpfungen, von denen Dehio treffend sagt, sie hätten »etwas dem Wehrbau ästhetisch Verwandtes«, schon aus präromanischer Zeit, zumeist allerdings nur durch schriftliche Überlieferungen. Von der nach allen uns überkommenen Nachrichten bedeutendsten, dem Westwerk der Abteikirche von Centula (Saint-Riquier, einem Dorf in der Picardie, unweit von Abbeville) vermögen wir uns nur aus ziemlich ausführlichen Beschreibungen in der im 11. Jahrhundert von dem Mönch Hariulf verfaßten Klosterchronik und von einem Stich aus dem 17. Jahrhundert, der eine alte Miniatur skizzenhaft reproduziert, eine Vorstellung zu bilden [Fig. 69]. Die Kirche ist unter Abt Angilbert 790 begonnen und 799 geweiht worden. Karl der Große habe, berichtet Hariulf, den Bau seines Schwagers tatkräftig gefördert, erfahrene Bauleute nach Centula geschickt und aus Rom Säulen, Basen und Gesimse aus Marmor und Jaspis kommen lassen.

Auf dem Stich erscheint das Westwerk wie ein Querschiff, das mit seinem Mittelturm und seinen zwei Treppentürmen dem östlichen Querschiff gleicht. Aus den schriftlichen Quellen geht hervor, daß dieses Westmassiv im Erdgeschoß eine dreischiffige, sich über die ganze Breite ausdehnende Halle und darüber ein Sanktuarium enthielt. Die Halle, deren Gewölbe von mächtigen Säulen gestützt war, wird in Hariulfs Chronik ›crypta Salvatoris‹ genannt. Der Salvator-Altar aber stand in dem darüber liegenden, über die beiden Treppentürme zugänglichen Raum. Diese Treppentürme führten noch höher hinauf zu den ›ambulatoria‹. Darunter sind die Tribünen zu verstehen, die sich nach Hariulfs Beschreibung im Westen, Süden und Norden befanden und für die Laien bestimmt waren. Auf der vierten Seite zum Langhaus hin lag keine Tribüne. Diese Wand war, wie das Salvator-Sanktuarium darunter, durch Arkaden zum Langhaus

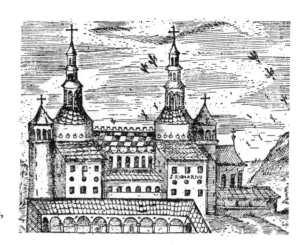

Fig. 69  Centula (Saint-Riquier,
Somme). Stich von Petau,
17. Jh.

geöffnet, also nach Osten, wo in der Apsis der Richardius-Altar stand. Der zentrale
Turm über dem Westwerk ist wie der Vierungsturm auf dem Stich zwar rund gezeich-
net, doch ist dies wohl eine schematische Ungenauigkeit. Es ist wahrscheinlicher, daß
diese Türme quadratisch oder polygonal waren. Berichtet wird von einem großen Atrium
vor der Westfassade. Dieses hatte der Klosterchronik zufolge in der Mitte jedes seiner
drei Flügel ein Portal, und über den Portalen lagen den Erzengeln Raphael, Michael
und Gabriel geweihte Oratorien.[138]

Was von der Gestalt des Westwerks von Centula nur mühsam mit annähernder
Gewißheit ermittelt werden kann, ist in Corvey bei Höxter (Westfalen) in allen
wesentlichen Zügen unmittelbar anschaulich. Die Abtei ist 822 von Mönchen aus Corbie
(Somme) gegründet worden, woran der Name noch erinnert: aus dem picardischen
Corbie ist ›nova Corbeia‹ und schließlich Corvey geworden. Die heutige Kirche ist ein
unbedeutender Neubau des 17. Jahrhunderts. Das 885 geweihte Westwerk ist in seinen
oberen Teilen im 12. Jahrhundert verändert worden. Vom karolingischen Bau ist aber
der quadratische Narthex (mit einer Seitenlänge von ca. 9,50 m) erhalten, der wie in
Centula crypta hieß. Sein Kreuzgratgewölbe ruht auf Pfeilern, in der Mitte auf vier
stämmigen Säulen, die das Turmkarree stützen. Davor liegt zwischen den beiden
rechteckigen Treppentürmen eine drei Travéen breite Vorhalle mit drei Portalen.
Erhalten ist ferner, wenn auch nicht völlig unverändert, der mehrgeschossige Johannes-
chor darüber, der einst mit je drei Arkaden über einen zwischen ihm und dem Langhaus eingeschobenen, eine Travée breiten Querraum nach Osten zur Kirche geöffnet
war. Zu erkennen ist auch noch, daß im Obergeschoß Tribünen waren. Sie waren
Sängertribünen oder dienten als Laienkirche. Von der westlichen zwischen den Treppentürmen sagt der Chronist Letzner (1590), es sängen dort die Knaben »sub turribus«.
Daß sie früher einmal die Kaiser-Loge war, ist eine nur vage Vermutung.[139]

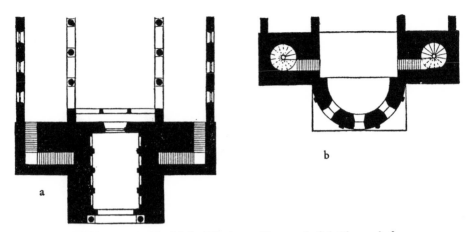

Fig. 70   Hersfeld (Hessen), Abteikirche. Westbau, a Untergeschoß b Obergeschoß

Andere Westwerke in der Art von Centula sind nicht erhalten. Bezeugt sind sie von der von Bischof Hincmar 862 geweihten Kathedrale von Reims und von der von Bischof Altfried (851–875) erbauten Kathedrale von Hildesheim.[140] Aus schriftlichen Quellen geht hervor, daß die in Fécamp (Seine-Maritime) von dem Herzog Richard I. (943–996) errichtete Kirche La Trinité ein Westwerk hatte. Wahrscheinlich hatte die Abteikirche in Sankt Gallen nicht einen Westchor, auch wenn er auf dem berühmten Plan eingezeichnet ist, sondern ein Westwerk. Die Chroniken wissen nichts von einer Westapsis, berichten aber von einer 867 dem Heiligen Michael geweihten Kirche über der Eingangshalle. Auch die alten Stadtansichten zeigen eine Kirche mit Westmassiv.[141] Die karolingischen Westwerke sind offensichtlich aus demselben liturgischen Bedürfentstanden, das in Fulda und in späteren ostromanischen Bauwerken auf einfachere Weise durch den Bau eines zweiten Chors im Westen befriedigt worden ist (vgl. Seite 95 f. und Anm. 87). Mit der Doppelchörigkeit ist aber die Bauidee, die der christlichen Kirche ihre Gestalt gab, preisgegeben worden. Das Langhaus verlor seine nicht nur symbolisch bedeutungsvolle, sondern auch für die architektonische Qualität entscheidende Gerichtetheit zum Chor und machte außerdem den dieser Bauidee entsprechenden Haupteingang in der Achse des Mittelschiffs unmöglich. Sie verhinderte im übrigen eine klare sinnvolle Fassadengestaltung. In der Abteikirche von Hersfeld (Hessen), 1038 begonnen, seit 1761 Ruine, ist ein Kompromiß versucht: der Eingang in der Mittelschiffachse ist beibehalten durch die Hochlegung des Chors über die Eingangshalle [119; Fig. 70]. So blieb dem Eintretenden der Eindruck der Gerichtetheit zu dem langgestreckten, mit einer halbrunden Apsis schließenden Ostchor erhalten. Die Chance einer Fassadengestaltung aber, die bei vielen Westmassiven so überaus eindrucksvoll ist, ist nicht wahrgenommen.[142] Die architektonisch zweifellos bessere und funktionell gewiß nicht ungünstigere Lösung hatten schon die Bauten von Centula und Corvey gebracht, und die weitere Entwicklung hat dann auch gezeigt, daß sie die zukunfts-trächtigere war. Die konstruktive Idee des Westwerks hat die karolingische Epoche, in der sie entstanden ist, zum mindesten ihre ersten monumentalen Verwirklichungen gefunden hat, in der west- und ostromanischen Architektur überlebt und den entschei-denden Anstoß zur Ausbildung der Zweiturm-Fassade gegeben, die dann auch für die Westseite der gotischen Kirchen so charakteristisch geworden ist.

Am reinsten hat sich der karolingische Westwerktypus in der ottonischen Architektur der Rheinlande erhalten. Im Westbau von Sankt-Pantaleon in Köln [123], das wohl um 1000 der 980 geweihten Benediktinerabtei-Kirche angebaut worden ist, finden wir wesentliche Züge der in Corvey verwirklichten Disposition wieder. Von außen bietet sich das von späteren Veränderungen nicht verschont gebliebene Westmassiv, ähnlich wie auf jenem Stich das von Centula, wie ein westliches Querschiff dar. Im Innern wird ein steiler bis in das Turmgeschoß hinaufragender rechteckiger Raum, von den Seiten-räumen durch eine Doppelarkade getrennt, von zweigeschossigen, durch Arkaden gegen ihn geöffneten Tribünen umschlossen. Zwischen den Treppentürmen liegt ein Baukörper, der eine ebenfalls doppelgeschossige Vorhalle enthält. Er hat sich ursprüng-lich über einem gestreckten Quadrat erhoben, ist aber im 18. Jahrhundert abgebrochen und 1890/92 verkürzt wieder aufgebaut worden. Der Narthex und die Tribünen waren nach Osten offen. Im weniger gut erhaltenen Westbau der Abteikirche von Münstereifel (Rheinland, Kreis Rheinbach) finden wir die Anlage von Sankt Pantaleon im wesent-lichen wieder.[143]

Von den ottonischen Westbauten ist zu wenig im ursprünglichen Zustande erhalten, so daß man von der Raumdisposition keine sehr exakten Vorstellungen gewinnen kann. Es sind zwar weiterhin massive Querriegel zwischen Treppentürmen im Westen gebaut worden, und wie sich bei Sankt Michael in Hildesheim die östliche Massengrup-pierung im Westen wiederholt, erinnert sehr an Centula. Die Veränderungen im 12. und 13. Jahrhundert erschweren es, ja machen es unmöglich, eine exakte Vorstellung von dem unter Bischof Bernward im ersten Drittel des 11. Jahrhunderts errichteten Westbau zu gewinnen. Die Vermutung, die Kirche habe ein Westwerk in der Art der karolingischen Westbauten gehabt, hat durch neue Untersuchungen nicht an Wahr-scheinlichkeit gewonnen.[144] Der über einer Hallenkrypta mit einem höheren Umgang gelegene Westchor ist im Kern gewiß ottonisch, d. h. ein Teil des 1033 geweihten Bern-wardbaus. Die seitlichen Tribünen des querschiffartigen Westriegels dürften in Anleh-nung an karolingische Westwerke konstruiert sein. Ihre liturgische Funktion aber ist unklar. Es scheinen gewandelte Formen der Liturgie andere Raumformen bedingt zu haben, so daß von einem echten Westwerk in der Art des karolingischen schon nicht mehr gesprochen werden kann.

Das trifft auch auf andere Westbauten des 11. Jahrhunderts zu. Die 1042 geweihte Abteikirche von Limburg an der Hardt (Rheinpfalz) ist nur noch als Ruine erhalten. Immerhin lassen die erhaltenen Teile und ermittelten Fundamente erkennen, daß ihr Westbau ein gewölbtes Vestibül von der Breite des Mittelschiffs und mit ihm nicht verbundene, zu den Seitenschiffen des Langhauses offene Seitenräume hatte, daß er von runden Treppentürmen flankiert war und daß vor der dreischiffigen Einganghalle ein Atrium lag. Verglichen mit den karolingischen Westwerken war das Raumprogramm also stark reduziert.[145]

Das Bedürfnis, den westlichen Baukörper räumlich so stark auszubauen wie im 8. und 9. Jahrhundert, scheint im Laufe der romanischen Zeit immer weniger bestanden zu haben. Allgemein werden die über den Vestibülen liegenden Räume kleiner. Sie dürften in ihrer reduzierten Gestalt auch reduzierten Funktionen gedient haben. Die Altarnischen in den oberen Räumen sind aber ein sicherer Hinweis, daß sie noch immer Kulträume waren, und wenn sie auch als solche gegenüber der karolingischen Epoche an Bedeutung verloren haben, so ist doch das Interesse am Bau breiter, hoher Westriegel geblieben. Nur scheint die romanische Epoche die karolingische Lösung nicht mehr als zweckmäßig empfunden zu haben. So hat man z. B. dem auf das Ende des 10. Jahrhunderts zurückgehenden Westbau der Stiftkirche von Gernrode im 12. Jahrhundert eine Apsis angebaut.[146] Bischof Godehard (1022–38) hat das unter Bischof Altfried (851–84) errichtete Westwerk der Hildesheimer Kathedrale großenteils abgerissen und völlig umgebaut, weil er – so heißt es in der Vita S. Godehardi – den durch eine Art Krypta verdunkelten Westteil seiner Kirche heller machen wollte.[147] Ebenso hat der Erzbischof Adelberon schon 976 in der Kathedrale von Reims die ›Gewölbe‹ des Westbaus beseitigen lassen, damit die Kirche weiter und würdiger werde, wie der Chronist Richerus berichtet.[148] Obschon auch in der ostromanischen Architektur die traditionelle Westwerk-Konstruktion teils verworfen wird, teils starken Wandlungen unterliegt, hält sie ihrem konservativeren Charakter entsprechend länger an dem karolingischen Westwerktypus – wie ja auch an der doppelchörigen Anlage – fest als die westromanische Architektur, die die Chorräume zu so umfangreichen Kompositionen entwickelt hat, daß sie am ehesten auf Sanktuarien und ausgedehnte Oratorien auch im Westen der Kirchen verzichten konnte. Auch sie baut zwar mächtige Westmassive, lehnt sich dabei aber doch weniger eng an karolingische Vorbilder an als die ostromanische Architektur und entwickelt sie weiter zum Einturmmassiv und zur Zweiturmfassade.

Noch in der ersten Hälfte des 12. Jahrhunderts finden wir im Westbau der Abteikirche von Maursmünster (Unter-Elsaß) [124] eine Raumdisposition und Gruppierung der Baumassen, die große Ähnlichkeit mit Centula und Corvey aufweisen. Dort liegt zwischen den Treppentürmen eine nicht sehr tiefe Eingangshalle und dahinter ein gewölbter Narthex mit drei Teilräumen, die durch Doppelarkaden miteinander verbunden und zum Langhaus geöffnet sind. Das Obergeschoß darüber ist ebenfalls in drei Räume geteilt, die einst durch Bogenöffnungen miteinander verbunden waren. Der quadratische holzgedeckte Mittelraum öffnete sich als eine Art Tribüne zum Mittelschiff und hat nach oben zu zwei weitere Turmgeschosse. Über dem zweiten Geschoß werden die Treppentürme frei. Sie haben über einer Arkatur auf drei Seiten einen Giebel, und an der Fassade erscheint zwischen diesen Türmen und vor dem zurück-

liegenden Mittelturm ein dritter weniger hoher Giebel. – Die Baugeschichte der Maursmünster' Kirche ist nicht überliefert. Der herrliche Westbau gehört zweifellos einer
früheren Kirche an. Als dann im 13. Jahrhundert Chor und Langhaus neu gebaut
wurden, sind diese an den älteren Westbau angeschlossen worden. Seine Fassade ist in
zwei Geschosse, die durch ein kräftig profiliertes Gurtgesims voneinander geschieden
sind, und sechs durch scharfkantige Lisenen und Bogenfriese gegliederte Felder aufgeteilt und gehört in ihrer proportionalen Ausgewogenheit und exakten Haustein-
technik (Sandstein), aber auch hinsichtlich der Gruppierung der Baumassen zu den
Meisterwerken der ostromanischen Architektur. Bei aller Verschiedenheit in den Einzelformen finden wir ein halbes Jahrhundert später (1181) eine ähnliche Gruppierung der
Baukörper im Ostbau des Wormser Doms wieder.[149]

Die gleichgewichtige Verteilung der Baumassen auf die Langhausenden ist ein Charakteristikum der ostromanischen Architektur. Wir finden sie bei den doppelchörigen
Kirchen in Mainz, Worms, Maria Laach, Bamberg, Hildesheim (Sankt Michael), ebenso
bei Sainte-Gertrude in Nivelles, deren 1046 geweihter Westbau später verändert wieder
aufgebaut worden ist, auch in Speyer, Maastricht und bis ins 13. Jahrhundert bei der
Stiftskirche in Limburg an der Lahn. In der westromanischen Architektur dagegen

Fig. 71   Speyer (Rheinland-Pfalz), Kathedrale, Westbau. Zeichnung von 1609

sind die größten Massen im Ostbau konzentriert und haben dort im Umgangschor mit Radialkapellen die grandioseste und funktional differenzierteste Aufgliederung erfahren, die wir in der vorgotischen mittelalterlichen Architektur kennen.

Ein Westmassiv von gewaltigen Dimensionen hatte die Kathedrale von Speyer, ja sie hat es heute noch in der sehr frei von Heinrich Hübsch in den fünfziger Jahren des 19. Jahrhunderts entworfenen Gestalt. Von der ursprünglichen Form des Speyrer Westbaus wissen wir fast nichts. Denn als die Stadt Speyer 1689 im pfälzischen Erbfolgekrieg zerstört wurde, sollte auf Befehl Ludwigs XIV. der Kaiserdom zwar verschont werden. Die Flammen griffen jedoch vom Westen her auf die Kirche über. Bis auf die südliche Seitenschiffmauer, die fünf östlichen Travéen und den Chor blieb nichts erhalten. Alle Gewölbe des Schiffs waren bis auf das der letzten Travée vor der Vierung eingestürzt. Das Langhaus wurde dann 1772–78 von Ignaz Michael Neumann, dem Sohn Balthasar Neumanns, in der alten Form, das Westmassiv aber nach einem veränderten Plan wieder aufgebaut und abermals in den Revolutionskriegen zerstört. Wir wissen nur, daß über einer gewölbten Halle – einer Vorhalle mit drei Eingängen und einem Narthex – Tribünen lagen, deren Seitenräume über die Treppentürme zugänglich waren. Diese flankierten das Westmassiv nicht wie in Centula, sondern steckten mit ihren unteren Etagen in dem Westblock. Über die Funktion der oberen Räume ist nichts bekannt. Daß sich dort eine Kaiserloge oder ein Oratorium für die kaiserliche Familie befunden habe, wie öfter behauptet worden ist, beruht auf einer bloßen, durch nichts gestützten Vermutung. Es ist auch möglich, jedoch ebenso ungewiß, daß der Herrscher als ›Mitglied des Domstiftes‹ seinen Platz im Chor hatte und seine Familie vor dem Chor in der Nähe der Kaisergräber saß. Jedenfalls kennen wir das romanische Westmassiv nur in seiner äußeren Erscheinung aus einer Zeichnung von 1609 [Fig. 71].[150]

Es scheint, es seien in der romanischen Epoche die Westmassive mehr um einer repräsentativ-monumentalen Massengruppierung willen gebaut worden als aus funktionalen, das heißt hier also liturgischen Gründen. Das trifft vielleicht auch schon auf Speyer zu. Die spätromanischen breiten Kastenmassive, die den Basiliken des 11. Jahrhunderts Sankt Barthélémy in Lüttich und Sankt Servatius in Maastricht im Westen angebaut worden sind, haben jedenfalls im Vergleich zu ihrer Größe wenig liturgischen Nutzraum.[151] In Sankt Servatius sind die um das Sanktuarium herumführenden Tribünen nur noch schmale Gänge. Die Altarnischen beweisen zwar seine kultische Funktion. Von einer Westkirche, wie bei Centula und Corvey, kann aber nicht die Rede sein, und wozu der über Sanktuarium und Tribünen liegende ›Kaizerzaal‹, dessen Mittelraum einst zum Mittelschiff geöffnet war, eigentlich gedient hat, ist unklar. Daß er eine Kaiserloge war, ist durch die Überlieferung nicht bestätigt. Wenn er es aber gewesen wäre, so bestätigte das nur die Vermutung, daß der ganze Westbau mit seinen in ihm steckenden, mit ihren oberen Geschossen ihn als Glockentürme überragenden Treppentürmen im wesentlichen aus einem starken Repräsentationsbedürfnis heraus entstanden ist. Der Mittelturm ist eine nicht eben glückliche spätere Ergänzung. Sankt Barthélémy

in Lüttich hat keinen. Es sind in diesen spätromanischen Westmassiven aber, wie Reinhardt gerade in bezug auf Maastricht sehr zutreffend bemerkt, Elemente der karolingischen Westwerke zu »extravaganten Schöpfungen« verarbeitet.[152]

Die Westmassive sind im 12. Jahrhundert durch Aufbauten von breit gelagerten
Glockenstuben in der ostromanischen Architektur häufig noch stärker monumentalisiert
worden. In Hildesheim hatte schon Bischof Godehard (1022–38) den Altfriedschen
Westbau aus der zweiten Hälfte des 9. Jahrhunderts modernisiert. Um die Mitte des
12. – schon 11. ? – Jahrhunderts wurde der von zwei Treppentürmen flankierte Mittel-
bau um zwei Geschosse erhöht, so daß der Block durch einen breiten Aufbau mit einer
Arkadenreihe bekrönt war. Das Hildesheimer Westmassiv hat dann in Minden (Westfalen) Nachahmung gefunden. Zwischen die beiden Treppentürme der Kathedrale
wurde ein ihre abgewalmten Dächer um ein Geschoß überragendes ›Querglockenhaus‹
gebaut.[153] Der gleiche Vorgang ist in Corvey festzustellen. Auch dort wurde das
karolingische Westwerk im 12. Jahrhundert erhöht, der Risalit weiter hinaufgeführt
und zwischen die ebenfalls erhöhten Treppentürme ein Glockenhaus mit vier gekuppelten Arkaden gebaut, das später nochmals um ein Geschoß erhöht worden ist. Der Westbau der Damenstiftkirche in Freckenhorst (Westfalen) [164] erhielt ebenfalls zwei Geschosse mehr. In Havelberg (Brandenburg) [160] sind dem außerordentlich breiten,
mit seinen wenigen Öffnungen, die zumeist nur Mauerschlitze sind, und seinem kleinen
Portal wie ein Bollwerk aufragenden, im 12. Jahrhundert aus Grauwacken-Bruch-
steinen errichteten Westriegel im 13. Jahrhundert nochmals zwei Glockenhausge-
schosse aus Backstein aufgebaut worden.[154] Diese großartigen ostromanischen Westmassive sind offenbar aus dem Bedürfnis entstanden, eine größere Zahl von Glocken
aufhängen zu können. Auch in der Verstärkung des Geläutes hat ein gesteigertes
Repräsentationsbedürfnis seinen Ausdruck gefunden.

Nicht so sehr zur Erweiterung der Kulträume als aus repräsentativen Gründen sind
die großen, oft sehr hohen Westtürme gebaut worden, die Belfriede der romanischen
Kirchen. Der frühestens Ende des 12. Jahrhunderts begonnene, erst im 13. Jahrhundert
vollendete Westbau der Patroklus-Kirche in Soest (Westfalen) hat von der karolingischen Westwerk-Tradition noch relativ viel bewahrt [125]. Er zeigt eine ähnliche
Raumordnung wie der Westbau von Maursmünster, so wenig seine äußere Erscheinung
das vermuten läßt. Auf eine als kreuzgratgewölbte Laube gestaltete Vorhalle folgt ein
vierschiffiges zwei Travéen tiefes Vestibül, das sich in Arkaden zum Langhaus öffnet.
Darüber liegt eine räumlich gleichartig aufgeteilte Tribüne, die zwar keine Altarnischen
hat, in der aber im Untergeschoß schriftlicher Überlieferung zufolge Altäre (»sub turri«
und »super turrim«) standen. Der offenbar zunächst bestandene Plan, in den westlichen Ecken des kubischen Blockes ähnlich wie in Maursmünster Treppentürme über
dessen Dach hinaus hochzuführen, ist wieder aufgegeben worden zugunsten einer der
meisterlichsten Gestaltungen eines romanischen Westturmmassivs, bei dem ein einziger
quadratischer Turm sich über den Pultdächern eines zweigeschossigen Kubus erhebt.

Die Pultdächer liegen über den Seitenschiffen der Tribüne und einem sich mit drei großen gekuppelten Fenstern nach Westen öffnenden Teilraum über der Laube.

Dieser Westbau mit seinem stolzen Turm [126] war ein triumphales Monument der Stadt Soest, ein gebautes Symbol der Freiheit, die sie nach hartem Kampf gegen die Macht des Erzbistums Köln errungen hatte. Die Stadt war Bauherr und Eigentümer dieses Westmassivs. Sie hatte sogar das ganze Langhaus in ihren Besitz gebracht. Dem Stift, das der Kölner Erzbischof und Herzog von Lothringen Bruno, ein Bruder Kaiser Ottos I., im 10. Jahrhundert gegründet hat und in das er die Reliquien des Märtyrers Patroklus von Troyes hatte bringen lassen, gehörte im 12. Jahrhundert von der Kirche nur noch der Chor. Das obere Geschoß des Westbaus war die städtische Rüstkammer. Das mag manches von der Besonderheit des Bauwerks erklären.

Exzeptionell ist auch die sogar nicht ostromanisch anmutende Gestaltung dieses Westblocks. Er ist die Schöpfung eines wohl zugewanderten, vielleicht von weither berufenen, jedenfalls sehr erfahrenen und hoch talentierten Architekten, der Detailformen verschiedener Herkunft in höchst genialer Weise zu einem grandiosen Werk aus einem Guß verarbeitet hat. Die Pfeiler der Vorhalle sind ungewöhnlich reich und exakt gegliedert. In den zweiteiligen Blendbalustraden unter den Loggienfenstern ist das Blendarkadenmotiv in originaler Weise mit frei vor die Wand gestellten Säulchen umgestaltet. Man wird erinnert an die Laufgänge im Laternenturm von Saint-Étienne in Caen [95] oder der Kathedrale von Laon, an Blendbalustraden an der Fassade der Kathedrale von Noyon, im Querschiff von Sanct Albans, am Duomo San Rufino in Assisi [52], an den Fassaden von San Michele in Pavia und von Santa Maria Maggiore in Tuscania (Viterbo). Sie sind den toskanischen und ostromanischen Zwerggalerien zwar verwandt, aber weniger räumliche Gebilde als sie. Die Meisterschaft dieses Bauwerks in Soest beruht darauf, daß diese dekorativen Formen und ebenso eigentümlich westromanischen Elemente der für die ostromanische Architektur charakteristischen Wandhaftigkeit der Fassade so überaus harmonisch eingeordnet sind, wie das sonst nur selten gelungen ist.[155] Diese meisterliche Leistung des in Soest tätig gewesenen Architekten macht ein Vergleich etwa mit dem Westchor in Worms oder mit der Westfassade von Sankt Quirin in Neuß [44] evident, wo diese Einordnung so wenig gelungen ist.

In dem hohen Westturm der Kathedrale von Paderborn (Westfalen) [122], der zu dem 1068 geweihten Bau des Bischofs Imad gehört, erinnert nur die Stellung dieses Baublocks zwischen zwei Treppentürmen an karolingische Westwerke. Der Turm aus in ungleichen Schichten vermauerten Quadern erhebt sich über einer quadratischen Grundfläche von 13,7 m äußerer Seitenlänge bis zu seinen Giebelspitzen 43 m hoch. Kleine runde Treppentürme begleiten ihn an seinen Ostecken bis zum Niveau des Langhausdaches. Bis zur Hälfte seiner Höhe bleibt der Turm fensterlos. Erst dann folgen in vortrefflicher Ordnung drei Reihen mit je vier schmalen gekuppelten Öffnungen und schließlich in jedem Giebel wieder sechs in drei Reihen aufgeteilt. Der Turm umschließt den Westchor, der wie der östliche ein rechteckiger Raum ist [Fig. 73]. In

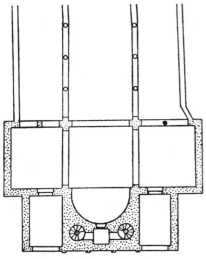

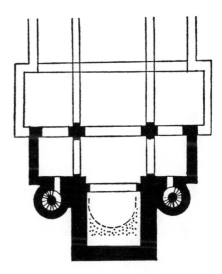

Fig. 72  Reichenau-Mittelzell (Bodensee),
Westchor (Maßstab 1 : 600)

Fig. 73  Paderborn (Westfalen),
Kathedrale, Westchor (Maßstab
1 : 600)

ähnlicher Weise ist auch der Westchor der Abteikirche in Mittelzell auf der Bodensee-
insel Reichenau in einen wehrhaften, um 1040 erbauten Turm hineingebaut [121]. In
Mittelzell lag über der rechteckig ummauerten Halbkreisapsis eine Michaelskapelle, zu
der zwei in dem dicken Mauerwerk eingeschlossene enge Spindeltreppen hinaufführten
[Fig. 72]. In Paderborn aber haben die seitlichen Treppentürme über der Chordecke
keine Ausgänge, die zu Tribünenräumen führen könnten. An die karolingischen West-
werkkonstruktionen ist bei dem Paderborner Turm nur noch eine sehr blasse Erinnerung geblieben.[156]
    In den doppelchörigen Kirchen von Paderborn und Mittelzell liegt im Turm der
Westchor. Die Eingänge zur Kirche liegen seitlich, in Paderborn an den Langhausseiten,
in Mittelzell in seitlichen Anbauten.

## Gestalt der Türme und ihre Rolle für die Gruppierung der Baumassen

### Der westromanische Vorhallen-Turm (clocher-porche)

Die dem Langhaus im Westen als mächtige Querriegel vorgebauten Massive verschwinden mehr und mehr, nachdem die kultische Funktion, der sie als regelrechte Vorkirchen
in der karolingischen Epoche ihre Entstehung verdanken, an Bedeutung verloren hat.
In der kontinentalen westromanischen Architektur ist an ihre Stelle der Vorhallenturm,

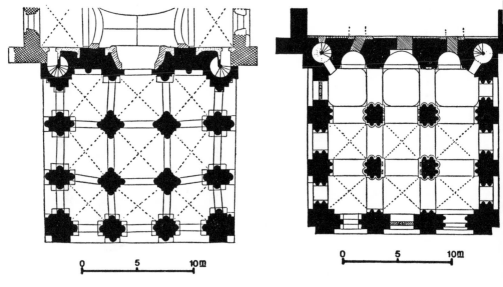

Fig. 74 Saint-Benoît-sur-Loire (Loiret), Westturm, Erdgeschoß

Fig. 75 Saint-Benoît-sur-Loire (Loiret), Westturm, Etage

in der französischen Archäologie clocher-porche genannt, getreten. Schon in dem um 1005 erbauten Turm der Abteikirche Saint-Germain-des-Prés in Paris liegt über einer einschiffigen gewölbten Eingangshalle nur noch ein dem Erzengel Michael geweihtes Oratorium, in dem am Fest des Erzengels die Messe gelesen wurde.[157]

Einer der durch intensive und reiche Gliederung seiner Masse prachtvollsten Vorhallentürme ist der von Saint-Benoît-sur-Loire, der Abtei von Fleury [127]. Der Mönch Andreas von Fleury berichtet in seiner Vita Gauzlini, den Turm habe Gauzlinus als ein Modell für ganz Gallien errichten lassen.[158] Dieser Gauzlinus war eine der großen Gestalten der Mönchsaristokratie des 11. Jahrhunderts, ein natürlicher Sohn des Hugo Capet und Halbbruder des 996–1031 regierenden Königs Robert II., des ›Frommen‹, und ist 1004 Abt von Fleury geworden.

Die Datierung des Turms ist umstritten. Wahrscheinlich ist er nicht vor dem Brand von 1026, der Kirche und Klosterbauten vernichtet hatte, geplant worden und war er noch nicht vollendet, als Gauzlinus 1030 starb.[159] Er erhebt sich über einem nicht exakt quadratischen Grundriß von rund 17 m äußerer Seitenlänge. Das Erdgeschoß [Fig. 74] ist auf drei Seiten mit je drei Arkaden geöffnet und gegen Osten zum Langhaus bis auf das ins Mittelschiff führende Portal geschlossen. Überaus mächtige und kraftvoll gegliederte kreuzförmige Pfeiler mit vorgelegten stämmigen Halbsäulen tragen die Gurtbögen, die neun kreuzgratgewölbte Felder rahmen [129]. In der dicken Ostmauer führen zwei Spindeltreppen zu einem oberen Raum, der wie das Erdgeschoß in neun

Kompartimente aufgeteilt und ebenfalls nach drei Seiten mit je drei schlanken, von einem Blendbogen gerahmten Arkaden geöffnet ist [130, Fig. 75]. Der obere Raum ist um fast ein Drittel höher als die Eingangshalle. Seine Höhe kommt zur verstärkten Wirkung durch die zwei dünnen Säulen, die den vier Rechteckpfeilern und den Wandpfeilern vorgelegt sind. Die Deckplatten ihrer Kapitelle tragen sehr breite Gurtbögen, die neun Gewölbefelder rahmen. Diese sind wie im Erdgeschoß kreuzgratgewölbt, mit Ausnahme der drei östlichen, die kuppelartige Gewölbe haben. Dadurch sind sie als Vorräume zu den drei aus dem Mauerwerk ausgesparten Halbkreisnischen ausgezeichnet. Diese mit Halbkuppeln gedeckten fast neun Meter hohen Nischen sind ein sicheres Zeichen, daß der Etagenraum ein Kultraum mit drei Altären war. Ursprünglich hatte der Turm ein zweites Obergeschoß – wie der von Ébreuil (Allier), in dem um 1200 der Gauzlinus-Turm annähernd, doch keineswegs kongenial imitiert worden ist [128].[160]

Wenn, wie in der Vita Gauzlini berichtet ist, Gauzlinus den Turm von Fleury als ein Modell für ganz Gallien geplant hatte, so ist dieser stolze Wunsch mindestens insoweit in Erfüllung gegangen, als Westtürme gleichartigen Aufbaus im 11. Jahrhundert und zu Beginn des 12. allenthalben im westlichen Gallien errichtet wurden. Des Gauzlinus Bauidee war jedenfalls die des Jahrhunderts, oder sie ist es geworden. Ob das der wahrscheinlich erst nach 1150 vollendete Turm hat werden können, ist freilich fraglich. Es ist aber denkbar, wenn auch nicht zu beweisen, daß des Gauzlinus' Turmbau-Idee schon vor ihrer Verwirklichung durch Skizzen und Beschreibungen bekannt, ja vielleicht von dem ehrgeizigen Abt mehr oder weniger propagiert worden ist. Wir kennen allerdings keine der einst gewiß existierenden Planskizzen, in denen Bauherren ihre Bauwünsche fixiert haben – mit Ausnahme des berühmten Sankt Galler Plans, der ja gewiß kein Ausführungsplan war, sondern ein von dem Bauherrn, vielleicht zusammen mit dem Architekten entworfenes Bauprogramm.[161] Wie eng die Kontakte zwischen den Abteien waren, geht aus der Gleichartigkeit der ikonographischen Programme hervor, die doch offenbar von den Klerikern gemacht waren. Ja, diese mochten auch an der Vermittlung der Kompositionsschemen, im besonderen für die Kapitellskulpturen nicht unbeteiligt gewesen sein. Von den Buchmalereien, mit denen sie oft übereinstimmen, dürften die Bildhauerateliers kaum eigene Kenntnis gehabt haben.[162] Sollten nicht auch Bauprogramme unter den Abteien ausgetauscht worden sein? Unsere Hypothese erklärte, warum in der Vita Gauzlini mit Nachdruck gesagt wird, Gauzlinus habe ein Modell für ganz Gallien schaffen wollen.

Die Bauidee des Gauzlinus hat in dem Westturm der Abteikirche von Moissac (Tarnet-Garonne) eine ihrer großartigsten Verwirklichungen gefunden.[163] Er wurde von dem Abt Rogerius begonnen, der dieser bedeutendsten Abtei des Languedoc 1115–1131 vorstand, und erhebt sich über einem fast quadratischen Grundriß, dessen östliche und westliche Seitenlänge die (äußere) Breite des Langhauses von fast 20 m hat [Fig. 76, 77]. Der Erdgeschoßraum (Narthex) mißt infolge der unterschiedlichen Stärke des Mauerwerks in der Nord-Süd-Richtung rund 16 m, in der West-Ost-Richtung rund 14 m. Das Gewölbe der Erdgeschoßhalle wird von zwei, eine Kreuzrippe ohne artiku-

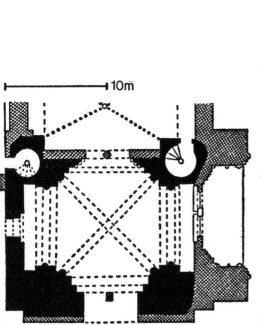

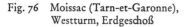

Fig. 76   Moissac (Tarn-et-Garonne),
Westturm, Erdgeschoß

Fig. 77   Moissac (Tarn-et-Garonne),
Westturm

lierten Schlußstein bildenden Diagonalbögen und seitlich von abgetreppten Schildbögen getragen. Die den Raum in gedrückten Bögen überspannenden Rechteckrippen steigen von kurzen stämmigen Wandsäulen auf, die in die Ecken der abgetreppten Mauermassen gestellt sind.[164]

Zum Langhaus – das romanische besteht nicht mehr – ist das Vestibül durch eine doppelte Dreipaßarkade unter einem in der Art der limousiner Portale von drei Wülsten gerahmten leeren Tympanon geöffnet. Das Hauptportal mit dem großen skulpierten Tympanon (Majestas Domini mit den vierundzwanzig Alten der Apokalypse s. S. 152), liegt in der Vorhalle, die der Südseite des Turms vorgebaut worden ist, als das dreischiffige Langhaus durch ein einschiffiges kuppelgedecktes ersetzt wurde.[165]

Der über Spindeltreppen in den Ostpfeilern des Turms zu erreichende Obergeschoßraum hat ein fast waagrechtes Gewölbe, das auf den Übermauerungen von zwölf starken kantigen Rippen ruht. Diese steigen von Wandsäulen auf, die den Pfeilern der

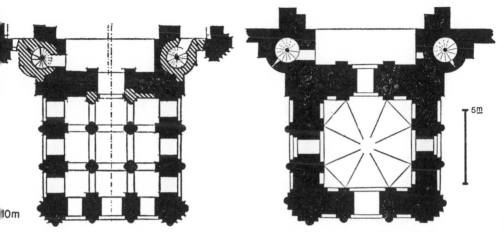

Blend-(Schild-)Bögen vorgesetzt sind bzw. in den von diesen gebildeten Ecken stehen. Die Rippen enden an dem ebenfalls kantigen Ring eines Oculus. Die Blendbögen, die keinen artikulierten Kämpfer haben, rahmen zwei Öffnungen: die oberen licht-spendenden Fenster und die unteren schmalen hohen Pforten, die zu dem Wehrgang führen, der gegen Mitte des 12. Jahrhunderts hinzugefügt wurde. Über die Bestimmung des Etagenraums ist nichts überliefert. Doch deuten drei jetzt vermauerte, einst zum Langhaus offene Arkaden darauf hin, daß auch in Moissac der Raum über dem Vestibül ein Oratorium war [133, 134].

Die nicht erst in der gotischen Epoche, sondern schon im romanischen Turmbau des Westens sich zeigende Tendenz, mit allen Mitteln architektonischer Gestaltung eine aufwärts strebende Bewegung in die Baumassen zu bringen, wird in großartiger Weise in dem Vorhallenturm der Abteikirche von Lesterps (Charente)[166] offenbar, der in den Jahrzehnten zwischen einem Kirche und Klosterbau 1040 vernichtenden Brand und der Weihe der Kirche 1094 erbaut worden ist. Sein Aufbau entspricht ganz der Bauidee des Gauzlinus [131; Fig. 80]. Der Vorhallenturm erscheint hier in der bis in die gotische Epoche typischen Gestalt, die prinzipiell gleicher Art ist wie die des Turms von Saint-Benoît-sur-Loire, von Moissac und anderer Vorhallentürme.

Der Grundriß des Erdgeschosses läßt dieselbe Aufteilung wie im Gauzlinus-Turm erkennen. Durch vier innere kreuzförmige Pfeiler und durch Gurtbögen auf vorgelegten Säulen ist auch in Lesterps das Vestibül in neun quadratische Felder aufgeteilt [Fig. 78]. Diese Aufteilung tritt aber nicht wie in Saint-Benoît auch in der Deckenzone in Er-scheinung. Denn dort sind die quadratischen Felder mit Kreuzgratgewölben gedeckt [Fig. 74]. In Lesterps dagegen sind es Tonnengewölbe [132]. Durch sie wird das Vestibül in drei Schiffe geteilt, ein höheres mittleres, zwei niedrigere seitliche. In Saint-

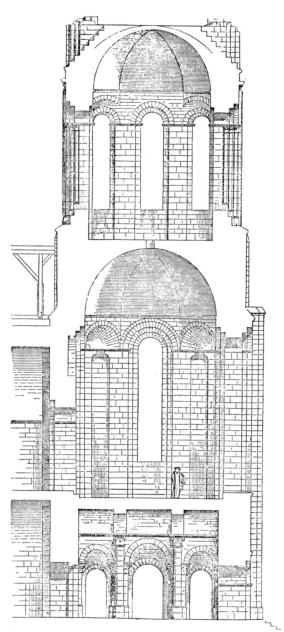

Fig. 80   Lesterps (Charente), Westturm

Fig. 81   Vendôme (Loir-et-Cher),
La Trinité, Westturm

Benoît stehen die Brüstungen der Obergeschoßöffnungen dicht über den äußeren Bögen des Erdgeschosses, da die Scheitel der Kreuzgratgewölbe kaum höher liegen als die der Arkaden. Nur eine schmale Gesimsleiste zwischen den Wandstreben kennzeichnet die Geschoßteilung. In Lesterps aber steigen die Tonnengewölbe von einer Kämpferlinie auf, die erheblich höher liegt als die der Arkaden. So ergibt sich zwischen den Erdgeschoß- und Obergeschoßöffnungen eine breite leere Mauerzone, die in der Fassade wie eine Etage in die Erscheinung tritt, aber doch nur ein Schein- oder Blendgeschoß ist, wenn man es so nennen will.

Der Raum über dem Vestibül hat auf jeder freien Turmseite eine überaus schlanke Öffnung zwischen gleich hohen Blendarkaden. Durch diese steilen Öffnungen und Blenden kommt in den Turm eine aufwärts strebende Bewegung. Sie wird durch die Wandsäulen verstärkt wirksam, die zwischen den Erdgeschoßarkaden von einer zylindrischen Basis ohne Unterbrechung bis zum oberen als Scheibenfries ausgebildeten Gesims aufsteigen. Knapp über diesem Gurtgesims enden die Wandsäulen mit jener konischen Zuspitzung, in die auch die Mauerstreben im Schiff von Saint-Germain-des-Prés in Paris [Fig. 7], am Langhaus von Saint-Remi in Reims, an den Chören von Morienval (Oise) und Saint-Germer (Oise) auslaufen. Die mehrfach abgekanteten Eckpfeiler sind mit den ihnen vorgesetzten Wandsäulen ebenfalls bis zu diesem Gurtsims hochgeführt. Es folgt dann eine geschlossene Mauerzone, ein ›Scheingeschoß‹. Hinter ihm liegt die Trompenkuppel der ersten Etage [Fig. 80]. Das ebenfalls gewölbte Glockenstuhlgeschoß darüber ist zurückgesetzt. In seinen schlanken Öffnungen – auch sie mit abgetreppten Gewänden – setzt sich die vertikale Gliederung bis zum Helmansatz fort. Rechteckige Aufmauerungen über den Ecken, von dem modernen Zeltdach verdeckt, sind wahrscheinlich die Basen für Ecktürmchen, mit denen wie in Déols (Indre) die Kegelhelme oder wie zumeist die zurückgesetzten oktogonalen, seltener – wie in Fénioux (Deux-Sèvres) – zylindrischen Glockenstuhlgeschosse umstellt sind (s. S. 133 f.).

Die Vorhallentürme, für die der in Lesterps exemplarisch ist, sind Abkömmlinge der karolingischen Westwerke, mögen sie mit ihren Ur- und Ururvätern auch nur noch eine entfernte Ähnlichkeit haben. Doch haben auch sie noch immer über der Eingangshalle ein Oratorium. Auch wo dafür so sichere Anzeigen fehlen wie die Wandgemälde in der Turmetage von Saint-Savin-sur-Gartempe (Vienne), die Fragmente eines Altars in Saint-Genest in Lavardin (Loir-et-Cher) oder die ein angevinisches Rippengewölbe tragenden karyatidenartigen schlanken Apostelfiguren in Saint-Aignan (Loir-et-Cher), darf das angenommen werden.[167]

Die fast immer beträchtliche Höhe dieser stets gewölbten Räume in den Vorhallentürmen – in Saint-Savin-sur-Gartempe beträgt sie 15 m – ist wohl kaum aus ihrer kultischen Funktion allein zu erklären. Mitbestimmend für ihre Höhe war ein konstruktiver Umstand: es sollte der Anschluß an die Höhe des Mittelschiffs gewonnen werden. So liegt auch in Lesterps die geschlossene Mauerzone, jenes durch die Kuppelwölbung bedingte ›Scheingeschoß‹, auf dem Niveau des Dachstuhls des Langhauses [Fig. 80]. Im übrigen und vor allem aber wollte man die Türme nicht nur hoch bauen, sondern ihre Höhe auch mit allen Mitteln architektonischer Gestaltung imponierend in die Erscheinung treten lassen. Der Vertikalismus ist ein Mittel der Repräsentanz. Daß er religiös motiviert war, ist wohl nur eine romantische Interpretation. Die Kirchen waren ja nicht nur Werke der Frömmigkeit und des Volksglaubens. Am wenigsten waren sie das in der Feudalgesellschaft der romanischen Epoche. Sie waren vor allem Monumente machtpolitischer Potenz der klerikalen Aristokratie. In dieser Hinsicht unterscheidet sich die romanische Architektur nicht von der merowingisch-karolingischen – oder nur dadurch, daß diese in breitgelagerten Baumassen Symbole klerikaler Macht schuf – wie im Osten auch noch die romanische Epoche in den Westmassiven von Speyer [Fig. 71], Wimpfen, Gandersheim, Freckenhorst [164], Minden, Maastricht, Havelberg [160] usw. –, während im Westen ein vertikaler Aufbau und eine reiche strukturelle Gliederung der Baumassen zu Mitteln der Repräsentanz wurden: nicht nur bei den Vorhallentürmen und später bei den Zweiturm-Fassaden, sondern ebenso bei den Vierungstürmen, auf die selbst bei kleineren Kirchen selten verzichtet wurde. Von markanten westromanischen Vierungstürmen seien genannt die in Courcôme und Montmoreau in der Charente, in Aulnay in der Saintonge, Vouvent in der Vendée, die Türme von Saint-Sernin in Toulouse, von Sequeville, Falaise, Thaon, Saint-Etienne in Caen, Ouistreham im Calvados. In Spanien sind überaus aufwendige Vierungstürme gebaut worden, z. B. in Toro [96], Salamanca, in Britannien auch über flach gedeckten Vierungen (Sanct Albans, Tewkesbury, Norwich, Ely [161] usw.)

Der Aufbau der Türme und ihre vertikale Gliederung stehen in einem engen Zusammenhang mit der Wölbung ihrer Räume. Das ist an unserem Exempel, dem Turm von Lesterps, höchst evident. Die Wölbung ist die konstruktive Voraussetzung für den Wechsel von echten und Scheingeschossen und der konstruktive Anlaß für die die Turmkanten prononcierenden Rechteckstreben mit ihren vorgesetzten Säulen, Wandsäulenbündeln und in welcher Gestalt die den Gewölbeschub aufnehmenden Wandpfeiler immer auftreten. Wo die Türme – wie die ost- und südromanischen – allenfalls nur im Erdgeschoß gewölbt, die Geschoßkuben aber holzgedeckt sind, fehlen diese Streben, Wandsäulen, Säulenbündel, die Rücksprünge von Geschoß zu Geschoß, die kräftigen Konsolengesimse – kurz all das, was in die westromanischen Türme die starken Kontrastwirkungen, eine Dynamik und aufstrebende Bewegung bringt. Durch eine Gliederung nur der Maueroberflächen kann das nicht bewirkt werden. Auch die absolute Höhe ist nicht entscheidend. In den durchgliederten schweren, wuchtigen Turmblöcken der westromanischen Architektur wird eine aufstrebende Bewegung ebenso spürbar – in den Türmen von Cunault (Maine-et-Loire), Sainte-Croix in Bordeaux, in dem Vierungsturm der Abbaye-aux-Dames in Saintes und in dem Turmstumpf der Prioratkirche in Thézac (Charente-Maritime).

## Die westromanischen Türme mit Blendgiebeln

Neben den bis zum Helmansatz quadrigonalen Türmen treten Vorhallen- und Vierungstürme in Westfrankreich häufig auch in etwas anderer Gestalt als z. B. in Lesterps auf. Vor dem letzten, manchmal schon vorletzten Geschoß tritt ein Wechsel vom Vierkant- zum Achtkantkörper oder Zylinder ein. Die dadurch frei gewordenen Ecken des letzten Vierkant-Geschosses sind bei Vierungstürmen öfter einfach dreikantig abgeschrägt – zum Beispiel in Mauriac (Cantal), Brioude (Haute-Loire), Plassac (Charente), Conques (Aveyron). Wir finden die selbe einfache, für die Ableitung des Regenwassers zweifellos sehr günstige Lösung auch in der östlichen romanischen Architektur, z. B. in Le Thor (Vaucluse), in Cruas (Ardèche) – dort mit Aufsätzen in der Form eines halben Zeltdaches –, häufig auch im Elsaß (Gebweiler, Rosheim, Rufach, Sankt Fides in Schlettstadt, Westturm von Dompeter).

In Westfrankreich aber sind, besonders bei Glockentürmen, die Ecken des letzten quadrigonalen Geschosses, die beim Wechsel zu oktogonalen oder zylindrischen Geschossen oder bei unmittelbar dem Vierkantblock aufgesetzten Kegel- oder achtkantigen Helmen frei bleiben, in der Regel mit verschiedenartigen Aufbauten, häufig mit Laternentürmchen besetzt. Auch wenn diese bei späteren Restaurationen ergänzt und deswegen öfter gewiß nicht bis ins Detail authentisch sind, entspricht die Komposition der Körper doch dem originalen Zustand. So auch bei dem Turm von Saint-Aubin in Angers [135]. Dort ist 1904/05 von Lucien Magne die Komposition nach einer zwar erst aus der Zeit um 1200 stammenden, also um rund fünfzig Jahre jüngeren Vorlage, der ursprünglichen architekturalen Intention aber durchaus gemäß rekonstruiert worden: die aufwärts drängende Bewegung, die in den Eckstreben, die ohne wesentliche Unterbrechungen durch schmale Gesimse bis zur Plattform des Vierkantkörpers aufsteigen, empfindbar wird, soll in diesen spitzhelmigen Achtecktürmchen ausklingen. Zugleich aber spielen diese Türmchen eine Vermittlerrolle für den Übergang vom quadrigonalen zum oktogonalen oder zylindrischen Block. Beide struktural formalen Funktionen sind in gleichartigen und ungefähr gleichzeitigen Türmen zum Ausdruck gebracht – in den Türmen von Saint-Germain in Auxerre (Yonne), von La Trinité in Vendôme (Loir-et-Cher) [141; Fig. 81], von Notre-Dame in Étampes (Seine-et-Oise) [142] und am meisterlichsten in dem südlichen Fassadenturm der Kathedrale von Chartres [140].

Die soeben erwähnten Türme sind Schöpfungen des 12. Jahrhunderts. Der Turm von Saint-Aubin ist 1130 begonnen, 1154 vollendet, der Turm von Chartres 1145 begonnen, 1170 vollendet worden. Die Bauzeit der anderen Türme fällt in dieselben Jahrzehnte. Mit Ausnahme des chartrainer Turms, der mit dem Nordturm, dessen Unterbau sogar noch etwas älter ist, als Glockenturm einer Zweiturmfassade geplant war, stehen andere Türme in einem nur lockeren Zusammenhang mit dem Langhaus. Der Turm von Saint-Aubin wurde als isolierter Festungs- und Glockenturm der vor den Mauern der Stadt von Angers gelegenen Abtei gebaut. Zwischen ihm und der Kirche bestand eine schmale Passage. Von dem Turm von La Trinité in Vendôme hat Gabriel

Plat[168] angenommen, er sei durch eine Vorhalle mit der Kirche verbunden gewesen. Sowohl Grabungsbefunde (von 1922) wie der auf der Ostseite angebaute Treppenturm aber vermögen diese These nicht zu stützen, wie das René Crozet sehr überzeugend dargelegt hat.[169] Der Turm steht auch weder zur romanischen Kirche noch zur jetzigen des 14. Jahrhunderts, in der nur das Querschiff vom romanischen Bau erhalten ist, in einer axialen Beziehung. Er war eben von Anfang an als isolierter Glockenturm errichtet worden.[170]

Der Turm in Vendôme unterscheidet sich im Aufbau der übereinander liegenden kuppelgewölbten Geschosse von den Vorhallentürmen nicht wesentlich [vgl. den Schnitt Fig. 81]. Nur tritt gegenüber den Türmen von Lesterps, Lavardin, Saint-Aignan aus dem 11. Jahrhundert an ihm, wie im 12. Jahrhundert häufig, in den oberen Geschossen ein Wechsel vom Vier- zum Achtkant ein. Dieser ist entscheidend für die graziöse Erscheinung, durch die sich die Türme in West-, im besonderen in Südwestfrankreich dem romanischen Osten und Süden gegenüber auszeichnen. Die gotische Epoche hat diese romanische Turmgestalt aufgegriffen, weiter entwickelt, in ihrem Geiste neu belebt. Sie hat weniger prinzipiell neue Formen und Konstruktionen – im Turmbau, nicht im Langhausbau! – geschaffen, als die romanischen Gliederungselemente noch stärker vertikalisiert und ins Expressive gesteigert. Wesentliche Formen hat sie unmittelbar vom romanischen Turmbau übernommen wie die um den Helm herumgestellten Aufbauten, zum Beispiel in den Türmen der Kathedralen von Sées (Orne), Quimper (Finistère), Senlis (Oise), in den Türmen der Kirchen von Vernouillet (Seine-et-Oise), Bernières (Calvados), Saint-Pierre in Caen. Der Turm von Saint-Aubin in Angers, bei dem die Eckstreben sich in den das Glockengeschoß umstehenden Türmchen unmittelbar fortsetzen, hat nächstverwandte Nachfolger gefunden in den Türmen von Saint-Michel-des-Lions und Saint-Pierre-du-Queyroix in Limoges [136] und in den grandiosen Türmen von Laon [143].

Im Limousin begegnet uns eine besondere, vom Vier- zum Achtkant überleitende Form: der Blendgiebel, der eine rundbogige Öffnung des oktogonalen Aufbaus umschließt und oft bis zur Höhe des letzten Geschosses bis zum Helmansatz oder noch darüber hinaus aufragt. Diese Blendgiebel, die entweder vor die Kanten oder vor die Seiten der Achteckgeschosse gestellt sind, erscheinen an vier in ihrem ursprünglichen Zustande erhaltenen Türmen des Limousin – an den Vierungstürmen in Collonges und Uzerche, an dem Vorhallenturm von Saint-Junien und an dem prachtvoll durchgliederten Turm von Saint-Léonard-de-Noblat (Haute-Vienne), der der Nordseite des Langhauses vorgebaut ist [139]. Für einen fünften Turm im Limousin, den Westturm der 1791 zerstörten Abteikirche Saint-Martial in Limoges, sind sie durch eine Zeichnung des 18. Jahrhunderts bezeugt. Auf Grund konstruktiver Besonderheiten in den drei unteren, noch romanischen Geschossen darf man sie auch für den in gotischer Zeit erneuerten Turm der limousiner Kathedrale annehmen.[171] Diese Blendgiebel werden daher als eine Originalität des Limousin und als eine dort vielleicht entstandene, jedenfalls stark bevorzugte Form angesehen.[172]

Aber nicht immer übernehmen diese Blendgiebel die Rolle einer zwischen Vierkant und Achtkant vermittelnden Überleitungsform. Wir finden sie schon früh an einem Turm, der mit seinen (nur außen als solchen in die Erscheinung tretenden) fünf Geschossen bis hinauf zum steinernen Pyramidenhelm als ein massiver, robust durchgliederter rektangulärer Block aufsteigt – an dem Turm in Brantôme (Dordogne) [138; Fig. 82], der als einziger Rest der romanischen um 1070 erbauten Abteikirche erhalten geblieben ist.[173] Seine Masse erhebt sich an einem steilen Felshang mit durch kräftige Gesimsbänder artikulierten breiten Rücksprüngen zur Höhe von 35 m. Auf dem dritten Rücksprung, dem über dem ersten Obergeschoß, das nach drei Seiten mit je zwei Doppelarkaden unter einem Entlastungsbogen geöffnet ist, stehen die Pfeiler einer Rundbogenöffnung, die mit einem 7 m hohen Blendgiebel überbaut ist, dessen Spitze bis vor das oberste Geschoß aufragt. Dieser Blendgiebel fehlt auf der Felshangseite, auf der die Geschosse bis zu den zwei letzten allseits durch Schallarkaden offenen Geschossen völlig geschlossen geblieben sind.

Viollet-le-Duc hat in dem Turm von Brantôme den Prototyp der limousiner Türme mit Blendgiebel gesehen.[174] Auch wenn in Brantôme dieser Blendgiebel zum erstenmal aufgetaucht wäre, besteht zu den jüngeren limousiner Türmen doch ein wesentlicher Unterschied. In Brantôme hat der Blendbogen nicht dieselbe struktural-formale Funktion wie an jenen. Er tritt nicht am Übergang vom Vierkant zum Achtkant auf. Die zwischen diesen vermittelnde Rolle übernimmt er dagegen in den limousiner Türmen. Wahrscheinlich hat er diese Funktion zum erstenmal am Turm der Kathedrale von Limoges übernommen. Da dieser Turm noch etwas älter als der von Brantôme zu sein scheint – völlige Sicherheit besteht hier nicht –, könnte er das weithin wirksam gewordene Vorbild für die Türme mit Blendbögen vor den oberen oktogonalen Geschossen gewesen sein. Die Frage nach der Priorität ist wohl nicht eindeutig zu entscheiden, also auch nicht, ob diese Giebel eine Formfindung sind, die in der Absicht, die harte Zäsur beim Übergang zu oktogonalen Obergeschossen zu mildern, ihren Ursprung hat. Sie treten übrigens auch an späteren bis zum Helmansatz quadrigonalen Türmen auf, in Le Puy (Haute-Loire) [Fig. 83], an dem der Kathedrale und an dem ihm nachgebauten, aber nicht in allen Details ihm gleichenden von Saint-Michel-d'Aiguilhe.[175] Bei dem Turm der Kathedrale krönt der Giebel einen auf dem Rücksprung des dritten Obergeschosses wie eine Platte aufgemauerten, dem Kern vorgemauerten flachen Vorsprung (vgl. den Schnitt, Abb. 83). Es ist also das Körperhafte der aufragenden Mauer nachdrücklich betont.

Wir finden die Blendgiebel vor den Achteckgeschossen auch nördlich der Loire. Am Turm von La Trinité in Vendôme und am Turm von Notre-Dame in Étampes [141, 142; Fig. 81] ragen sie vor den mit den Vierkantgeschossen parallelen Seiten des achtkantigen obersten Geschosses zwischen den Eck-Laternentürmchen auf. In Étampes ist durch die nachträgliche Erhöhung des Turms, bei der die Ecktürmchen ein drittes Geschoß erhielten und die obere Hälfte des Blendgiebels abgeschnitten wurde, die Komposition verunklärt. Am formenreichsten und harmonischsten sind die oberen

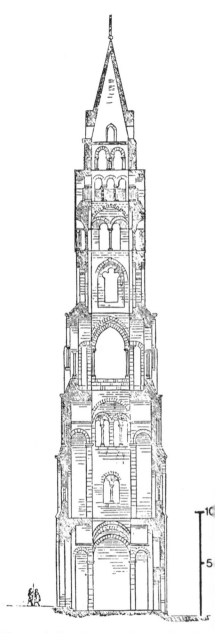

Fig. 82   Brantôme (Dordogne)

Fig. 83   Le Puy (Haute-Loire), Kathedrale

Turmgeschosse in Chartres gestaltet. Dort stehen an den Ecken nicht Laternentürmchen, sondern mit ihrem spitzen Pyramidenhelm zwei Geschosse hohe vierkantige Türme mit einer schlanken Öffnung. Deren Pfeiler stehen mit den ihnen vorgesetzten Säulen auf den Eckstreben, und vor den Helmen ragt ein Blendgiebel frei auf. Das Motiv des großen Blendgiebels, der mit seiner Spitze und oberen Öffnung über den Helmansatz hinaus aufsteigt, ist also bei den Ecktürmchen wiederholt. Der Hochdrang der Rechteckstreben in den Turmecken und in der Mitte der Turmfassaden wird von den Türmchen und Giebeln aufgenommen und klingt in spitzen Dreiecken aus[176] [140].

Gewiß sind diese Blendgiebel dekorative, wenn auch sehr entschieden struktural empfundene dekorative Formen. Sie sind das aber – oder sie waren das wenigstens ursprünglich nicht nur. René Fage hat nachgewiesen, daß sie als Widerlager für die Turmgewölbe auch eine konstruktive Funktion übernehmen.[177] Aber welche Bedeutung sie als konstruktive Elemente immer haben oder ursprünglich gehabt haben mögen, man wird sie vor allem als Ausdruck eines architektonischen Denkens und Empfindens verstehen müssen, das die aktive tragende Funktion der Mauer durch deren strukturelle Durchgliederung nachdrücklich in die Erscheinung treten zu lassen bestrebt ist – eines architektonischen Denkens und Empfindens, das in einem radikalen Gegensatz steht zu der in der ostromanischen Architektur so deutlich hervortretenden Auffassung der Mauer als einer flächigen kompakten Masse, deren wesentlich passive raumabschließende Funktion stets betont wird. Wie sehr in der westromanischen Architektur die Mauer in einem ganz anderen Sinne körperhaft, als körperhafte Platte empfunden ist, bezeugen die nicht nur an den Fassaden, sondern auch zwischen Chor- und Apsiskörper über die Schrägen der Satteldächer hinaus aufsteigenden Mauern – so bei Saint-Pierre in Aulnay-de-Saintonge [154], bei den auvergnatischen Kirchen von Saint-Nectaire, Saint-Saturnin, Issoire, Notre-Dame-du-Port in Clermont-Ferrand, bei den Kirchen von Néris, Huriel, Chantelle, Cognet im Allier, bei der Kirche von Paray-le-Monial und kleineren Kirchen in Burgund. Peter Meyer hat gewiß recht, wenn er die Blendgiebel an den Türmen in einen Zusammenhang mit diesen über die Dächer hinaus aufsteigenden Mauern bringt und meint, es seien »die Gelegenheiten geradezu gesucht worden, um aufragende Blendgiebel zu entwickeln an Stellen, wo überhaupt keine Giebel nötig wären«, es werde – es sei an den Blendgiebel am Kathedralenturm von Le Puy erinnert – der »brettartige Charakter der Giebelmauer auf das raffinierteste unterstrichen und klargelegt«. Ohne die Blendgiebel an den Türmen zu erwähnen, fährt er fort: »Hier kündigt sich ein Motiv an, das in der Gotik eine große Rolle spielen wird: der Wimperg, die Verwendung von Giebelformen als Ausdruck des freien Aufragens, abseits aller technischen Notwendigkeit.«[178] Welche Rolle konstruktive Überlegungen bei der Formfindung immer gespielt haben mögen – an den Feststellungen von René Fage zu zweifeln, besteht kein Anlaß –, dafür, daß in dem Spielraum, den die Erfüllung jeder technisch-konstruktiven Notwendigkeit der Formfindung läßt, die Widerlager für die Turmgewölbe als frei aufragende Giebel gebildet wurden, waren jedenfalls nicht mehr praktische Überlegungen entscheidend. Die Form wurde durch ein sinnliches Verhalten bestimmt, dem die Betonung des Plattencharakters der Mauer gemäß, ja selbstverständlich war. Das hat dann auch dazu geführt, daß Blendgiebel gebaut wurden, wo sie aus konstruktiven Gründen nicht notwendig waren, wie ganz gewiß bei den Ecktürmchen des Turms in Chartres. Sie erfüllen dort aber dieselbe struktural-formale Funktion wie die in der Etage von Saint-Benoît, den Fenstergewänden und Pfeilern, in Lesterps den Rechteckstreben vorgesetzten Säulen, wie die Ecktürme von Saint-Aubin in Angers, von Saint-Pierre-du-Queyroix in Limoges und der Kathedrale von Laon. Sie sind Mittel, den Baukörper zu dynamisieren, einen von Geschoß zu Geschoß aufwärts treibenden Bewegungsstrom in den Baumassen empfindbar zu machen.

## Die ost- und südromanischen Türme

Grundverschieden von den Türmen des Westens sind die Türme des östlichen und südlichen Abendlands. Das für die ost- und südromanische Architektur charakteristische architektonische Empfinden kommt gerade auch in der Gestalt der Türme zum Ausdruck. Wie in der ostromanischen Architektur die Räume »wie Schachteln aneinandergerückt« werden (vgl. Seite 54 f.) – und in der südromanischen ist es nicht wesentlich anders –, werden bei den Türmen gleichartige, zumeist auch gleichhohe Geschoßkuben (selten Geschoßzylinder) übereinander geschichtet. Auf diese Weise sind großartige monumentale Blöcke entstanden – es sei an die zinnenbekrönten Glockentürme im Roussillon erinnert [146] – oder auch gestreckte schlanke Kuben mit oft prachtvoll ausgewogenen vertikalen Gliederungen der Mauerfläche, mit vortrefflich proportionierten Öffnungen und Blendarkaturen (die Türme von Sant'Ambrogio in Mailand, Sant'Abbondio in Como, San Martino, San Michele und San Frediano in Lucca [148], in Pomposa, Sant'Antimo bei Montalcino [149], San Giorgio in Velabro in Rom usw). Die Geschoßteilung ist meist durch Bogen- oder andere Friese kenntlich gemacht. Manchmal sind die unteren Geschosse völlig ungegliedert und nur durch schmale Mauerschlitze geöffnet (wie bei den den Chor der Kathedrale von Speyer flankierenden Türmen). Die obersten Geschosse, und immer die Glockenstuhl-Geschosse, haben größere, meist gekuppelte Öffnungen (Schallarkaden). Das Mauergliederungsschema des premier art roman tritt in verschiedenen Variationen als dekorative Belebung der Mauerflächen auf. Die Vertikale ist durch Ecklisenen betont, die ohne Unterbrechung von einem niederen Sockel bis zum Helmansatz durchlaufen. Beim Campanile von Torcello (Venedig) sind die Geschosse nur durch enge Mauerschlitze geöffnet und zwischen Ecklisenen läuft eine schmale Mittellisene ohne Unterbrechung bis zu den vierteiligen Klangarkaden hoch. Ähnlich gegliedert sind die Mauerflächen des Turms von San Siro in Capo di Ponte (Brescia) und von San Geremia in Venedig. In Murano (Venedig) haben die Turmseiten hohe schmale Blendarkaden. In ähnlicher Art ist die Vertikale in Brauweiler (Rheinland) und in Chapaize (Saône-et-Loire) betont. Immer aber bleibt es bei einer seicht reliefierten Flächengliederung. Die Mauermasse selbst ist nicht aktiv durchlebt, nicht durch Streben strukturell durchgliedert und dynamisiert wie im Westen. Zumeist sind denn auch die Turmseiten in quadratische oder fast quadratische Rechteckfelder aufgeteilt, wodurch auch die leiseste Spur von einem Vertikalismus unterdrückt wird und noch die höchsten Türme etwas blockhaft Ruhendes haben. Dieser Eindruck wird noch dadurch verstärkt, daß die Gewände der Öffnungen ungegliedert oder doch nur schwach gegliedert sind und jedes obere Geschoß gegen das untere nicht zurückgesetzt ist – von ganz wenigen Ausnahmen wie dem prachtvoll proportionierten Vierungsturm von Saint-Trophime in Arles (Bouches-du-Rhône) [147] und dem Turm von Brauweiler abgesehen, wo die Geschosse allerdings fast unmerklich gegeneinander abgestuft sind.[179] Eine starke Zurücksetzung nur des obersten Geschosses, oft verbunden mit einem Wechsel vom Vier- zum Achtkant, gibt es manchmal, im besonderen bei den Normannenbauten in Süditalien (Trani, Cefalù, Monreale). Erst die Aufnahme und Verarbeitung westromanischer Gliederungselemente hat in spätestostromanischer Zeit zu einer freieren Gestaltung der Türme geführt – bei den Türmen am Bamberger Westchor (und danach bei den Türmen von Naumburg). Aber auch da hat sich das der ostromanischen Architektur eigene Empfinden nicht zu verleugnen vermocht. Die Bamberger (und Naumburger) Türme weichen von ihrem Vorbild, den Türmen von Laon, gerade darin ab, daß sie das für diese und das westromanische Empfinden Charakteristische nicht übernehmen: die zwei Geschosse verzahnenden hohen schmalen Öffnungen, die bei den laonnoiser Türmen der so reich artikulierten rhythmischen Bewegung den entscheidenden Akzent geben. In Bamberg und Naumburg sind die Geschosse wie bei den anderen ostromanischen Türmen gleichmäßig übereinander geschichtet. Nur der in westlichen Ateliers geschulte Bildhauer der Bamberger Marienstatue hat in dem diese überdachenden Baldachin die Bauidee von Laon sinngemäß wiedergegeben [143–145].

In den burgundischen Türmen – Cluny, Paray-le-Monial, La Charité-sur-Loire, Vierungs- und NW-Turm (›le petit clocher‹) von Saint-Philibert in Tournus – sind die Geschoßkuben zwar auch ziemlich gleichmäßig übereinander geschichtet [34, 35]. Die Turmmauern sind aber kraftvoll durchgliedert, ihre Öffnungen abgetreppt, die Geschosse gegeneinander abgesetzt. An den Türmen zeigt sich ebenso wie im Aufbau von Mauer und Wand und in der Gestaltung der Räume, daß im 12. Jahrhundert der westromanische Gliederungsstil weiter nach Osten vorgedrungen ist, der ostromanische Stil von ihm gleichsam überrollt wurde. Die burgundischen Türme des 11. Jahrhunderts – in Chapaize, Uchizy, die Türme der alten Kathedrale von Mâcon und zahlreicher Dorfkirchen – sind noch typisch ostromanisch. Weiter nach Osten hin, im Rheinland sind die Türme im 12. Jahrhundert durch die Übernahme westromanischer Gliederungselemente zwar reicher gestaltet, diese aber doch mehr bloß dekorativ verwendet, und aus horizontal geschichteten Geschoßkuben aufgebaut (Türme von Sankt Gereon in Köln, von Sankt Kastor in Koblenz, Fassadentürme der erst um 1250 vollendeten Stiftskirche in

Limburg an der Lahn). Die ostromanischen Türme haben wie auch die südromanischen meist einfache Pyramidenhelme. Häufig enden die Turmseiten in den im Osten so häufigen Giebeln der Faltdachhelme.

## Anglo-sächsische Türme

Es sei hier ein Exkurs über die Türme der vornormannischen Architektur in Britannien angeschlossen. Ihre Mauerflächen sind noch in bedeutend seichterem Relief dekorativ gegliedert als in der ost- und südromanischen Architektur, sofern sie nicht wie der Turm von Sanct Thomas of Canterbury in Clapham (Bedfordshire) und die irischen Rundtürme von Clonmacnois völlig ungegliedert geblieben sind. Bei diesen anglo-sächsischen Türmen [156] treten an die Stelle von Ecklisenen noch weniger als diese aus der Bruchsteinmauerfläche vorspringende Kantenmauerungen aus in regelmäßigem Wechsel von aufeinandergesetzten langen und kurzen Hausteinen, dem in der englischen Archäologie sogenannten long-and-short-Verband. Die Flächen der gedrungenen stämmigen Turmblöcke sind durch Rundbögen oder durch Dreieckgiebel miteinander verbundene vertikale Steinleisten netzartig übersponnen. Manches an dieser Dekoration erinnert an Holzbaukonstruktionen und dürfte von ihnen übernommen sein. Am Turm von Earls Barton (Northamptonshire) zum Beispiel sind Dreiecke so übereinandergestellt, daß die Leisten wie die Kreuzstreben des Riegelbaus ein X-förmiges, sogenanntes Andreaskreuz bilden. Die am unteren und oberen Ende der vertikalen Steinleisten etwas vorstehenden Steinquadern am Turm von Sanct Peter in Barton-upon-Humber (Lincolnshire) sind in Stein übertragene Balkenköpfe. Jedenfalls sind sie nicht Basen und Kapitelle rebarbarisierter antik-klassischer Säulen. Daß diese Leisten auf den Scheitel von Rundbögen gestellt sind, ist eine ebenfalls vom Fachwerkbau übernommene, mit einem dekorativen Effekt verbundene Konstruktion. Wenn wir auch an der ins Ende des 12. Jahrhunderts zu datierenden Westfassade und Apsis von Sankt Fides in Schlettstadt (Elsaß) [8] ebenso auf den Bogenscheitel gestellte Säulchen finden, dürfte das kaum auf den Holzbau zurückzuführen sein, sondern lediglich der Ausdruck einer sich über alles strukturelle Gefühl hinwegsetzenden dekorativen Phantasie. Dagegen wird man die Ornamente am Giebel des Querschiffarms von Notre-Dame-du-Port in Clermont-Ferrand [158] und anderen auvergnatischen Kirchen [157] oder den Fries an der Westfassade der Kathedrale von Le Mans als eine an Figuren des Holzbaus angelehnte Dekoration ansehen dürfen, die in die Flächen eines strukturell klar gegliederten Mauerwerks gesetzt sind. In der ostromanischen Architektur aber stammt die Mauerflächendekoration mit Lisenen, Bogenfriesen etc. nicht vom Holzbau ab. Bemerkenswert sind auch die an den anglo-sächsischen Türmen auftretenden Säulchen. Sie haben typische Drechslerformen. (Auch einige Säulchen der Doppelarkaden des Triforium im südlichen Querschiff von Sanct Albans haben diese Drechselformen; sie sind wahrscheinlich wiederverwendete Werkstücke eines älteren Baus.) Der

Unterschied zwischen der vorromanischen Architektur in Britannien und der vorromanischen Architektur auf dem Kontinent besteht auch darin, daß jene stark am Holzbau orientiert ist, während diese von Anbeginn an den antik-römischen Steinbau anknüpft, im besonderen natürlich in den einstmals römischen Kolonien und Städten. Für die öfter versuchte Erklärung ostromanischer Formen aus dem Holzbau gibt es jedenfalls keine überzeugenden Argumente.

## Zweiturm-Fassaden

Der über der Eingangshalle errichtete Glockenturm, der clocher-porche, die westliche Einturm-Fassade also, ist ein Spezificum der kontinentalen westromanischen Architektur. Britannien hat für alle größeren Kirchen die normannische Zweiturm-Fassade übernommen. Die Westtürme der ostromanischen Architektur sind in enger Anlehnung an karolingische Westwerke entwickelt worden. Sehr deutlich ist das bei dem schönen Westturm von Brauweiler (Rheinland), dessen Michaelkapelle in seiner Etage 1141 geweiht wurde.

Ein Derivat des Westwerks ist freilich auch die Einturm-Fassade. Bei ihr liegt im Turm immer die Eingangshalle mit dem Hauptportal der Kirche. Die ostromanische Doppelchörigkeit hat diese Lösung verhindert. Der Erdgeschoßraum der ostromanischen Westtürme dient als Sanktuarium. Die Eingänge zur Kirche liegen seitlich. So ist es bei der Abteikirche in Mittelzell auf der Bodensee-Insel Reichenau, deren Turm 1030–1048 erbaut wurde (vgl. S. 125) [121] und in dem nach 1068 errichteten Westturm der Kathedrale von Paderborn (vgl. S. 124) [122]. Auch bei der Kölner Stiftskirche Sankt Georg lag in dem (nicht mehr bestehenden) um 1190 erbauten Westturm der Westchor. Der Turm hatte – wie der prachtvolle Westturm der ehemaligen Damenstiftkirche von Hochelten (Rheinland) und zahlreiche Türme kleiner Dorfkirchen – von außen keinen direkten Zugang. Erst in der östlichen Gotik sind Einturm-Fassaden mit zuweilen prächtigen Eingangshallen öfter gebaut worden, in Freiburg im Breisgau, Ulm, Landshut, Nördlingen, Dinkelsbühl, Danzig usw. Die südromanische Architektur mit ihrem vom Langhaus fast immer isolierten Glockenturm kennt die Einturm-Fassade so wenig wie die Zweiturm-Fassade.[180]

Wie der westromanische Torhallenturm hat sich auch die Zweiturm-Fassade[181] aus dem karolingischen Westwerk entwickelt. Schon das von Centula war von Treppentürmen flankiert [Fig. 69]. Diese treten später in den verschiedensten Kombinationen mit dem Kernbau auf. Sie gewinnen als Glockentürme mehr und mehr Bedeutung, entwachsen ihrer dienenden Rolle und werden zu einem Mittel der architektonischen Repräsentanz. In Gandersheim überragen sie das zwischen 1063 und 1093 gebaute Westmassiv um zwei Geschosse, ebenso in Wimpfen im Tal, in Drübeck, mit niedrigen Türmen in Frose und Königslutter. Zwei sich seitlich der Einganshalle über Vorräumen der Seitenschiffe erhebende Türme glaubt man bei der Stiftskirche von Limburg an der

Hardt annehmen zu können und für den Bau der Kathedrale von Straßburg, den Bischof Werinher von Habsburg 1015 begonnen hat. Vielleicht war diese Werinher-Fassade, wie manche Forscher glauben, die erste Zweiturm-Fassade des Abendlandes. Es ist aber nicht ganz unwahrscheinlich, daß der Straßburger Westbau noch einen mittleren Turm hatte, wie später der von Maursmünster. Selbst wenn der Werinhersche Westbau nur zwei Türme hatte, und wenn er ähnlich aufgebaut war wie die Westbauten von Gandersheim, Wimpfen usw., möchte man zweifeln, ob hier mit Recht von einer Zweiturm-Fassade gesprochen werden kann, da die Türme, wie in Gandersheim, Wimpfen usw., dem Westmassiv mehr aufgebaut waren, als daß sie vom Boden als in sich geschlossene Baukörper aufwuchsen.[182]

Mit letzter Gewißheit wird die Gestalt des Straßburger Westbaus kaum zu ergründen sein. Eine echte Zweiturm-Fassade ist aber erhalten an der 1067 im Beisein Wilhelms des Eroberers geweihten Abteikirche von Jumièges (Seine-Maritime) [150]. Auch dort ist die Herkunft aus dem karolingischen Westwerk unverkennbar. Der zwischen zwei Türmen risalitartig vorspringende Baukörper enthält im Erdgeschoß die Eingangshalle (Narthex) und darüber eine zur Kirche offene, mit einer Halbkuppel gewölbte Kapelle, die dem Erzengel Michael geweiht war [120].[183] Die Türme erheben sich vom Boden als eigenständige Elemente, die den mittleren Baukörper zwischen sich nehmen und als vielgeschossige, oben oktogonale Blöcke aufragen. Auch der um 1080 gebaute wuchtige Mauerblock der Zweiturm-Fassade von Saint-Étienne in Caen verleugnet nicht seine Deszendenz vom karolingischen Westwerk. Die Türme erscheinen noch etwas wie dem dreigeschossigen Riegel aufgesetzt. Die kräftigen abgestuften Rechteckstreben brechen unter den Türmen ab. Deren schlanke Blendarkaden und Öffnungen nehmen jedoch die durch diese Streben empfindbar werdende Aufwärtsbewegung auf, so daß die Fassade denn doch als Komposition von zwei Türmen mit einem Zwischenbau in die Erscheinung tritt: als Zweiturm-Fassade, wie sie im 12. Jahrhundert (Chartres) und in der gotischen Epoche weithin verbreitet ist.

Es spricht vieles dafür, daß die Zweiturm-Fassade in der Normandie entstanden ist und sich von dort in Britannien und nach Osten hin verbreitet hat. In der ostromanischen Architektur wirkt allerdings die karolingische Westwerk-Tradition noch lange nach. Die Westmassive werden, wie schon in Centula, oft nur von schlanken Treppentürmen flankiert, die manchmal, zum Beispiel bei der Frauenkirche in Maastricht (Limburg), den wuchtigen Mittelblock überragen. In Brauweiler (Rheinland) lösen sie sich über dem zweiten Geschoß des Turmmassivs von diesem ab und ragen mit eigener Geschoßteilung frei noch über dessen Dachgesims hinaus.

## Gruppierung der Baukörper

Für die Gruppierung der Baumassen und das Erscheinungsbild der Kirchen spielen die Türme und ihre Stellung im Bauganzen eine bedeutende Rolle. Zwischen west-, ost- und südromanischer Architektur sind auch hier erhebliche Unterschiede festzustellen. Ganz allgemein haben sich für den Standort der Türme gewisse Regeln herausgebildet. Freilich sind sie nicht immer streng befolgt worden und konnten öfter durch besondere Terrainbeschaffenheiten oder bei Erhaltung und Einbeziehung älteren Baubestandes auch nicht eingehalten werden. Solche Normen ergaben sich in der westromanischen Architektur nicht nur aus der Funktion der Türme, sondern vor allem aus der strengen Gerichtetheit der Kirche, durch die die liturgischen Schwerpunkte in den Transept- und Chorräumen konzentriert sind sowie aus den damit im Zusammenhang stehenden Problemen der Raumbelichtung und der Gewölbekonstruktionen. Davon war bereits Seite 70 f. die Rede. Aus diesen kultisch-funktionalen Bedingungen ergibt sich die bedeutende Rolle, die der über der Vierungskuppel errichtete Zentralturm in der westromanischen Architektur spielt. Selbst in kleinen Kirchen ist nur selten auf ihn verzichtet worden. In ihnen ist er fast immer der einzige Turm, also auch Glockenturm. Der einfacheren Lösung, dem Glockengiebel, oder der der Glockenmauer, ist er zumeist vorgezogen worden. Aber auch größere Abtei- und Kollegiatkirchen haben oft nur einen Vierungsturm: Saint-Pierre in Aulnay-de-Saintonge [154], Saint-Eutrope in Saintes, Saint-Hilaire und Saint-Pierre in Melle (Deux-Sèvres), die Kirchen von Parthenay-le-Vieux (Deux-Sèvres), Chauvigny (Vienne), Civray (Vienne), Châtel-Montagne (Allier), Valcabrère (Haute-Garonne), Chapaize (Saône-et-Loire). Eine die vielen Landkirchen in Südwestfrankreich, Burgund einschließende annähernd vollständige Liste würde Seiten füllen. Selbst holzgedeckte Kirchen haben Vierungstürme, z. B. die Kirche von Secqueville-en-Bessin (Calvados). Ebenso hat auch die normannische Architektur Britanniens fast nie auf den Turm über der dort immer holzgedeckten Vierung verzichtet. Allein aus Gründen der Repräsentanz hat sie den Turmaufbau über der Vierung von der kontinentalen Architektur übernommen. Die Fassaden sind oft, im besonderen im Poitou, in der Charente und Gironde, prächtig gegliedert und dekoriert, aber turmlos geblieben. Allenfalls haben sie – wie die von Notre-Dame in Poitiers und der Abteikirche von Saint-Jouin-de-Marnes (Deux-Sèvres) kleine Türmchen, die die sie flankierenden dicken Säulenbündel krönen.

Zu dem nie fehlenden Zentralturm tritt in vielen Kirchen nur noch der Vorhallenturm, der die Westfassade bildet und das Langhaus oft hoch überragt. Diese Einturm-West-Fassaden begegnen uns in weiten Teilen Frankreichs sehr häufig, häufiger als die Zweiturm-Fassade, die vor allem in den nördlichen Landschaften und in Burgund verbreitet ist. Jedenfalls haben nur sehr wenige westromanische Kirchen mehr als diese zwei oder drei Türme. Saint-Benoît-sur-Loire gehört zu den Ausnahmen. Dort sind über den Travéen des zweiten, östlichen Querschiffs Türme angelegt, aber nicht ausgebaut (wie ähnlich in der Kuppelkirche in Angoulême). Die größte Kirche des mittelalterlichen Abendlandes, der dritte Bau von Cluny, war auch die türmereichste westlich des Rheins. Das dreischiffige Langhaus der 171 m langen Kirche hatte eine Zweiturm-Fassade. Über den Chorräumen mit ihren zwei Transepten häuften sich die Türme: über jedem Arm des ersten (westlichen) Querschiffs erhob sich zuseiten des vierkantigen Vierungsturms ein achtkantiger ebenso hoher Turm und dahinter über dem zweiten (östlichen) Querschiff ein zweiter Vierungsturm. Ein siebter, dem ersten Querschiff angebauter Turm (›Uhrenturm‹) spielte nur die untergeordnete Rolle eines Treppenturms, über dessen Wendeltreppe der Turm über dem nördlichen Querschiffarm und die Dächer bestiegen werden konnten. Ähnlich, aber stärker als in Saint-Benoît-sur-Loire ist durch die Anlage eines zweiten Querschiffs und die Vielzahl von Apsidiolen die Baumasse der Chorpartie aufgegliedert. Die Türme nehmen die in dem so formenreichen Gefüge in die Baumasse gebrachte Bewegung über der Dachzone auf. Sie klingt da gewissermaßen aus: eine nicht nur äußerst effektvolle, sondern auch eine sehr organisch aus einer Vielzahl kleiner Baukörper zusammengesetzte Baumasse wird durch die Turmgruppe feierlich gekrönt. Spätere Anbauten wie die der Chapelle Bourbon müßte man abstrahieren, um eine Vorstellung der ursprünglichen Komposition zu gewinnen. Die überschaubare klare Ordnung der Baumassen, die man etwa bei Blick von den Höhen über Orcival und über Conques auf die Kirchen [162, 163] so stark empfindet, bleibt bei Cluny III trotz der pompösen Orchestrierung immerhin gewahrt.

Türmereicher als die westromanische Architektur ist die ostromanische in den Rheinlanden. Ja, es gibt, von Cluny abgesehen, in der gesamten romanischen Architektur kaum etwas mit der grandiosen Auftürmung der Baumassen bei den ›Kaiserdomen‹ von Speyer, von Mainz [165] und Worms, bei der Abteikirche Maria Laach, den Stiftkirchen von Neuß und Limburg an der Lahn, mit der Turmkrone von Tournai oder auch mit dem dichten Gedränge von Türmen und Giebeln über den Apsidendächern von Sankt Aposteln in Köln Vergleichbares. Erst in der gotischen Epoche finden wir eine solche Vieltürmigkeit auch im Westen: in Laon, in Caen (Saint-Étienne), in den Kirchen von Bayeux und Coutances, vieler nicht zu gedenken, wo sie nicht recht zur Geltung kommt, weil die Türme nicht ausgebaut sind. Vier- und achtkantige oder runde Türme flankieren bei den rheinischen Kirchen den Vierungsturm, bei den doppelchörigen Kirchen in Mainz und Worms, in Maria Laach die zwei Vierungstürme. Im Unterschied zu türmereichen westromanischen Kirchen, zu Saint-Benoît-sur-Loire mit vier, zu Cluny mit sechs Türmen (ohne den Treppen-, den sogenannten ›Uhrenturm‹ mitzurechnen), zur freilich nur geplanten Fünfturmgruppe des Westbaus von Ely geht die ostromanische Turmgruppierung mehr auf imposante bildhaft-malerische Wirkungen aus und ist weniger von einer strengen Logik des Aufbaus beherrscht.

Die barocke Auftürmung der Baumassen ist aber nicht ein generelles Charakteristikum der ostromanischen Architektur. Sie ist vielmehr eine zeitlich eng begrenzte, im wesentlichen in den Rheinlanden lokalisierte Erscheinung. Sie ist das Produkt einer Spätzeit, in der die Formen des westromanischen Gliederungsstils und sogar schon gotische Formen nach Osten vordringen und ein in einer langen Bautradition gefestigtes architektonisches Denken irritieren. Die strukturellen westromanischen Formen werden freudig aufgegriffen. Sie werden aber wenig sinngemäß, d. h. mehr als den Baukörper bereichernde Elemente begriffen und verwendet. Das gilt für die die Monumentalität bewirkenden Baumassen ebenso wie für die Mauern, Wand und Wölbung gliedernden Elementen. Der Aufbau der Massen wird mehr durch ihre Häufung monumentalisiert, durch ihre asymmetrische Ordnung und durch vielfachen Wechsel der Volumen und Formen, im besonderen der dem Langhaus, Querschiff und Chor zugeordneten Türme, mehr bereichert, als daß die Teilmassen zu einem gestrafften, klaren Körper zusammengefaßt werden. Bei den frühen ostromanischen, ›ottonischen‹, Bauten ist der Aufbau der Massen, sowohl außen der Baukörper und Mauern wie innen der Wände und Räume, eher asketisch nüchtern. In den holzgedeckten – oder doch ursprünglich holzgedeckten, erst nachträglich gewölbten – Kirchen ist auch die Vierung flachgedeckt und nicht mit einem Turm überbaut. Die beiden Hildesheimer Kirchen, Sankt Michael mit seinen zwei Chören, zwei Querschiffen und zwei Türmen über den flachgedeckten Vierungen und seinen mit Einschluß der zwei Treppentürme an jedem Querschiff insgesamt sechs Türmen und die westromanischen Vorbildern nachgebaute Godehard-Kirche gehören zu den Ausnahmen (über Sankt Godehard vgl. Seite 59 f.). Flachgedeckte Kirchen haben sonst keinen Vierungsturm. Gewölbte ostromanische Kirchen – die der Provence (Saint-Trophime in Arles [147]) und einige Kirchen Kataloniens (San Vicente im Schloß Cardona, Santa Maria de Tarassa) haben ihn fast immer. Selbst in einschiffigen provençalischen Kirchen ist die letzte Travée vor der Apsis, die Chor-Travée, mit einem Turm überbaut: in Notre-Dame-des-Doms in Avignon, in Cavaillon, in Le Thor. Der gestreckte Kubus des Langhauses, dessen Seitenmauern von in regelmäßigen Abständen aufgemauerten kräftigen Streben gestützt sind, ist nur durch diesen einzigen Turm überbaut. Sehr häufig ist in der ostromanischen Architektur ein den Chor oder die Apsis flankierendes Turmpaar, das in der westromanischen nur sehr selten, z. B. in Morienval (Oise), in der südromanischen noch seltener (oder nur ein einziges Mal in Como?) anzutreffen ist. Bei doppelchörigen Kirchen ist oft jeder Chor von Türmen flankiert, so daß – wie sehr schön in Bamberg – der basilikal abgestufte Block des Langhauses wie von hochragenden Pfählen in Länge und Breite abgesteckt erscheint. Einen ähnlichen klaren Aufbau finden wir bei der querschifflosen Kirche in Andernach (Rheinland), bei deren Beschreibung im Handbuch von Dehio-Gall hervorgehoben ist, daß er »ohne die barocken Launen« sei, »in denen sich um diese Zeit (1200–1220) die niederrheinische Schule gelegentlich zu gefallen begann«.[184] Die Zweiturm-Fassade ohne Zwischenbau, d. h. ohne jenes Relikt des karolingischen Westwerks (wie die Fassade in Andernach), hat sich in der ostromanischen Architektur erst ziemlich spät eingebürgert. Oft finden die Fassadentürme in zwei schwächeren Ost-Türmen in den Winkeln von Lang- und Querhaus eine Entsprechung. In der südromanischen Architektur spielen die Türme für die Gruppierung der Baumassen kaum eine Rolle, da sie vom Baukörper fast immer isoliert sind, abgesehen von den größenteils stattlichen Turmaufbauten über den Vierungen. Diese sind keineswegs selten, aber nicht ein so beständiger Bauteil wie in der westromanischen Architektur. Als aufwendigster und höchster Vierungsturm wäre wohl der über der Zisterzienser-Abteikirche von Chiaravalle Milanese zu nennen, der um 1160 erbaut wurde, sich in vierfacher Abstufung erhebt und gewiß nicht der Ordensregel gerecht wird, die nur einen kleinen Dachreiter vorschreibt. Dem Architekten dürfte als Vorbild ein westromanischer Turm wie der Vierungsturm von Saint-Sernin in Toulouse vorgeschwebt haben. Im übrigen wären eine große Reihe schöner Vierungstürme in Italien anzuführen: die von San Michele in Pavia, der Kathedrale in Pisa, von Santa Maria di Portonovo bei Ancona, der apulischen Kathedralen San Sabino in Bari, von Molfetta, ferner von Caserta Vecchia, von San Cataldo in Taranto, schließlich auch die der Kirchen in Palermo.

# Marginalie zur Skulptur am Bau

In unserer Betrachtung der romanischen Architektur gingen wir von der Frage nach der Gestalt von Mauer und Wand aus, und diese Frage war stets mitgestellt, auch wenn sich die Betrachtung den Baukörpern und ihrer Gruppierung, den Westmassiven, Türmen, Chorhäuptern, oder den Räumen zuwandte. Denn die Gestalt der Baukörper ist immer auch die Gestalt der Mauer, und die Räume sind von der Gestalt ihrer Wände bestimmt. Mauern sind nicht abstrakte Flächen, die den Baukörper begrenzen. Die Wände trennen nicht nur Räume nach außen und gegeneinander ab. Mauer und Wand sind Körper. Die aus ihnen ausgesparten oder in sie eingestuften Öffnungen – die Portale, Fenster, Arkaden –, die die Mauern gliedernden Lisenen, Friese, Blenden und Streben, die den Wänden vorgelegten Pfeiler und Säulen erfüllen nicht nur praktische, dekorative und konstruktive Funktionen. Sie machen Mauer und Wand auch zum Relief, zu mehr oder weniger kraftvoll akzentuierten plastischen Gebilden, die das Licht bewegen und erst im Spiel des Lichts das Körperhafte von Mauer und Wand und die Leere als Raum empfindbar werden lassen.

Zur körperlichen Erscheinung von Mauer und Wand tragen auch die ihren Gliedern, den Gesimsen, Blendarkaturen, Portalen, Fenstergewänden, Pfeilern und Säulen fest verbundenen Skulpturen bei. Der ihnen daran jeweils zugemessene Anteil, ihre Plastizität und die Dichte ihres Kontakts mit der Mauersubstanz weisen Unterschiedlichkeiten auf, die mit der Verschiedenheit, ja Gesetzlichkeit des sinnlichen Verhaltens zu Mauer und Wand in einem offensichtlichen Zusammenhang stehen.

Die ostromanische Architektur hält sich in der skulpturalen Belebung von Mauer und Wand und von deren Gliederungselementen, im besonderen der Säulenkapitelle, sehr zurück. Die durch Lisenen, Bogenfriese, Blendarkaturen gegliederten Mauern sind mit Ausnahme der Portale auch bei einem aus exakt behauenen Quadern aufgebauten Mauerwerk zumeist ohne ornamental oder figürlich skulpierte Bauglieder geblieben. Wo anstelle von Lisenen dünne Säulen treten, sind deren Kapitelle und Basen nur ausnahmsweise einmal skulptural ornamentiert wie an den Apsiden von Königslutter, der Neuwerkskirche in Goslar und der Bamberger Kathedrale. Gelegentlich sind die Bogenfriese auf Konsolen gestellt, diese aber nur selten als Menschen- oder Tiermasken ausgebildet, die wir so häufig an westromanischen Gesimsen antreffen. Ebenso exzeptionell sind mit Jagdtieren und Jagdszenen, Fabelwesen, Rosetten und Blattwerk besetzte Felder von Bogenfriesen auf Masken- und Tierkopfkonsolen wie die an den Apsiden von Königslutter [45] und Brenz (Württemberg). Die ostromanischen Portale sind oft, vielfach in Anlehnung an westromanische, im besonderen burgundische, mehr oder minder kraftvoll gestuft. Meist sind in die Abtreppungen Säulen gestellt. Deren Kapitelle bilden manchmal einen Fries, zum Beispiel am Westportal der Kirche in Lautenbach (Elsaß) und am Südportal und Atriumportal in Maria Laach. (Ein ähnlicher schöner Kapitellfries an der Innenwand der Wormser Westapsis.) Wie gelegentlich auch in der westromanischen Architektur, zum Beispiel in Saint-Eutrope in Saintes, an der Fassade in Angoulême, ist über Säulen und Pfosten ein einheitliches Ornamentband gezogen; so bei den elsässischen Portalen in Alspach und Altdorf. Auffallend ist der ornamental und figural skulpierte breite Kämpferfries über den Deckplatten der Kapitelle in Sigolsheim (Elsaß) [179] und am sogenannten Riesentor der Stephanskirche in Wien.

So reich skulpiert die Kapitelle der Portalsäulen und -pfosten und solche Gewändefriese oft sind, so spärlich – im Vergleich zu der westromanischen – ist allgemein die plastische Gestaltung der Tympana. Die Giebelfelder der Portale sind häufig nur glatte, einst wohl bemalt gewesene Steinflächen. (Solche zwischen 1340 und 1344 von Simone Martini im Auftrag des Kardinals Jacopo Stefaneschi bemalte Giebel- und Tympanonflächen sind – in freilich sehr schlechtem Zustande – noch erhalten in der Vorhalle von Notre-Dame-des-Doms in Avignon). Die skulpierten Tympana haben selten mehr als drei Figuren und sind thematisch begrenzter als die kontinentalen westromanischen. Ein im Tympanon, in den Gewänden und in einem diese umfassenden Rahmenwerk ikonographisch und plastisch so reich instrumentiertes Portal wie die sogenannte Galluspforte des Basler Münsters gehört ebenso wie die Bamberger ›Gnadenpforte‹ und das Portal von Pompierre (Vosges) zu den Ausnahmen. (Das Bamberger ›Fürstenportal‹ und die berühmte Freiberger ›Goldene Pforte‹ sind schon unter dem Einfluß gotischer Portale in Frankreich entstanden.) Das Portal der Regensburger Schotten-(Jacobs-)Kirche, in dem wir vielleicht den Torso eines größer geplanten Vorhallenportikus sehen dürfen, ist, wie Richard Hamann[185] nachgewiesen hat, der von einer primitiv-rustikalen Steinmetzwerkstatt ausgeführte, ins Flächige reduzierte provençalische – und italienische – Portalvorbau, von dessen Figuren Hans Karlinger sagt, es schlummere in ihnen »gesättigtes Leben hinter dem Schleier zierhaft roher Form«.[186] Wie in Regensburg die Skulpturen als Reliefs dem Quaderwerk unvermittelt aufgesetzt sind, sind auch die fast vollplastisch voluminösen Gestalten an der Apsis der Pfarrkirche von Schöngrabern (Niederösterreich) wie freischwebend den Mauerflächen aufgesetzt und um den Fensterbogen gruppiert. In ähnlicher Weise sind bei der Kirche in Rosheim (Elsaß) an der Apsis die Evangelistensymbole wie Broschen auf einem Gewand der Mauerfläche angeheftet [14]. Vor und auf das Mauerwerk gesetzt ist dort auch der Rahmen um die schlicht in die Mauer eingeschnittene Fensteröffnung, der dieser aber nicht allseitig umschließt, sondern von Wandsäulen gebildet wird, die vom Sockelgesims aufsteigen, sich in gedrehten Säulen mit einem rollenförmigen Fußstück und Würfel-kapitell und in einem um die Fensterrundung herumgeführten profilierten Wulst fort-setzen. Als ebensolche dekorative Applikationen treten die Fensterrahmen an der Apsis der Walterichskapelle in Murrhardt und am Querschiff in Maria Laach in die Er-scheinung [13, 17]. Sie sind wie manche Portale, z. B. in Rosheim, der Mauer aufge-setzt, mit ihr nicht so verwachsen wie die eingestuften westromanischen Öffnungen [21; vgl. dazu 29–33]. Oft sind sie auch wie die dekorative Fensterrahmung am Querschiff in Speyer, in Maursmünster (Elsaß), Alet-les-Bains (Aude), Arles-sur-Tech (Pyrénées-Orientales) usw. nur flach in die Mauer eingelassen [vgl. 18, 124, 20, 19] (Seite 35 f.). Wie sehr das dem ostromanischen sinnlichen Verhalten zu Mauer und Wand entspricht, ist evident. Der ostromanische Bildnertrieb hat sich in aus dem Stein gehauenen, in Holz geschnitzten und in Bronze gegossenen Kruzifixen, Sitz- und Standbildern in wunderbarer Weise zu erfüllen vermocht. Für die Entwicklung einer bauverbundenen Skulptur aber konnte in einer Architektur, die die Mauern so stark als homogene kom-pakte Raumbegrenzungen empfindet und mehr deren Flächen als ihre Körper gliedert, nur ein begrenzter Spielraum gegeben sein.

Die südromanische Architektur ist großenteils sehr skulpturenreich. Aber das dem ostromanischen ähnliche architektonische Empfinden, für das Mauer und Wand vor allem flächige Raumumschließungen sind, findet auch in der Eingliederung skulpturaler Gebilde in der Architektur seinen Ausdruck. Die Portale sind zumeist nur seicht dem Mauerwerk eingestuft, ihre Rahmung reich, vielfach aber in flachem Reliefschnitt orna-mentiert. Es sei auf die Portale von San Michele in Pavia, San Pietro in Spoleto, San Rufino in Assisi, Santa Maria della Piazza in Ancona [49, 52, 51] und auf die Portale der apulischen Kirchen in Troia, Barletta, Trani, Bari, Bitonto, Ruvo [22] verwiesen. Die Säulen der der Wand vorgelegten baldachinartigen Blendgiebel oder Blendbogen und der Portalvorbauten stehen – wie in Bari auch die Säulchen der vor die Wand gesetzten Fensterrahmen [15] und vieler italienischer Kanzeln – auf vollplastisch vor die Mauer gesetzten Tiergestalten (zumeist sind es Löwen [16, 23]). Diesen vor die Fassaden gesetzten Portalrahmungen und Portalvorbauten begegnen wir auch in der mit der künstlerischen Hinterlassenschaft des römischen Imperium in unmittelbarste Berührung gekommenen Region Galliens, der Provence. Giebelbedachte Portalum-rahmungen finden wir in Saint-Restitut (Drôme) [1], Saint-Paul-Trois-Châteaux (Drôme), Le Thor (Vaucluse), Caromb (Vaucluse). Ganz in der Art der italienischen, mit Säulen, die auf Löwen stehen und Trägerfiguren, in denen das antike Atlasmotiv wiederkehrt, ist der Portalvorbau in Embrun (Hautes-Alpes). In den berühmten Portalvorbauten in Arles und Saint-Gilles stehen Säulen und Figuren ebenfalls über Tierskulpturen. Die großen Figuren stehen vor der Wand wie die der römischen Denk-malbauten in Carpentras und Saint-Rémy und in Nischen wie die Figuren römischer Sarkophage (z. B. denen des sogen. Sidamara-Typs) und römischer Grabmäler. Auch in den Reliefs ist die Verwandtschaft mit den römischen Triumphbögen evident [3, 174]. Diese provençalischen Skulpturen sind so stark an antik-römische angelehnt, daß der von Jacob Burckhardt geprägte Begriff Protorenaissance nicht ganz unzutreffend auf sie angewandt worden ist. Die Einflüsse römischer Plastik überwiegen, ja verdrängen die sonst in der romanischen so deutlich hervortretenden byzantinischen und persischen oft fast ganz, auch in der Ornamentik, und geben wie der provençalischen auch der südromanischen Bauskulptur einen eigenen Charakter [174, 175].

In der westromanischen Architektur unterscheidet sich die normannische, sowohl die kontinentale wie die britische, trotz ebenso entschiedener struktureller Gliederung von Mauer und Wand im Hinblick auf die Bauplastik von der im südlichen Frankreich und in Spanien. Die normannische Architektur ist an Bauplastik arm, vor allem an figürlicher. Geometrische Ornamente herrschen vor. Dreieck-, Zickzack-, Mäander-, Rauten-, Schachbrett-, Scheiben-, Kugel-, Rollenfriese und Flechtbänder finden wir allenthalben in der romanischen Architektur. In der normannischen sind sie nur zuweilen mit Blatt- und Rankenwerk verbunden und fast die einzigen Formen einer vorherrschend geometrischen Bauornamentik. Mit ihnen sind die Archivolten der Portale, die Bögen der Fenster, Arkaden, Blendarkaturen (zum Beispiel in La Trinité in Caen, in den Kathedralen von Bayeux, Durham, Peterborough, an den Fassaden von Ouistreham, Mouen, im Kapitelsaal von Saint-Georges-de-Boscherville [31, 33]), aber häufig auch die Kapitelle, dekoriert [191]. Die Würfelkapitelle in der Krypta von Canterbury, die mit Rankenwerk und Eckmasken, mit Greifen und mit fabulösen Gestalten, die die vom Christentum verworfenen Lüste und Süchte verkörpern, skulpiert sind, die Kapitelle von Ruckeville (Calvados) mit Darstellungen der Flucht nach Ägypten und der Anbetung der Könige gehören zu den Ausnahmen. Ebenso die Figuren, die das Radfenster von Saint-Étienne in Beauvais umkränzen, das im ›Glücksrad‹ des Basler Münsters eine Nachahmung gefunden hat, das Portal der Kathedrale von Rochester und die prachtvolle, so üppig und kraftvoll skulpierte sogenannte Priorstüre der Kathedrale von Ely. Diese beiden Portale, im besonderen ihre Tympana sind gewiß nicht ohne Kenntnis burgundischer Portale entstanden, wenn man sie nicht sogar als Schöpfungen einer burgundischen Werkstatt betrachten darf. Die normannische Eigenart zeigt sich in Britannien in dem flachen Reliefschnitt zahlreicher Tympana, in denen der Einfluß der nordisch-keltischen flächenfüllenden Ornamentik spürbar ist, die sich in der noch vorromanischen Buchmalerei und in der nordischen Holzschnitzerei (Portaleinfassungen von Urnes und Stedje in Norwegen) auf ihrer Höhe präsentiert. Das Vokabular der prähistorischen Ornamentik lebt in der westromanischen Architektur nirgends stärker fort als in den Tympana von Houghton-le-Spring [159], in Knook (Wiltshire) mit Monstra, die in ein graviertes Bandornament eingeflochten sind, in Pitsford (Northamptonshire), im Münster von Southwell (Nottinghamshire) mit dem Erzengel Michael im Kampf gegen einen Drachen und einem mit einem Löwen kämpfenden Manne (Simson?[187]).

Im mittleren und südlichen Frankreich und in Spanien ist die westromanische Architektur nicht nur überaus reich an bauverbundener Skulptur. Diese ist auch nirgends so dicht mit Mauer und Wand und ihren Gliedern verwachsen. Nirgendwo sonst tritt der für die romanische Skulptur so charakteristische enge Kontakt mit der Architektur eindrucksvoller in die Erscheinung als in den westromanischen Bauwerken südlich der Loire. Die Skulptur ist da Bestandteil der steinernen Materialität des Mauerwerks, quillt förmlich aus dem Stein hervor, als sei sie die Inkarnation eines geheimnisvollen, im Stein schlummernden, durch den Meißel des Bildhauers in die Freiheit entlassenen Lebens.

So wirksam die mittelmeerantiken Einflüsse waren, so grundsätzlich unterscheidet sich die romanische Bauskulptur dennoch von aller bauverbundenen griechisch-römischen, auch assyrischen und ägyptischen Plastik. In dieser bewahrt die plastische Menschen- und Tiergestalt gegenüber der Architektur, der sie eingeordnet ist, eine eigenständige Körperlichkeit. In den Giebeln, Metopen, Friesen, Nischen erscheinen Menschen und Tiere in ihren natürlichen Proportionen, und in der Gruppe sind die natürlichen Maßrelationen beibehalten – ebenso auf den Wandbildern, auf wandbildartigen Reliefs, in den Bildfeldern von Gefäßen (griechischen Vasenbilder), von Stoffen etc. Sie und ihre Gruppen sind in den architektonischen Rahmen oder in das Bildfeld, den durch sie bestimmten Raum respektierend, eingeordnet, ohne daß ihre Proportionen und bei Gruppen die Größenrelationen dadurch verändert sind. So sind in den griechischen Tempelgiebeln die Gestalten in den Ecken nicht kleineren Wuchses als die in der mittleren Partie; sie sind nur hockend und liegend dargestellt. Größenunterschiede sind in der ägyptischen, persischen, hellenischen, phönizischen, etruskischen Kunst Rangunterschiede. Der Pharao überragt seine Untertanen, der in die Giebelmitte gestellte Gott (Athena, Apoll) die zu seinen Seiten kämpfenden Lapithen, Kentauren, Amazonen etc. Auf spartanischen Totenreliefs (in den Museen in Ost-Berlin und Sparta), etruskischen Figurenurnen (wie der aus Betolle im Museum in Westberlin) sind die heroisierten Toten groß, die Adoranten oder andere Assistenzfiguren klein dargestellt. Im übrigen aber wechselt in einer Gruppendarstellung der Maßstab nicht, auch nicht die Proportionierung der einzelnen Figur.

In der romanischen Bauskulptur dagegen wechselt der Maßstab innerhalb einer Gruppe, z. B. in einem Tympanon, auf dem Korb eines Kapitells, häufig und ebenso, wenigstens in der westromanischen Skulptur, die Proportionierung der einzelnen Figur. Der Menschen- und Tiergestalt wird eine eigenständige Körperlichkeit, die sie in der Antike hatte, nicht zugestanden. Sie wird der Architektur verschmolzen, ja oft zum integrierten Bauglied und ähnlich behandelt wie das der Bauform sich anschmiegende, sie akkordierende und artikulierende Ornament. Wenn die Gestalt des Christus als Majestas Domini in den Tympana alle anderen Figuren überragt, und wenn zum Beispiel auf dem Giebelfeld der Basler Galluspforte [166] der links kniende Baumeister und die rechts stehende Stifterin in einem kleineren Maßstab dargestellt sind als die zwei Apostelfürsten Petrus und Paulus zu seiten der größten Gestalt des Tympanons, dem auf einem Faltstuhl thronenden Christus, so werden dadurch wie auf den ägyptischen Reliefs auch hieratische Rangstufen zum Ausdruck gebracht.[188] Wenn aber, wie auf vielen und gerade auch auf den großen figurenreichen Tympana, um die von der Mandorla umzogene Gestalt Christi Engel, Apostel, die dem Wunder der Transfiguration beiwohnen, Heilige, Oranten, und in den Darstellungen des Jüngsten Gerichts selig Gesprochene und zu den Höllenqualen Verdammte geschart sind, sind die verschiedenen Dimensionen dieser Gestalten nicht hieratisch motiviert, und noch weniger ist das der Wechsel ihrer Proportionen. Sie sind groß oder klein, dick oder dünn, kurz oder überlang, je nach dem architektonischen Rahmen, in den sie gestellt sind. So sind die Köpfe der Figuren, die auf dem Türsturzrelief von Saint-Genis-des-Fontaines [170], das in die Jahre 1020/21 zu datieren ist, übergroß, mehr als halb so lang wie die Körper. Sie füllen den Raum unter den Hufeisenbögen der Arkaden, in die diese Figuren wie auf römischen Sarkophagen gestellt sind, fast ganz aus.

Die Deformation der menschlichen Figur durch den Rahmen, in den sie hineinkomponiert ist, ist keineswegs nur in relativ ›primitiven‹ Gestaltungen festzustellen, sondern ebenso in den großen Tympana, die als die Meisterwerke der westromanischen Bauplastik allgemeine Bewunderung finden. Im Tympanon von Moissac erscheint die Majestas Domini wie in der Beatus-Handschrift von Saint-Sever im Kreise der vierundzwanzig Alten der Apokalypse, die auf drei friesartige Zonen verteilt sind. Zwischen den beiden oberen, jederseits mit nur zwei und drei Alten besetzten Reihen thront die hohe Gestalt des Christus, die hier nicht, wie sonst üblich durch eine sie umfassende und isolierende deutlich ausgebildete Mandorla umfaßt ist. Die Mandorla ist durch die hohe am Rande sternbesetzte Rückenlehne des Throns ersetzt, und die gekurvten Leiber der Evangelistensymbole umkränzen den göttlichen Herrscher wie eine Mandelglorie, die von zwei lang gestreckten Engeln flankiert wird, deren Körper fast die sechsfache Länge ihrer Köpfe haben. (Die Christusgestalt ist ähnlich proportioniert.) Überschlank sind die Gestalten auf den Tympana von Autun und Vézelay, übergroß die Hände des Christus. Die Faltenwürfe der langen Gewänder kräuseln sich wie von einem Sturm bewegt in Spiralen. In Beaulieu-sur-Dordogne [168] wird durch die waagrecht ausgestreckten Arme des Weltenrichters in seiner auch hier wie in Moissac nicht von einer Mandorla umzogenen Gestalt die Form des links über ihr von Engeln getragenen Kreuzes wiederholt. Die großen, langen Tuben der Posaunen, die zu seinen Seiten zwei Engel blasen, machen ihre schrillen Töne gleichsam sichtbar. Die in den zwei Friesen dahinkriechenden Untiere, über denen Christus breit und machtvoll thront, sind mit einer im Grotesk-Scheußlichen erfinderischen Phantasie vergegenwärtigt. Die Geste der Demut ist kaum ausdrucksvoller darzustellen wie in der in flehend-betender Haltung der in einem engen Zwickel des Tympanon in Conques liegenden Fides und die göttliche Gnade kaum sinnfälliger als in der großen Hand, die sich der Heiligen entgegenstreckt [169]. Erfindungsreicher und drastischer sind die Martern der Hölle kaum zu veranschaulichen, als es in diesem Giebelfeld in dem Dreiecksrahmen über der rechten Türe geschehen ist. Das alles, die Exzentrik der Gesten, die epische Drastik, die Übersteigerung der Proportionen, zeugt von einer großen visionär-expressiven Kraft. Aber doch ist es nicht sie allein, die Mensch- und Tiergestalt außergewöhnliche Proportionen aufzwingt, sie deformiert, fast denaturiert und die Menschenfigur in den Gewänden der Portale von Avallon, Saint-Loup-de-Naud, Étampes, Avila, Sangüesa [178], der Kathedralen von Chartres, Le Mans, Angers zur Säule macht. Die wohl schlanksten Säulenfiguren stehen an zwei Kanten des Nordturms, des ›petit clocher‹, über dem Westbau von Saint-Philibert in Tournus [34]. Sie haben dort die Höhe (von rund 4 m) eines vollen Turmgeschosses. Auf der anderen (auf unsrer Abbildung nicht sichtbaren) Fassade des obersten Turmgeschosses sind die mittleren Stützen der drei Arkadenbögen als Figuren gebildet. Bemerkenswert ist auch, daß die in den Kantenwinkel des Geschosses darunter gestellte Säule als Kapitell einen Menschenkopf hat. Es ist sicher nicht richtig, wenn man in diesen Säulenstatuen Vorboten des gotischen Vertikalismus hat sehen wollen. Die Deformation der menschlichen Figur durch ihre Einordnung in den architekturalen Duktus ist vielmehr spezifisch romanisch und ganz und gar ungotisch. In der figuralen Skulptur der Gotik, die ja viel realistischer ist als die romanische, treten Menschen- wie Tiergestalt in ihren natürlichen Proportionen in die Erscheinung. Dieser Unterschied zwischen gotischer und romanischer Skulptur wird an einem einzigen Bau evident, der Kathedrale von Chartres, wenn man die Gewändefiguren in den Süd- und Nordportalen mit den säulengleich in den Gewänden stehenden der Porte Royale vergleicht. Auch in den gotischen Portalen ist die Menschenfigur nicht von jeder Bindung an die Architektur frei. Sie bewahrt jedoch – ebenso wie die Gestalten in den Giebeln und Metopen griechischer Tempel – ihre eigenständige Körperlichkeit.

Die romanische Architektur hat aus den antiken anthropomorphen Stützen etwas sehr anderes gemacht. Den Karyatiden des Erechtheion auf der Athener Akropolis ist nicht anzusehen, daß sie eine Last tragen. Die Mädchenfigur ist lediglich gegen eine Säule ausgewechselt. Die kolossalen Atlanten des Zeus-Tempels von Akragas (Girgenti) dagegen standen wie die des Barock mit unter der Last, die sie tatsächlich oder nur scheinbar tragen, mit gesenkten Köpfen und gehobenen, gewinkelten Armen in den Interkolumnien. Wie die Karyatiden des Erechtheion sind aber auch sie in den natürlichen menschlichen Maßen gebildet. Die romanischen – in Beaulieu, Moissac – sind es nicht. Sie sind überlang in die hohe Enge der Stützen gepreßt [176, 177]. Sie ersetzen nicht ein tragendes Architekturglied. Sie sind nur der Form eines schmalen Pfeilers ein- und untergeordnet. Der architekturale Rahmen, in den sie hineingestellt sind, deformiert ihre Gestalt, was freilich zugleich einem gesteigerten Ausdruck ihrer Gesten zugute kommt. Die in den Portalen des Poitou, der Charente, der Gironde (Civray, Aulnay, Talmon) den Bogensteinen der schmalen Archivolten eingemeißelten klugen und törichten Jungfrauen [171], Engel oder Akrobaten [172] die auf dem Tympanon von Perrecy-les-Forges [167] die Mandorla tragenden Engel mit ihren weit über das Körpermaß hinaus gestreckten, den Raum füllenden Flügeln sind immer auch Ornamente, die architektonische Formen nicht nur schmücken, sondern ihnen auch verstärkten Ausdruck verleihen.[189]

Expressive Gestik und Ornament sind wohl nie so konform in die Erscheinung getreten wie in der westromanischen Bauplastik. Henri Focillon sieht die skulpierte

Menschen- und Tiergestalt wesentlich von der Bauform, dem architektonischen Ort oder dem Rahmen, dem sie eingeordnet ist, geprägt, einer architekturalen Gesetzlichkeit »unterworfen«.[190] Erwin Panofsky dagegen meint, zwischen der romanischen Plastik und Architektur scheine »kein Suprematieverhältnis, sondern ein besonders enges Affinitätsverhältnis bestanden zu haben«, Bauwerk und Bildwerk seien zu einer »über die bloße Verbindung hinausgreifenden Daseinsgemeinschaft zusammengetreten, die scheinbar eine Unterordnung der Plastik unter die Architektur, tatsächlich aber die Erfüllung eines für beide Künste verbindlichen, nur eben neuartigen und daher auch ein neuartiges Verhältnis zwischen ihnen bedingenden Gestaltungsprinzips bedeutete: die Bereitschaft der mittelalterlichen Plastik, in einen architektonischen Zusammenhang einzutreten, bedeutet ebenso eine Bereitschaft der mittelalterlichen Architektur, ihr Material der plastischen Ausgestaltung zu überantworten«.[191]

Man kann darüber streiten, ob es mehr ein ›conformisme architectural‹, eine ›dialectique ornementale‹ und ein ›raisonnement géométrique‹ ist, die nach Focillon bewirkt haben, daß im Vergleich zur mittelmeerantiken Plastik in der romanischen die Menschen- und Tiergestalt deformiert erscheint, oder ob diese ›Deformation‹ mehr durch den Drang zu expressiver Gestik bestimmt ist. Die Verquickung einer reichen Bildphantasie mit einer starken ornamentalen Phantasie ist jedenfalls evident. Sie ist es im besonderen bei dem chapiteau historié, dem erzählenden Kapitell, das in der westromanischen Architektur des Südens so häufig wie das bloß ornamentierte ist. Es ist ja nicht zuletzt die ornamentalisierte Epik, die diesen Kapitellen ihren unsäglichen Zauber gibt. Ebenso faszinieren sie durch das Zusammenspiel von Ornament und mythisch-symbolischer Figur. Was dem Bildnertrieb in den Tympana über den Portalen und in Wand- und Glasgemälden darzustellen versagt geblieben ist, ist in der Kapitell-Plastik bildhafte Gestalt geworden: die überlebende heidnische Halbgötter- und Dämonenwelt, nun christlich umgedeutet, mit Ornament und christlicher Legende amalgamiert.

Wie die antike ›attische‹ Basis leben die klassischen antiken Kapitellformen und ihre Dekoration in den romanischen fort. Die häufigste Kapitellform der römischen Architektur, das korinthische Kapitell, ist zuweilen recht getreu kopiert worden. Wie die Sockelecken unter der attischen Basis häufig durch Eckblätter, Krallen und ähnliche Gebilde ist auch – und mehr noch – das antike Blattkapitell mannigfach dekorativ bereichert worden. Es lebt sowohl in reduzierten wie in vielfach variierten Formen die ganze romanische Epoche hindurch fort, ebenso aber auch das antike Motiv der Eckvoluten. Oft kehrt die antike Volutenform selbst wieder, zumeist stark reduziert, vergröbert, manchmal dem Kapitellkorb nur in flachem Relief eingemeißelt oder auch nur eingeritzt. Sehr häufig sind die Voluten durch andere, die Kapitellecken artikulierende Gebilde ersetzt, durch Menschenköpfe, Köpfe von Tieren und Fabelwesen, Nereidenflossen, Widderhörner, Pflanzenknollen, spiralisch gerollte Blattranken usw. oder sie sind mit solchen Gebilden kombiniert. Die trapezoide Form des Kapitellkorbs ist fast immer durch Figuren oder Ornamente an ihren Ecken klar konturiert [182 ff.].

Kein anderes Architekturglied ist so sehr der Ort geworden, in dem sich die pagane und die christliche Vorstellungswelt so nah begegnen und sich vermischen wie das Kapitell. Der Anthropomorphismus der Antike verbindet sich mit dem Vokabular der prähistorischen Ornamentik. Menschen-, Tier-, Fabelgestalten sind in das in Anlehnung an das antike korinthische Kapitell stilisierte Blattwerk gesetzt oder sind in ein Rankenwerk und Pflanzengeschling verwoben [196]. Die paganen geflügelten Götter, Niken und Eroten kehren in der Gestalt der Engel wieder. Greifen, Kentauren, Sphinxe, Sirenen, Nereiden [193–194], Tritone, Drachen bevölkern die Kapitelle und haben in der christlichen Ikonographie Umdeutungen ihres ursprünglichen mythischen und symbolischen Gehalts erfahren. Sie verkörpern das Böse und die Laster, vor denen sich zu bewahren der christliche Glaube dem Menschen helfen soll. Vielleicht waren manche dieser Fabeltiere für den Menschen des Mittelalters eine Art apotropäischen Zeichens. Großenteils aber sind sie wohl auch jeden Symbolgehaltes entkleidete ebenso bloß dekorative Gebilde wie die so häufigen Palmetten, gewellten und schneckenförmig gerollten Blattranken und die in strenger Symmetrie einander konfrontierten Vögel, Löwen, Sphinxe, Sirenen, Drachen, die doppelköpfigen Tiere oder die zwei Tier- oder Menschenleiber mit einem Kopf [184]. Animalisches und Floreales sind phantastisch und grotesk amalgamiert. Der Bart eines Kopfes wird in gerollte Blätter umgeformt. Köpfe wachsen aus Blättern heraus [189]. Blätter werden in Köpfe, Löwenschwänze in Blattranken, Blattranken in Vogelflügel verwandelt. Das selbe Motiv, die selbe chimärische Gestalt wird in einer Vielzahl von Metamorphosen wiedergeboren und wie jedes aus der natürlichen Erscheinung geschöpfte Gebilde einer ornamentalen Logik unterworfen und eingeordnet.

Es war im besonderen ›ridicula monstruositas‹ auf den Kapitellen in den Kirchen und Kreuzgängen, die Bernhard von Clairvaux verwarf. Die feri leones, die monstruosi centauri, die semihominenes, die miletes pugnantes dienen, meinte er, nur der concupiscentia oculorum, der Begehrlichkeit der Augen. Solche Bedenken waren gewiß schon oft den im Dienste des christlichen Kults stehenden Männern gekommen. So berichtet der Liber miraculorum sancte Fidis von den Zweifeln, die der 1013 mit seinem Schüler Bernerius nach Conques gewallfahrtete Scholast Bernhard von Angers an der Berechtigung der kostbaren Heiligenbilder hatte. Diese Zweifel wurden dann aber, als er inmitten der Menge stand, die vor der mit Edelstein besetzten Goldstatue der Fides kniete, durch pragmatische Überlegungen zerstreut.[192] Bernhard von Clairvaux dachte hinsichtlich der ridicula monstruositas weniger pragmatisch. Sein fast calvinistisch anmutender Eifer hat die großartige Nüchternheit der Zisterzienserkirchen bewirkt, aber nicht, daß auch andere Orden, voran die sinnenfreudigen Cluniazenser, seinem Beispiel folgten. Das haben wohl erst ganz andere Motive und stilgeschichtliche Wandlungen in der gotischen Architektur bewirkt. Ihr und der nachfolgenden Épochen Kirchenprunk war anderer Art, aber gewiß nicht weniger prächtig.

So überaus erfindungsreich die Ornamentik und die figurale Epik auf den Kapitellen in die Erscheinung tritt, so auffallend ist die Wiederkehr derselben Kompositionsschemata nicht nur im Bereich einer ›Schule‹, sondern über den weiten geographischen Raum der westromanischen Architektur und über ihn hinaus auch in der südromanischen und selbst der an ornamentierten oder erzählenden Kapitellen sehr armen ostromanischen. Die aufrecht stehenden Löwen, deren Köpfe eine Art Eckvoluten bilden, die schlanken Vögel, deren gekurvte Körper sich unter den Abakusecken so vereinigen, daß ihre Köpfe eine Art Volute bilden – manchmal enden ihre Körper auch in einem gemeinsamen Kopf –, kehren immer wieder. Oft sind Fabelwesen einem gleichartigen Kompositionsschema eingeordnet, das wir ebenso in Pavia und an den Kapitellen in Sigolsheim (Elsaß) und der Kaiserpfalz in Gelnhausen finden wie in Nordspanien, im Languedoc, der Charente oder der Ile-de-France. Zwischen den Löwen erscheint oft eine menschliche Figur, die in Moissac durch eine Inschrift ausdrücklich als Daniel bezeichnet ist [186]. Gewiß sind auch gleichartige Kompositionen als Darstellungen des Daniel in der Löwengrube anzusehen. Ein Kapitell mit gleichartiger Danielfigur kennen wir unter den Kapitellen der Daurade (jetzt im Musée des Augustins in Toulouse), aber anders gruppierten Löwen (außerdem vier statt zwei). Diese beiden Kapitelle stammen zwar nicht aus derselben Werkstatt, aber aus derselben Schule. Eine männliche Gestalt zwischen Löwen kehrt oft auf Kapitellen wieder. Während in Saint-Sever (Landes) mit ihr gewiß Daniel gemeint ist, denn zwei Löwen lecken ihm, wie auch auf einem Kapitell im Chorumgang von Sainte-Radegonde in Poitiers, die Füße, ist in anderen Fällen zwar das Kompositionsschema das selbe, an die Stelle der Löwen sind aber (z. B. in Saint-Martin-du-Canigou) Vögel oder (in Saint-Sever, in Pavia) Menschen getreten. In einem kleinen Tympanon von Sainte-Marie-d'Oloron sind es Greife. Zuweilen wird von konfrontierten Löwen nicht eine Menschenfigur gerahmt, sondern ein Pflanzenornament. Gleichartige Kompositionsschemata liegen jedenfalls den verschiedensten legendären Darstellungen oder ornamentalen Gebilden und Mischungen beider zugrunde, kehren an den verschiedensten Orten wieder, so daß nicht nur auf gemeinsame, großenteils vorderasiatische, Vorbilder zu schließen ist, die auch nachweisbar sind. Es muß vielmehr angenommen werden, daß die Bildhauerwerkstätten nach geometrisch-ornamentalen Kompositionsschemen arbeiteten, die dann von Fall zu Fall mehr oder weniger frei variiert wurden. Wenigstens läßt sich nur so die ewige Wiederkehr gleichartiger, in neuen Abwandlungen mit neuem Leben erfüllter Kompositionsschemen erklären.[193]

Es kann kaum verwundern, daß die ostromanische Architektur, in der die Räume ›wandhaft‹ umschlossen und auch im Gewölbebau Mauer und Wand nur sehr zurückhaltend gegliedert sind, an ornamental oder figural skulpierten Kapitellen so arm ist. Die präromanische Architektur hat auch im Osten gelegentlich römische Blattkapitelle wieder verwendet und die Kapitelle nach ihrem Vorbild skulpiert (Torhalle in Lorsch, Sankt Justinus in Höchst, Corvey usw.). In der romanischen Epoche ist aber die zuerst in der Lombardei auftauchende abstrakt stereometrische Kapitellform in Gestalt eines Kubus mit zum Säulenschaft hin abgerundeten Kanten unter einer ausladenden, gelegentlich profilierten Deckplatte, das sogenannte Würfelkapitell, bis in spätromanische

Zeit zur beherrschenden, fast einzigen Kapitellform geworden, ohne eine wesentliche Weiterentwicklung erfahren zu haben. Die Würfelkanten sind gelegentlich durch zarte Ritzlinien hervorgehoben, die Rundung noch einmal durch eine sanfte Abstufung innerhalb der Würfelfläche betont. Nur selten ist der Würfel ornamentiert [180]; so in Paulinzella, Quedlinburg, Sankt Michael und Sankt Godehard in Hildesheim, in Knechtsteden und mit leiser Abwandlung der Grundform sehr reich in Maursmünster (Elsaß). Das Würfelkapitell – und ebenso das normannische Faltkapitell mit seinen Varianten – ist jedenfalls von antiken Vorbildern am weitesten entfernt. Es ist als abstrakte tektonische Form eine originale romanische Schöpfung. Man hat es aus dem Holzbau ableiten zu können geglaubt. Doch ist ein Balkenkopf noch lange kein Würfelkapitell. Es gibt im Holzbau keine ihm annähernd ähnlichen Gebilde. Wir finden das Würfelkapitell im Gegenteil als eine vom Steinbau übernommene Kapitellform in den aus dem 12. und 13. Jahrhundert stammenden Stabkirchen von Urnes, Hopperstadt und Torpo in Norwegen.

**Bild-Tafeln**

int-Restitut (Drôme). Portal an der Südseite

2   Vaison-la-Romaine (Vaucluse). Kathedrale, Fundament der Apsis

3   Saint-Gilles (Gard). Fries am Portalvorbau

Nîmes (Gard). Architrav der ›Maison carrée‹

Avignon (Vaucluse). Kathedrale, Vorhallenecke

6 Ravenna (Emilia). San Giovanni in Fonte, Mauerflächengliederung

7 Pomposa (Ferrara). Glockenturm, Mauerflächengliederung

hlettstadt (Sélestat, Bas-Rhin). Sankt Fides

ulouse (Haute-Garonne). Église des Augustins

10 Lüneburg (Niedersachsen). Johanniskirche

11 Tournus (Saône-et-Loire). Saint-Philibert, Westbau

12 Aulnay (Charente-Maritime). Süd-Fassade des Querschiff

13  Murrhardt (Württemberg). Walterich-Kapelle, Fensterrahmung

14  Rosheim (Bas-Rhin). Apsisfenster

15  Bari (Apulien). San Sabino, Fenster in der Ostwand

16  Bari (Apulien). San Nicola, Nordportal

Speyer (Rheinpfalz). Querschiff-Fenster

Arles-sur-Tech (Pyrénées-Orientales). Apsisfenster

21    Rosheim (Bas-Rhin). Süd-Portal

22    Ruvo (Apulien). Kathedrale, Hauptportal

23    Verona (Venezia). Kathedrale, Süd-Portal

24    Maulbronn (Württemberg). Portal im Kreuzgang

Athen. Akropolis, Säulenbasis am Nike-Tempel        25 b   Tournus (Saône-et-Loire). Säulenbasis

Sens (Yonne). Kathedrale, Säulenbasis        26 b   Alpirsbach (Württemberg). Säulenbasis

Braunschweig (Niedersachsen). Stiftkirche, Pfeilerbasen        28   Gurk (Kärnten). Gewändebasen des Hauptportals

29

30

31

33

29   Poitiers (Vienne). Notre-Dame-la-Grande

30   Le Puy (Haute-Loire). Kathedrale, Kreuzgang

31   Saint-Georges-de-Boscherville (Seine-Maritime). Kapitel

32   Salles-les-Aulnay (Deux-Sêvres). Pfarrkirche

33   Saint-Georges-de-Boscherville (Seine-Maritime). Kapitel

Tournus (Saône-et-Loire). Nordwest-Turm

La Charité-sur-Loire (Nièvre). Chorhaupt mit Querschiff

37 Mainz (Rheinland-Pfalz). Kathedrale, südlicher Querschiff-Giebel

38 Worms (Rheinland-Pfalz). Kathedrale, Ostchor-Mauer

Maria Laach (Rheinland). Gliederung der Langhausmauern

Sequeville-en-Bessin (Calvados). Blendarkatur der Hochschiffmauer

41  Hersfeld (Hessen). Nischenkranz der Ostapsis

42  Parma (Emilia). Kathedrale, Zwerggalerie der Apsis

Chauvigny (Vienne). Saint-Pierre, Apsiden am Chorumgang

Neuß (Rheinland). Sankt Quirin, Westfassade

Melle (Deux-Sèvres). Saint-Pierre, Apsis und Apsidiole

Königslutter (Niedersachsen). Apsis

Salles-les-Aulnay (Deux-Sèvres). Apsis

7   Corneilla-de-Conflent (Pyrénées-Orientales). Apsis

49 Spoleto (Perugia). San Pietro, Fassade

50 Köln (Rheinland). Sankt Aposteln, Ansicht von Osten

Ancona (Marche). Santa Maria della Piazza

Assisi (Perugia). Duomo San Rufino

55 Maria Laach (Rheinland). Mittelschiff nach Westen

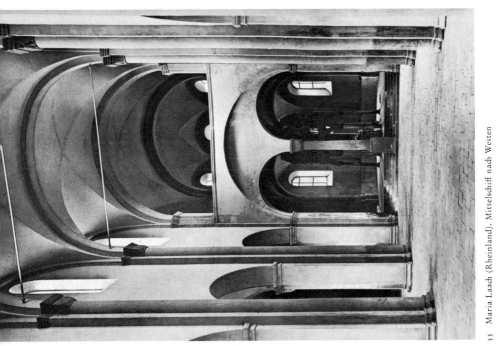

56 Mainz (Rheinland-Pfalz). Kathedrale, Mittelschiff

60 Caen (Calvados). La Trinité, Mittelschiffwand

59 Caen (Calvados). Saint-Étienne, Mittelschiffwand

63 Ely (Cambridgeshire). Mittelschiffwand

64 Durham (Co. Durham). Mittelschiffwand

68 Jerichow (Mark). Mittelschiffwand

67 Florenz (Toscana). San Miniato al Monte, Langhaus

70 Bernay (Eure). Mittelschiffwand

72   Le Dorat (Haute-Vienne). Apsiskuppel

71   Bénévent-l'Abbaye (Creuse). Mittel- und Seitenschiff

73 Alpirsbach (Württemberg). Blick vom Chor zu den Decken von Vierung und Mittelschiff
74 Quedlinburg (Sachsen-Anhalt). Stiftkirche, Mittelschiff nach Westen

Conques (Aveyron). Südliche Querschiff- und Chorwand

Nevers (Nièvre). Saint-Étienne, Vierung

78 Châtel-Montagne (Allier).
Mittelschiffwand

79 Bari (Apulien). San Sabino, Se
schiff

Toulouse (Haute-Garonne). Saint-Sernin, Mittelschiffwand

Toulouse (Haute-Garonne). Saint-Sernin, südlicher Querschiffarm

82 Saint-Georges-de-Boscherville
(Seine-Maritime). Mittelschiff

83 Autun (Saône-et-Loire).
Mittelschiffwand

Vézelay (Yonne). Mittelschiffwand

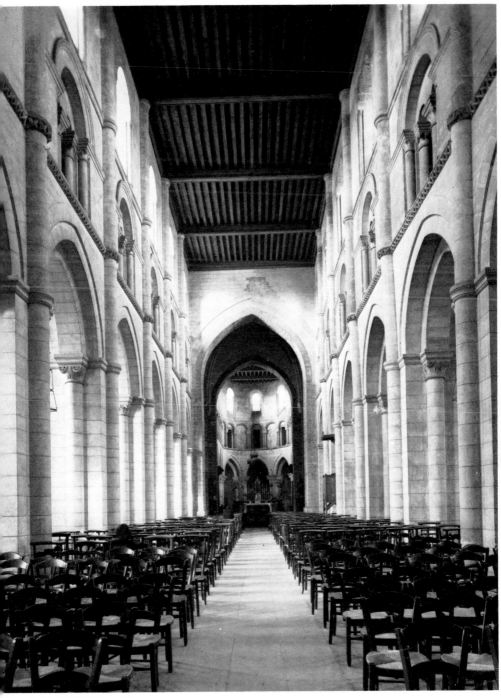

Lillers (Pas-de-Calais). Mittelschiff

85   Mont Saint-Michel (Manche). Südliche Mittelschiffwand

87 Souillac (Lot). Schiff gegen Chor

88 Souillac (Lot). Chorhaupt

89 Souillac (Lot). Kuppeldächer ▷

90 Agen (Lot-et-Garonne). Saint-Caprais, Chorhaupt ▷

91 Melle (Deux-Sèvres). Saint-P
Seitenschiffgewölbe

92 Poitiers (Vienne). Saint-H
Kuppeln des Mittelschiffs

Saint-Saturnin (Puy-de-Dôme). Vierungskuppel, Blick ins Querschiff

94 Le Dorat (Haute-Vic
Vierungskuppel

95 Caen (Calvados). S
Étienne, Vierungsk

Toro (Zamora). Vierungs-kuppel

Torres del Rio (Navarra). Iglesia del Santo Sepulcro, Kuppel

98  Fontevrault (Maine-et-Loire
    Schiff

99  Poitiers (Vienne).
    Sainte-Radegonde, Nordwar

Saint-Benoît-sur-Loire (Loiret).
Chorwand

Saint-Genou (Indre). Chorwand

102   Châteaumeillant (Cher). Saint-Genès, Chorraum △

103   Clermont-Ferrand (Puy-de-Dôme). Notre-Dame-du-Port, Chor

105 Toulouse (Haute-Garonne). Saint-Sernin, Chorhaupt

106 Hildesheim (Niedersachsen). Sankt Godehard, Chorhaupt

107 Sant'Antimo (Siena). Chorumgang

108 Saint-Nectaire (Puy-de-Dôme). Chorumgang

109  Dijon (Côte-d'Or). Saint-Bénigne, Krypta

110  Dijon (Côte-d'Or). Saint-Bénigne, Rotunde. Zeichnung des 18. Jh.s

Saint-Michel-d'Entraygues (Charente). Oktogon

Saint-Michel-d'Entraygues (Charente). Oktogonaler Zentralbau

11  Neuvy-Saint-Sépulcre (Indre). Rotunde

114 Charroux (Vienne). Ruine des Chorturms

115 Cambridge (Cambridgeshire). Holy Sepulchre

116 Cambridge (Cambridgeshire). Holy Sepulchre, Rotund

Verona (Venezia). San Zeno, Eingang zur Krypta
Quedlinburg (Sachsen-Anhalt). Wiperti-Krypta

121  Mittelzell-Reichenau (Bodensee). Westchorturm

122  Paderborn (Westfalen). Kathedrale, Westchorturm

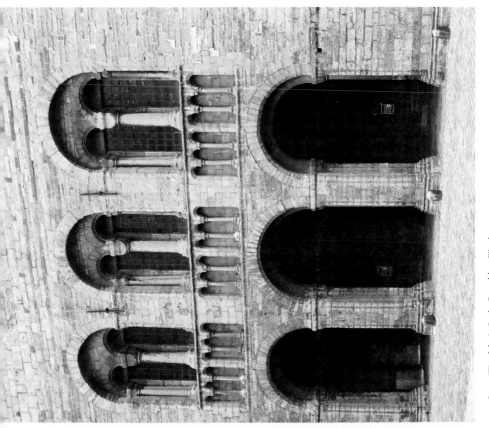

126  Soest (Westfalen). Sankt Patroklus, Turm

125  Soest (Westfalen). Sankt Patroklus, Westbau

133 Moissac (Tarn-et-Garonne). Vorhallenturm, Etage

134 Moissac (Tarn-et-Garonne). Vorhallenturm, Etage, Gewölbe

135

137

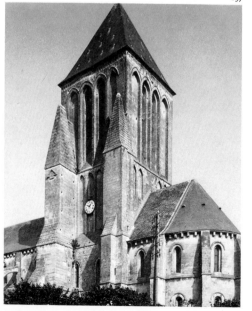

136 Limoges (Haute-Vienne). Saint-Pierre-du-Queyroix, Glo
turm

135 Angers (Maine-et-Loire). Turm Saint-Aubin
137 Ouistreham (Calvados). Vierungsturm

Brantôme (Dordogne). Glockenturm

139  Saint-Léonard-de-Noblat (Haute-Vienne). Glockenturm

140  Chartres (Eure-et-Loire). Kathedrale, südlicher Fassadentur

141   Vendôme (Loir-et-Cher). La Trinité, Glockenturm          142   Étampes (Seine-et-Oise). Notre-Dame, Glockenturm

Laon (Aisne). Kathedrale, Westturm am südl. Querschiff-arm

Bamberg (Oberfranken). Kathedrale, nördl. Turm des Westturmpaares

Bamberg (Oberfranken). Kathedrale, Baldachin über der Marienstatue

146 Saint-Michel-de-Cuxa (Pyrénées-Orientales). Glockenturm

147 Arles (Bouches-du-Rhône). Saint-Trophime, Vierung

Lucca (Toscana). San Frediano,
Glockenturm

149   Sant'Antimo (Siena). Glockenturm

152 Le Seurre (Charente-Maritime). Fassadenmauer

153 Lillers (Pas-de-Calais). Fassadenmauer

154 Aulnay (Charente-Maritime). Chor und Querschiff
155 Surgères (Charente-Maritime). Fassadenmauer

157 Chauriat (Puy-de-Dôme). Querschiffgiebel

arls Barton (Northamptonshire). Glockenturm

158 Clermont-Ferrand (Puy-de-Dôme). Notre-Dame-du-Port, Querschiffgiebel

Houghton-le-Spring (Co. Durham). Tympanon

160 Havelberg (Mark). Westbau

161 Ely (Cambridgeshire). Westb

162　Orcival (Puy-de-Dôme)
163　Conques (Aveyron)

Freckenhorst (Westfalen)
Mainz (Rheinland-Pfalz). Kathedrale von Nordwesten

166  Basel (Schweiz). Tympanon der ›Galluspforte‹
167  Perrecy-les-Forges (Saône-et-Loire). Tympanon

Beaulieu-sur-Dordogne (Corrèze). Tympanon
Conques (Aveyron). Tympanon

170 Saint-Genis-des-Fontaines (Pyrénées-Orientales). Türsturz
171 Civray (Vienne). Bogenlaibung des Portals

173

174

Arles (Bouches-du-Rhône). Saint-Trophime, Fries vom Portalvorbau
Talmon (Charente-Maritime). Bogenlaibung des Portals

173 Cahors (Lot). Bogenlaibung des Portals

175 Spoleto (Perugia). Santa Maria Assunta, Atlant an der
Fassade

176 Beaulieu-sur-Dordogne (Corrèze). Mittelpfeiler des P

Moissac (Tarn-et-Garonne). Mittelpfeiler des
Portals

178  Sangüesa (Navarra). Portalgewände

179

180

182                    181

179  Sigolsheim (Haut-Rhin). Kapitelle am Portalgewände
180  Bremen. Kathedrale, Würfelkapitell
181  Conques (Aveyron). Kapitell vom Kreuzgang

182  L'Estany (Barcelona). Kapitell im Kreuzgang
183  Moissac (Tarn-et-Garonne). Kapitell im Kreuzgang

185    186

Mozac (Puy-de-Dôme). Kapitell
Chauvigny (Vienne). Saint-Pierre, Kapitell im Chor

186   Moissac (Tarn-et-Garonne). Kapitell im Kreuzgang

187

188

189

191

190

195

196

Vézelay (Yonne). Medaillons im Bogenfries des Tympanon
Gerona (Katalonien). San Pedro de Galligans, Kapitell
Le Puy (Haute-Loire). Kapitell im Kreuzgang
Toulouse (Haute-Garonne). Musée. Doppelkapitell aus der
›Daurade‹

Cruas (Ardèche). Kapitell in der Krypta
89  Dijon (Côte-d'Or). Saint-Bénigne, Kapitelle der Krypta
Toulouse (Haute-Garonne). Musée, Kapitell aus Saint-Ser-
nin
Caen (Calvados). La Trinité, Kapitell der Krypta
Frómista (Palencia). San Martín, Kapitell

197    Aulnay (Charente-Maritime). Bogenlaibung des Querschiffportals

# Zu den Abbildungen: Verzeichnis und Erläuterungen

## Bild-Tafeln

1 Saint-Restitut (Drôme)
Pfarrkirche. Portal zwischen den Strebepfeilern der ersten Travée des einschiffigen tonnengewölbten Langhauses.
Gesims mit Zahnfries, Perl-, Eierstab,
Mäanderband, Akanthusblättern. Mitte
12. Jh. oder erst 2. H. 12. Jh.

2 Vaison-la-Romaine (Vaucluse)
Kathedrale. Fundament der rechteckig
ummantelten Apsis. Aus Säulentrommeln, Kapitellen und anderen Werk-
stücken eines Römerbaus, an dessen
Stelle die Kathedrale Notre-Dame-de-
Nazareth errichtet worden ist. Baubeginn vielleicht noch im 11. Jh., Vollendung aber wohl erst 2. H. 12. Jh.

3 Saint-Gilles (Gard)
Abteikirche. Detail des Portalvorbaus.
Fries am linken (nördl.) Seitenportal.
Datierung unsicher, Mitte oder 2. H. 12.
Jh. (vgl. Abb. 174).

4 Nîmes (Gard)
Maison carrée. Architrav. Tempel auf
dem Forum der Römersiedlung Colonia
Augusta Nemausus, seit dem 16. Jh.
maison carrée genannt. Errichtet Ende
(?) des 1. vorchristl. Jahrhunderts.

5 Avignon (Vaucluse)
Notre-Dame-des-Doms. Architrav der
Vorhalle, die im letzten Drittel des 12.
Jhs. der einige Jahre früher vollendeten
Kathedrale vorgebaut worden ist.

6 Ravenna (Emilia)
San Giovanni in Fonte. Mauerflächengliederung. Als Baptisterium der Kathedrale M. 5. Jh. errichtet.

7 Pomposa (Ferrara)
Dekorative Gliederung der Fassaden
des Glockenturms. 1036 neben der Kirche der seit dem 8. Jh. bestehenden Abtei Santa Maria di Pomposa errichtet,
nachdem die prächtige Vorhalle mit dem
Backstein-Mauerwerk flach eingesetzten
ornamentalen Steinreliefs gebaut war.

8 Schlettstadt (Sélestat, Bas-Rhin)
Sankt-Fides. Mauergliederung an der
Chorapsis. Gründung der Benediktiner-
Abtei E. 11. Jh., mit Mönchen von
Sainte-Foy in Conques (Aveyron) be-
setzt. Heutige Kirche um 1200. Der Bo-
genfries unter einem profilierten Dach-
gesims aus kleinen Quadern gemauert.

9 Toulouse (Haute-Garonne)
Église des Augustins. Gliederung des
Backsteinmauerwerks des Turms. Das
Augustinerkloster ist heute das Musée
des Augustins mit einer großen Sammlung romanischer Kapitelle und anderer
Skulpturen. Kirche und Turm E. 14. Jh.
Die oberen Geschosse des Turms 1550
durch Blitzschlag zerstört. Die Gestaltung der Öffnungen gleicher Art wie bei
den obersten Geschossen des Vierungsturms von Saint-Sernin (13. Jh.) und

des Turms der Église des Jacobins in Toulouse.

10 Lüneburg (Niedersachsen)
Johanniskirche. Gliederung der Turmfassaden. A. 15. Jh. Turmhaube nach Brand 1406–1408 erneuert. Blendgiebel vor dem Pyramidenhelm (vgl. Abb. 138, 139).

11 Tournus (Saône-et-Loire)
Saint-Philibert. Mauerflächengliederung am Westbau. Spärliche schriftliche Überlieferung und der Baubefund lassen die Baugeschichte nicht mit letzter Sicherheit restituieren. Doch darf das Untergeschoß des Narthex als der Rest des dreischiffigen gewölbten Langhauses angesehen werden, das außer der Krypta nach dem Brand von 1007 oder 1008 von dem früheren Bau des 10. Jhs. erhalten geblieben ist. Ihm wurde, wahrscheinlich unter dem Abt Bernier (1008 bis 1028), ein breiteres Langhaus angebaut. Die obere Etage des Narthex gehört dem weiteren Ausbau unter Abt Ardain (1028–1056) an. Das jetzige Schiff mit den Quertonnen über den Abseiten dürfte aber erst unter dem Abt Pierre I. (1066–1077) entstanden sein. Die Vollendung des ganzen Baus mit Transept und Chor ist in die erste Hälfte des 12. Jahrhunderts zu datieren. – An den Fassaden des Westbaus stehen die Lisenen der Etage nicht über denen des Erdgeschosses. Das deutet nicht nur auf eine spätere Planänderung und die nachträgliche Errichtung einer Etage als eines Michael-Oratorium, sondern offenbart auch die rein dekorative Funktion dieser Lisenen. Das Satteldach über dem Südturm ist später erneuert worden, entspricht aber dem ursprünglichen Zustand; vgl. die Abb. 34, auf der der Giebel des alten Turms unter dem ihm im 12. Jh. ausgebauten Nordturm sichtbar ist.

12 Aulnay (Charente-Maritime)
Saint-Pierre. Fassade des südl. Querschiffarms. Die Kirche ließen die Domherren des Kapitels der Kathedrale von Poitiers im zweiten Drittel des 12. Jahrhunderts erbauen. Sie ist von Zerstörungen durch Kriege und durch die Revolution bis auf unsere Tage verschont geblieben (vgl. die Abb. 154 und 197). Dreischiffiges Langhaus in der Art des poitevinschen Hallentyp (s. Fig. 24). Spitztonnen auf Gurtbögen. Vierpaßpfeiler. Ausladendes Querschiff mit einer Apsidiole an jedem Arm (s. Abb. 154). Langer Chor mit halbrunder Apsis.

13 Murrhardt (Württemberg)
Abteikirche. Dekorativer Fensterrahmen (1220–1230) an der Apsis der Walterich-Kapelle, die dem Nordturm der ehemaligen Abtei-, späteren Pfarrkirche angebaut ist. »Außergewöhnlich die Sicherheit und Sauberkeit der Steinhauerarbeit« (Dehio, Handbuch).

14 Rosheim (Bas-Rhin)
Pfarrkirche. Apsisfenster-Rahmen. Um 1170–1190

15 Bari (Apulien)
Kathedrale San Sabino. Fensterrahmung an der Ostwand. 2. H. 12. Jahrhundert.

16 Bari (Apulien)
San Nicola. Nordportal (›porta dei leoni‹). 12. Jh.

17 Speyer (Rheinpfalz)
Kathedrale. Rahmen eines Fensters am südl. Querschiffarm. 12. Jh. Vermutlich die Arbeit einer lombardischen Steinhauerwerkstatt.

18 Maria Laach (Rheinland)
Benediktinerabtei-Kirche. Rahmung eines Fensters an der Westseite des nördlichen Arms des östlichen Querschiffs. 2. H. 12. Jh. Rahmen – wie die Lisenen und großenteils auch die Bogenfriese,

vgl. Abb. 39 – aus dunklem Basalt. Helles Quadermauerwerk.

19 Arles-sur-Tech (Pyrénées-Orientales)
Abteikirche. Rahmung des Apsisfensters. 11. Jh.

20 Alet (Aude)
Kathedrale. Rahmung einer Öffnung in der Südmauer des Langhauses. Der Bau ist seit der Zerstörung 1755 durch die Hugenotten Ruine. 11. Jh.

21 Rosheim (Bas-Rhin)
Pfarrkirche. Portal an der südl. Langhausmauer. E. 12. Jh.

22 Ruvo (Apulien)
Kathedrale. Hauptportal. 12. Jh.

23 Verona (Venezien)
Kathedrale. Nord-Portal. 2. H. 12. Jh.

24 Maulbronn (Württemberg)
Zisterzienser-Abtei. Portal mit umlaufendem Sockelprofil im westlichen Kreuzgangflügel. 2. H. 12. Jh.

25a Athen
Akropolis. Basis am Nike-Tempel. Nach 432 v. Chr.

25b Tournus (Saône-et-Loire)
Saint-Philibert. Basis an der Ecke des südlichen Querschiffarms und des Chorumgangs. 1. V. 12. Jh. (Weihe mehrerer Altäre im Chor durch den Papst Calixtus II.). Zur Inschrift s. S. 25 f.

26a Sens (Yonne)
Kathedrale. Basis einer Säule der Arkatur im Chorumgang. 1. H. 12. Jh.

26b Alpirsbach (Württemberg)
Ehemalige Benediktinerabtei-Kirche. Basis einer Säule der Langhausarkaden. 1. V. 12. Jh.

27 Braunschweig (Niedersachsen)
Kollegiatstiftkirche Sankt Blasius (›Dom‹) (1173–1195). Basen der Pfeiler der südlichen Langhausarkaden.

28 Gurk (Kärnten)
Abtei- und Bischofskirche. Basen des rechten Gewändes des Hauptportals. Um 1190.

29 Poitiers (Vienne)
Notre-Dame-la-Grande. Abgetreppter, in die Mauer eingestufter Bogen des Hauptportals in der Westfassade. Um 1150.

30 Le Puy (Haute-Loire)
Kathedrale. Arkaden des Nordflügels des Kreuzgangs. M. 12. Jh.

31 Saint-Georges-de-Boscherville (Seine-Maritime)
Abteikirche. Arkaden am Eingang in den Kapitelsaal. 12. Jh.

32 Salles-les-Aulnay (Deux-Sèvres)
Pfarrkirche. Portal in der Westfassade einer einschiffigen Kirche. 12. Jh. (vgl. die Apsis der Kirche Abb. 48).

33 Saint-Georges-de-Boscherville (Seine-Maritime)
Abteikirche. Stirnseite der Portalbögen des Kapitelsaals (Abb. 31). 12. Jh.

34 Tournus (Saône-et-Loire)
Saint-Philibert. Nordturm (›le petit clocher‹) der Westfassade (vgl. Abb. 11). Über dem oblong rechteckigen Turm des 11. Jh.s im luxuriösen ›Barock‹ der spätromanischen Architektur Burgunds errichtet.

35 La Charité-sur-Loire (Nièvre)
Abteikirche. Obere Geschosse des nördlichen Fassadenturms. Zwischen 1110 und 1135.

36 La Charité-sur-Loire (Nièvre)
Abteikirche, Chorhaupt, Querschiff und Vierungsturm, etwa gleichzeitig mit dem Turm (Abb. 35).

37 Mainz (Rheinland-Pfalz)
Kathedrale. Südlicher Giebel des westlichen Querschiffs. Weihe des Westchors als Hauptsanktuarium 1239. Langhausmauer, durch Lisenen und Bogenfriese gegliedert, 11. Jh.

38 Worms (Rheinland-Pfalz)
Kathedrale. Detail der Fassade des Ostchors des doppelchörigen Baus. Vollendet im 1. V. 13. Jh.

39 Maria Laach (Rheinland)
Abteikirche. Gliederung der Langhausmauern. Lisenen und Bogenfriese der
Hochschiffmauer aus dunklem Basalt
(vgl. Abb. 17).

40 Secqueville-en-Bessin (Calvados)
Pfarrkirche. Südseite des Langhauses.
Blendarkatur an der Hochschiffmauer.
Nicht genau zu datieren. Um 1200.

41 Hersfeld (Hessen)
Abteikirche. Nischenkranz der (östlichen) Apsis der doppelchörigen Abteikirche, die seit 1761 Ruine ist. Die Apsis
schloß einen 20 m langen Chor mit
schlanken Blenden ab. Datierung: Vielleicht noch 2. H. 11. Jh. (Westchor Abb.
119).

42 Parma (Emilia)
Kathedrale. Zwerggalerie der Chor-
Apsis. Der Bau war 1046 – die Datierung ist unsicher – vollendet, erlitt 1117
durch ein Erdbeben schwere Schäden,
wurde in den Grundzügen in unver-
änderter, aber doch wohl in dekorativ
bereicherter Gestalt wiederaufgebaut.
Anlehnung an ostromanische Vorbilder.
Im besonderen das Zwerggalerie-Mo-
tiv übernommen. Dieses nicht nur an
den Chor- und Querschiffapsiden, sondern auch am Querschiff selbst und an
der Westfassade. Im übrigen treten die
Mauergliederungsformen des ›premier
art roman‹ in effektvollen Variationen
auf.

43 Chauvigny (Vienne)
Kollegiatkirche Saint-Pierre. Apsiden
am Chorumgang. 12. Jh. – Die Kirche
liegt auf der Höhe über der Stadt in
unmittelbarer Nähe der noch als mächtige Ruine aufragenden Burg der Bischöfe von Poitiers, die die Kirche gestiftet und mit Chorherren besetzt hatten. Dreischiffiger Hallenbau des poitivinischen Typs. Am Chorumgang drei
fast gleich große Apsiden mit großen

Fenstern (aus dieser Kirche das Kapitell
Abb. 184).

44 Neuß (Rheinland)
Sankt Quirin. Detail der Westfassade.
Diese Damenstiftkirche ist eine der spä-
testen rheinischen Dreikonchenbauten.
Eine Inschrift nennt als ›magister‹ (Bau-
meister) Wolboro, der 1209 den Bau des
Langhauses begonnen, vielleicht auch
den querschiffartig ihm vorgelagerten
Westbau errichtet hat.

45 Königslutter (Niedersachsen)
Benediktinerabtei-Kirche. Apsis. Grundsteinlegung 1135 durch Kaiser Lothar,
der 1137 im Langhaus beigesetzt wurde.
Kreuzförmige Pfeilerbasilika mit ursprünglich flach gedecktem Langhaus
und von Anfang auf Gewölbe angeleg-
tem Querschiff und Chor.

46 Melle (Deux-Sèvres)
Saint-Pierre. Apsis und Apsidiole am
südl. Querschiffarm. 2. V. 12. Jh. Dreischiffiger Hallenbau des poitivinischen
Typ. In Mittelschiff und Seitenschiffen
im Scheitel gebrochene Tonnengewölbe
auf Gurtbögen (vgl. Abb. 91).

47 Corneilla-de-Conflent (Pyrénées-Orientales)
Augustinerabtei-Kirche. Apsis, mit dem
Querschiff nach M. 12. Jh. an das Langhaus des 11. Jh. angebaut.

48 Salles-les-Aulnay (Deux-Sèvres)
Pfarrkirche. Apsis einer einschiffigen
Kirche. 2. H. 12. Jh. Jetzt leider durch
einen an ihr emporwuchernden, ihren
Bestand gefährdenden Efeu großenteils
verdeckt. Möglicherweise ein Werk von
der an Saint-Pierre in dem nur 4 km
entfernten Aulnay tätig gewesenen Bauhütte (Portal der Kirche Abb. 32).

49 Spoleto (Perugia)
San Pietro. Fassade (nur diese erhalten).
1. H. 12. Jh. Der Hufeisenbogen über
dem Hauptportal läßt armenischen Einfluß vermuten.

50 Köln (Rheinland)
Stiftkirche Sankt Aposteln. Dreikon-
chenbau. E. 12. Jh. An der quadratischen
Vierung mit Trompenkuppel und Later-
nenaufbau allseits schmale tonnengewölbte Travéen, die sich nach Osten,
Norden und Süden auf Halbkreisapsiden öffnen. In den Ecken der Apsiden
schlanke zylindrische, über dem Dachgesims oktogonale Türme. Der zweigeschossige innere Aufbau der Konchen
findet in den übereinander gestellten
Blendbögen eine Entsprechung. Die Abbildung nach einer Photographie vor der
starken Zerstörung, im besonderen der
Zwerggalerien (inzwischen wieder restauriert), im Zweiten Weltkrieg.

51 Ancona (Marche)
Santa Maria della Piazza. Fassade. 1210.

52 Assisi (Perugia)
Duomo San Rufino. Detail der Fassade.
2. H. 12. Jh.

53 San Pedro de Roda (Prov. Gerona)
Benediktinerabtei-Kirche. Mittelschiff.
Blick zum Chor. 1022 geweiht.

54 San Vicente de Cardona (Prov. Barcelona)
Stiftkirche im Kastell von Cardona.
1029 begonnen, 1040 vom Bischof Eri-
bald von Urgel geweiht.

55 Maria Laach (Rheinland)
Abteikirche. Mittelschiff mit Blick zum
Westchor. Bei Gründung der Abtei
durch Heinrich II. Pfalzgraf bei Rhein
als doppelchörige dreischiffige flachgedeckte Basilika geplant, aber erst E. 12.
Jh. ohne Planänderung vollendet. Nachträgliche Wölbung nach 1130. Kreuzgewölbe über schmal rechteckigen Travéen.
Gurtbögen stark gedrückt, Schildbögen
gestelzt (da in der ostromanischen Architektur im Gegensatz zur westromanischen Spitzbögen ungebräuchlich waren). Westapsis und Querbau zweige-
schossig (eine Reminiszenz an die karo-

lingische Westwerk-Konzeption. Vor
der Westapsis ein kleines, erst 1220–
1230 vollendetes Atrium.

56 Mainz (Rheinland-Pfalz)
Kathedrale. Mittelschiff. Bis zum Brand
von 1081 flachgedeckt. Dann Kreuzgratgewölbe nach dem Vorbild der Kathedrale von Speyer zum mindesten geplant. Die ausgeführten Gewölbe aber
Anfang 13. Jh. durch Kreuzrippengewölbe ersetzt.

57 Eberbach (Rheingau)
Zisterzienserabtei-Kirche.      Langhaus,
Blick zum Chor. Um 1170 Baubeginn.
1186 Weihe (vermutlich der vollendeten Kirche). Aufbau nach dem ›gebundenen System‹ (quadratischer Schematismus) (vgl. Grundriß Fig. 14).

58 Fontenay (Côte-d'Or)
Zisterzienserabtei-Kirche.      Langhaus,
Blick zum Chor. Um 1139 begonnen.
1147 vollendet. Die Abtei von Bern-
hard von Clairvaux als zweite Tochter
des Mutterklosters gegründet. Chorapsis und je zwei Apsidiolen an jedem
Querschiffarm rektangulär. Diese heute
untereinander verbunden, ehedem aber
voneinander getrennt (vgl. Grundriß
Fig. 13). Spitztonnengewölbe des Mittelschiffs durch die ebenfalls mit im
Scheitel gebrochenen Quertonnen der
Seitenschiffe abgestützt. Außen an den
Mauern kräftige Rechteckstreben. Seitenschiffe durch große hochliegende
Fenster belichtet. Kapitelle nur mit dem
Korb flach aufliegenden Blättern ornamentiert (s. S. 139).

59 Caen (Calvados)
Saint-Ètienne. Wandaufbau im Mittelschiff. Kirche der von Wilhelm dem Eroberer gegründeten Abbaye aux hommes. Zwischen 1064 und 1066 begonnen,
1077 geweiht. Mittelschiff ursprünglich
holzgedeckt, Stützenwechsel. Seitenschiffe mit Kreuzgratgewölben. Die Ge-

wölbe des Mittelschiffs und der Emporen zwischen 1100 und 1120, im 1. V.
17. Jh. ebenso wie die Seitenschiffgewölbe erneuert. Vierpaßbrüstungen der
Emporen 17. Jh. Chorräume um 1200.

60 Caen (Calvados)
La Trinité. Wandaufbau im Mittelschiff. Gründung der Abbaye aux Dames
1059 von Mathilde, Gemahlin Wilhelm
des Eroberers. Weihe der Kirche 1066.
Seitenschiffwände, Mittelschiffpfeiler mit
Arkaden 11. Jh. Blendtriforium und
Laufgang um 1120–1130, ebenso die allerdings im 19. Jh. erneuerten Gewölbe,
deren ursprüngliche Form nicht sicher zu
ermitteln ist.

61 Gloucester (Gloucestershire)
Benediktinerabtei-Kirche, seit 1540 Kathedrale. Mittelschiffwand. Baubeginn
1089. Vollendung gegen 1160. Rundpfeiler 2 m Durchmesser, 9,30 hoch.
Abgetreppter Arkadenbogen mit zwei
Wülsten, die von Kissenkapitellen – nur
ein Wulst zwischen Ring und Schmiege –
aufsteigen. Ähnliche Kapitelle in Tewkesbury (Abb. 62). Keine Tribünen, wie
in Durham (Abb. 64), Ely (Abb. 63),
Romsey, Southwell, Peterborough etc.,
sondern ein als Laufgang mit kleinen,
paarweise durch einen Schildbogen zu-
sammengefaßten Öffnungen ausgebilde-
tes Triforium (vgl. Abb. 85). Darüber
vor den hohen Fenstern nochmals ein
Laufgang (vgl. Abb. 59, 60, 70, 82, 87,
98, 99). Die flache Decke 1240 durch
Gewölbe ersetzt.

62 Tewkesbury (Gloucestershire)
Abteikirche. Mittelschiffwand. Baubeginn E. 11. Jh. 1123 Weihe der Chorräume. Vollendung des Langhauses um
1140. Im Aufbau ähnlich wie in der
Kirche von Gloucester (Abb. 61). Arkadenbögen mit kantigem Unterzug. Unter den Hochschiff-Fenstern ein durch
niedere, enge, weit auseinander gerückte

Biforen zum Mittelschiff geöffneter
Laufgang, den man so wenig wie den in
Gloucester als Tribüne ansehen kann.
Rippengewölbe (14. Jahrhundert an-
stelle der ursprünglichen Holzdeckung)
verunklärt, wie in Gloucester, den
Wandaufbau.

63 Ely (Cambridgeshire)
Kathedrale. Mittelschiffwand. 1088 begonnen. Ostteile 1109 fertig. Damals die
Abteikirche zur Kathedrale erhoben
(heutiger Chor gotisch). Langhaus 1180
vollendet, 12 Traveen (75,60 m) lang.
Die zweigeteilten Tribünenöffnungen
fast ebenso hoch wie die schlanken Arkaden. Öffnungen des Laufgangs vor
den Hochschiffenstern mit großen Bogen
auf freistehenden Säulchen zwischen
schmalen Bogenöffnungen. Verhältnis
der drei Geschosse wie 6 : 5 : 4. Stützenwechsel in keinem sichtbaren Zusammenhang mit der Konstruktion. Die
Wandsäulen (›Dienste‹) haben immer
nur einen hölzernen Dachstuhl getragen.
Die flache Decke und ihre Bemalung im
19. Jh. erneuert.

64 Durham
Kathedrale. Mittelschiffwand. Baubeginn 1093. Drei Doppeltraveen. Rundpfeiler zwischen kantigen Stützen mit
Säulenvorlagen. Arkadenmauer 2 m
dick. Kreuzrippengewölbe nach 1104 anstelle der Holzdeckung (flache Decke),
später, als man wieder über größere
Mittel verfügte, Eindeckung durch
Kreuzrippengewölbe, die im südlichen
Seitenschiff des Chors schon um 1096
erfolgt war.

65 Le Mans (Sarthe)
Kathedrale Saint-Julien. Mittelschiffwand. Außenwände der Seitenschiffe
mit Blendarkatur unter den Fenstern
um 1090 (Weihe 1093). Nach Zerstörung
der Holzdeckung durch zwei Brände um
1150 Einwölbung: Domikalgewölbe

(Plantagenetgewölbe), bei denen der Gewölbescheitel beträchtlich höher liegt als die Scheitel der Gurt- und Schildbögen (gebustes Kreuzrippengewölbe). Gleichzeitig Verstärkung der Arkadenbögen durch im Scheitel gebrochene Bögen. Umbau des Langhauses 1158 vollendet. Konstruktiv motivierter Stützenwechsel aber schon vor dem Umbau. Blendtriforium mit Öffnungen zur Entlüftung des Dachstuhls der Seitenschiffe.

66 Gernrode (Sachsen-Anhalt)
Sankt Cyriakus. Mittelschiffwand. Kirche des 961 gegründeten Kanonissinnen-Stifts (für Damen des Adels, die kein Gelübde ablegen mußten, nicht unter Klausurzwang standen und sich der Erziehung junger adliger Mädchen und caritativen Tätigkeiten widmeten). 1523 nach Konversion der letzten Äbtissin Elisabeth von Weyda zur lutherischen Lehre in ein freies weltliches Stift umgewandelt. Außer der Anlage eines Westchors im 12. Jh. ist der Bau im wesentlichen unverändert erhalten geblieben. Jetzt das bedeutendste Monument der ›ottonischen‹ Architektur. Mögliche Vorbilder die Basiliken Johannes Studios in Konstantinopel und von Bimbir-kilisse aus dem 5. Jh., für den Stützenwechsel Sankt-Demetrios in Saloniki. Hohe Wandfläche zwischen Tribünen und Hochschiffenstern. Deckplatten der Kapitelle der Zwischenstützen höher als die Kämpfer der Pfeilerbögen (vgl. Abb. 68).

67 Florenz (Toscana)
San Miniato al Monte. Dreischiffiges Langhaus ohne Querschiff. Um 1140. Wandaufbau des Mittelschiffs mit je drei Arkaden auf Säulen zwischen kreuzförmigen Pfeilern mit Halbsäulenvorlagen. Von den bis zur Höhe des Bandes über den Arkaden aufragenden Halbsäulen steigen Schwibbögen auf, die

Hauptträger des offenen Dachstuhls. Unter dem hohen, drei Travéen langen Chor die Krypteneingänge; dies ähnlich wie in San Zeno in Verona (vgl. Abb. 117 und 68; zum Stützenwechsel vgl. Abb. 120).

68 Jerichow (Mark)
Prämonstratenser-Chorherrnkirche. Um 1200. Dreischiffige flachgedeckte Basilika mit hoch liegendem Chor, unter dem die Eingänge zur Krypta liegen, eine von oberitalienischen Kirchen beeinflußte Lösung (vgl. Abb. 67 u. 117). Die übrigens vortreffliche Ziegelmauertechnik bedingt eine ihr angemessene Umformung des Würfelkapitells. (Ähnliche trapezoide Kapitelle in frühromanischen Bauten: Romainmôtier, in dem Raum unter dem Dormitorium von Saint-Bénigne in Dijon und in Lons-le-Saunier (Jura). Im Westen zweigeschossiger Aufbau mit zum Schiff offener Tribüne (vgl. Abb. 74 u. 55). Arkadenbögen nur seicht profiliert – wie in noch stärkerem Maße in der Abteikirche von Lehnin (1170–1180).

69 Sanct Albans (Hertfordshire)
Abteikirche. Nordwand des Mittelschiffs. Sie stammt noch von dem unter dem Abt Paul de Caen (1077–1088) begonnenen, 1115 vollendeten Bau. Der rechts auf der Abbildung eben noch sichtbare Pfeiler später verändert.

70 Bernay (Eure)
Abteikirche. Wandaufbau des Mittelschiffs. Um 1025.

71 Bénévent-l'Abbaye (Creuse)
Augustinerabtei-Kirche. Südliche Wand und Abseiten des Langhauses. Mitte 12. Jh. Die Abtei erhielt ihren Namen durch die Reliquie (einen Arm des Heiligen Bartholomäus), die die Mönche aus Benevento in Apulien in ihr Kloster brachten. Die nicht sehr große Kirche in kurzer Zeit gebaut. Daher sehr einheitlich.

Bis heute ohne wesentliche Veränderungen geblieben. Querschiff mit zwei Apsidiolen. Umgangchor mit drei Kapellen. Vierung mit Laternenkuppel, wie in Le Dorat (Abb. 94). Wie in anderen Kirchen des Limousin (in La Souterraine und in Saint-Junien) über der Eingangshalle eine Pendentifkuppel.

72 Le Dorat (Haute-Vienne)
Stiftkirche, Apsiskuppel. Langhaus vermutlich 2. H. 12. Jh. Baumaterial etwas grobkörniger dunkler Granit der Gegend. Dreischiffiges Langhaus mit fünf Travéen. In der ersten Travée, im Westbau ein eine halbe Travée tiefes, zwölf Stufen über dem Langhausniveau liegendes Vestibül mit Halbkuppel auf Pendentifs (vgl. Beschreibung zu Abb. 71). Vierung mit Laternenkuppel (vgl. Abb. 94). Ausladendes Querschiff mit einer Apsidiole an jedem Arm. Umgangchor mit drei Kapellen über einer Krypta. Seitenschiffe kreuzgratgewölbt.

73 Alpirsbach (Württemberg)
Ehem. Benediktinerabtei-Kirche. Blick vom Chor zu den flachen Decken von Vierung und Langhaus. Chorweihe 1099. Vollendung gegen 1125. Das Sanktuarium von zwei Türmen im Winkel zum Querschiff flankiert (nur ein Turm ausgebaut). Der Chor – ohne Krypta – erstreckte sich bis in die erste Travée des Langhauses, die der chorus minor war. Im Westen in der Breite des Langhauses eine Vorhalle.

74 Quedlinburg (Sachsen-Anhalt)
Stiftkirche. Langhaus. Blick zur Westtribüne (Nonnenchor). Nach Brand 1070 als vierte Kirche eines 930 gegründeten Chorherrenstifts, späteren (nach 936) hochadligen Damenstifts begonnen, 1129 geweiht. Chor 1320 umgebaut. Seine gotischen Formen aber nur noch außen sichtbar, seitdem die Apsis 1938 reromanisiert worden ist. Hervorragend

ausgewogene Proportionen. Reich dekorierte Würfelkapitelle, vermutlich von urkundlich erwähnten lombardischen Bildhauern.

75 Conques (Aveyron)
Sainte-Foy. Vierung mit Blick in den Querschiffarm (links) und in den Chor. Vierungskuppel erneuert. Die erhaltene Kirche unter dem Abt Olderic (1031 bis 1065) begonnen und ohne wesentliche Planänderung gegen E. 11. Jh. vollendet. Nachdem ein Mönch der Abtei aus der Kirche von Agen (Abb. 90) die Reliquien der heiligen Fides im 9. Jh. geraubt hatte, ist Conques zu einem der großen Wallfahrtsorte und reichsten Abteien auf einem der Pilgerwege nach Nordspanien (Santiago) geworden. Grundriß (Fig. 21) und Aufbau der Kirche ähnlich mit den ebenfalls auf diesem Pilgerweg gelegenen Kirchen Saint-Martial in Limoges (1063 beg.), Saint-Sernin in Toulouse (vgl. Abb. 80, 81, Fig. 22, 23) und Santiago di Compostela (1077/78 beg.). Im 15. Jh. wurde die Abtei in Conques säkularisiert, nachdem sie zur Bedeutungslosigkeit herabgesunken war; in der Revolution wurde der Kreuzgang und einige der Konventsbauten zerstört, der Tresor aber gerettet, der zu den bedeutendsten in Frankreich gehört.

76 Nevers (Nièvre)
Saint-Étienne. Wandaufbau. E. 11. Jh. Die Seitenschiffe kreuzgratgewölbt. Langhaus mit sechs Travéen. Querschiff mit zwei Apsidiolen. Chorumgang mit drei Kapellen. Vierung mit Trompenkuppel (vgl. Abb. 77, Fig. 8).

77 Nevers (Nièvre)
Saint-Étienne, Vierung (vgl. Abb. 76).

78 Châtel-Montagne (Allier)
Prioratkirche. Mittelschiffwand. Langhaus 1. H. 12. Jh. Umbau des Chors mit Umgang und vier Kapellen gegen 1150. Gleichzeitig Erhöhung der Mittelschiff-

wände. Hinter den Öffnungen über den Arkaden keine Tribünen (wie in Vignory und in San Sabino in Bari [Abb. 79]).

79 Bari (Apulien)
Kathedrale San Sabino. 2. H. 12. Jh. Seitenschiff. Dreischiffige Basilika mit sechs Travéen. Offener Dachstuhl im Mittelschiff und in den Seitenschiffen. Sehr breites, nur wenig über die Seitenschiffmauer vorspringendes Querschiff, eine entsprechend weitgespannte Tambourkuppel. Auf das Querschiff öffnen sich ohne vorgeschaltete Raumteile die Hauptapsis und zwei Apsidiolen in der Achse der Seitenschiffe. Nach außen jedoch rechteckiger Schluß. An dieser Ost-Fassade der dekorative Fensterrahmen (Abb. 15).

80 Toulouse (Haute-Garonne)
Saint-Sernin. Aufbau einer Travée des Mittelschiffs. Um 1060 beg., 1096 geweiht, im 12. Jh. vollendet. Die obersten Geschosse des Vierungsturms 13. Jh., mit denen der Augustinerkirche (Abb. 9) gleichartig. Die größte der Pilgerkirchen auf dem Wege nach Santiago (vgl. Abb. 75) und nach der Zerstörung der Abteikirche von Cluny die größte, in Frankreich erhaltene romanische Kirche (vgl. Abb. 81, 105, Fig. 22, 23).

81 Toulouse (Haute-Garonne)
Saint-Sernin. Südlicher Querschiffarm (vgl. Abb. 80).

82 Saint-Georges-de-Boscherville (Seine-Maritime)
Benediktinerabtei-Kirche Saint-Georges. Mittelschiffwand. Baubeginn wahrscheinlich kurz nach 1114, nach der Reform der sittlich zerrütteten Abtei durch zehn Benediktiner von Saint-Evroult-en-Ouche (vgl. S. 58). Kurze Bauzeit. Daher sehr einheitlich. Langhaus mit acht Travéen. Staffelchor, ähnlich dem von Bernay, Lessay, Saint-Nicolas in Caen. Ursprünglich im Mittelschiff offener

Dachstuhl und Schwibbögen über jedem zweiten Pfeilerpaar (vgl. Abb. 120). In den Seitenschiffen Kreuzgratgewölbe zwischen Gurtbögen. Apsisgewölbe mit Rippen. Kreuzrippengewölbe des Mittelschiffs erst A. 13. Jh. Über den beiden äußeren Travéen der Querschiffarme eine Tribüne über zwei Arkaden wie in Saint-Étienne und Saint-Nicolas in Caen.

83 Autun (Saône-et-Loire)
Saint-Lazare. Mittelschiffwand. Baubeginn um 1120. 1130 geweiht, vollendet aber wohl erst 1146, als die Reliquien des Heiligen Lazarus von der Kathedrale Saint-Nazaire überführt wurden. Die kannelierten Pilaster von der römischen Porta Senonica (heute Porte-d'Arroux) angeregt. Auch der Rosettenfries nach einem antiken Vorbild. Seitenschiffe mit Kreuzgratgewölben zwischen Gurtbögen. Vierung mit Trompenkuppel, in der Gotik mit dem jetzigen Turm überbaut.

84 Vézelay (Yonne)
Abteikirche Sainte-Madeleine. Mittelschiffwand. 1. H. 12. Jh. Nachdem sich im 12. Jh. die Kunde verbreitet hatte, die Kirche berge Reliquien der Heiligen Magdalena, ist Vézelay zu einem frequentierten Wallfahrtsort geworden. Mittelschiff und Seitenschiffe zwischen Gurtbögen gratgewölbt. Der dreischiffige Narthex 1140–1151. Eine späte Reminiszenz an die karolingischen Westmassive, aber völlig anderen Funktionen dienend (als Aufenthaltsraum für die noch nicht entsühnten Pilger). Über den Seitenschiffen Tribünen, die über dem Hauptportal durch eine ebensolche Tribüne verbunden sind. Deren Kreuzrippen hält Francis Salet gewiß mit Recht für dekorativ, nicht für konstruktiv.

85 Mont Saint-Michel (Manche)
Abteikirche. Südliche Mittelschiffwand. Langhaus zwischen 1023 und 1063. Die 1103 eingestürzte Nordseite war 1135 in

kaum veränderter Gestalt wiederaufgebaut. Die Veränderungen bestehen im
Verzicht auf die Rechteckstreben, denen
die Halbsäulen vorgelagert waren und
auf die Blendbögen über den Hochschiff-
fenstern. Hinter den Öffnungen über
den Langhausarkaden keine Tribünen –
wie in Vignory, Châtel-Montagne (Abb.
78) und in San Sabino in Bari (Abb. 79).

86  Lillers (Pas-de-Calais)
Stiftkirche Saint-Omer. Mittelschiff.
1130–1140. Über den Mittelschiffarkaden ein Laufgang, ein Triforium, dessen
Öffnungen auf den Dachstuhl der Seitenschiffe gehen. Von Anfang an nur für
eine Holzdeckung geplant. Im Krieg
1914–1918 schwer beschädigt, 1919 zum
Teil eingestürzt. Danach in anderthalb
Jahrzehnten wiederhergestellt. Westfassade der Kirchen Abb. 153.

87  Souillac (Lot)
Abteikirche. Schiff mit Blick zum Chor.
In enger Anlehnung an die Kathedrale
von Cahors in geringeren Dimensionen,
aber ausgewogeneren Proportionen und
sorgsamerer Ausführung der Details in
2. H. 12. Jh. erbaut. Breite zwischen den
Pfeilern, die die im Scheitel gebrochenen
Gurtbögen tragen, 10,20 m (in Cahors
15,10 m). Höhe der Kuppeln ca. 24 m.
Die Kuppeln aus einem 0,75 m dicken
Bruchsteinmauerwerk. In dem starken
Mauerwerk ein ringsum führender tonnengewölbter schmaler Laufgang mit
Öffnungen zu den Umgängen um die
Pendentifkuppeln. Zu dem Laufgang
über den Blendarkaden der Schiffseiten
vgl. Abb. 98, 99. Die Skulpturen eines
unvollendet gebliebenen Portalvorbaus
in der Art des von Beaulieu (vgl. Abb.
168) oder Moissac (vgl. Abb. 177) an der
westlichen Abschlußmauer des Schiffs.

88  Souillac (Lot)
Abteikirche. Chorhaupt. Die Sehne der
Apsis hat die Breite des Schiffs. Auf sie

öffnen sich die drei Apsidiolen wie ursprünglich in Cahors direkt. An jedem
Querschiffarm eine Apsidiole (vgl. Abb.
90, den Grundriß Fig. 40).

89  Souillac (Lot)
Abteikirche. Die Kuppeldächer. Nicht
ursprünglich, aber sinngemäß rekonstruiert. Die Laternentürmchen zur Entlüftung über Öffnungen im Kuppelscheitel.

90  Agen (Lot-et-Garonne)
Ehem. Stiftkirche, heute Kathedrale
Saint-Caprais. Chorhaupt. E. 11. – A.
12. Jh. Als Kuppelkirche geplant, aber
nach langer Unterbrechung der Bauarbeiten im 13. Jh. mit Kreuzrippengewölben gedeckt. Die drei Kapellen öffnen sich wie in Souillac (Abb. 88) direkt
auf die hohe Apsis. Rechteckstreben an
der Apsismauer konstruktiv begründet.

91  Melle (Deux-Sèvres)
Saint-Pierre. Gewölbe des Seitenschiffs.
2. V. 12. Jh. Apsiden der Kirche Abb. 46.

92  Poitiers (Vienne)
Saint-Hilaire. Kuppeln des Mittelschiffs.
12. Jh. Der 1049 geweihte Neubau des
englischen Architekten Gautier Coorland durch Stiftungen von Emma, Köni-
gin von England ermöglicht, war einschiffig und holzgedeckt. Als man sich im
12. Jh. zur Wölbung des Mittelschiffs
mit oktogonalen Kuppeln entschloß und
die Kirche durch Seitenschiffe vergrößer-
te, wurde die Schiffsbreite von 15 m auf
ca. 8 m durch eingebaute Pfeiler verringert. Zwischen ihnen und den ursprünglichen Außenmauern, an deren
Stelle nun Pfeiler traten, entstand so ein
schmaler Gang zwischen Mittel- und Seitenschiff. Die ursprüngliche Halbkreisapsis, deren Sehnenbreite der Breite des
Schiffs entsprach, beim Umbau durch einen Umgangchor mit 4 Kapellen ersetzt.

93  Saint-Saturnin (Puy-de-Dôme)
Pfarrkirche Saint-Saturnin. Trompenkuppel mit Blick in den Querschiffarm.

2. H. 12. Jh. Die Kirche mit Chorumgang ohne Kapellenkranz (vgl. Fig. 62).

94 Le Dorat (Haute-Vienne)
Stiftkirche. Vierungskuppel. 12. Jh., vermutlich 1. H. 12. (vgl. Abb. 72).

95 Caen (Calvados)
Saint-Étienne. Vierungskuppel. Baubeginn zwischen 1064 und 1066. Kreuzrippengewölbe 1100–1120. Mittelschiffwand der Kirche Abb. 59.

96 Toro (Zamora)
Kollegiatkirche Santa Maria la Mayor. Vierungskuppel mit zweigeschossigem Tambour. Baubeginn der Kirche um 1160. Vollendung nicht vor 1240.

97 Torres del Rio (Navarra)
Iglesia del Santo Sepulcro. Kuppel. Um 1200. Oktogonaler Zentralbau mit Halbkreisapsis im Osten. Runder zum Dach führender Treppenturm. Flachkuppel aus Hausteinen auf Gurten. Über dem mittleren Ring ein Laternenturm (vgl. Abb. 89). Siehe Anm. S. 276.

98 Fontevrault (Maine-et-Loire)
Abteikirche. 1. H. 12. Jh. (1119 von Papst Calixtus II. geweiht). Schiff mit vier Kuppeln von 10 m Durchmesser, von L. Magne (s. zu Abb. 135) 1910 werk- und formgerecht erneuert (es waren nur noch die Pendentifs erhalten). Wie in Souillac (Abb. 87) und in der Kathedrale von Angoulême, dem Vorbild für Fontevrault, unter den Fenstern ein Laufgang über einer die Wand gliedernden Arkatur (vgl. auch Abb. 99). Ausladendes Querschiff und Umgangchor mit drei Kapellen. Sie gehören einem anderen (früheren?) Bauabschnitt an, sind aber ebenfalls in die 1. H. 12. Jh. zu datieren.

99 Poitiers (Vienne)
Sainte-Radegonde. Schiffwand. 1. H. 13. Jh. Einschiffig. Die vier Travéen nach dem Vorbild der Kathedrale von Angers mit gebusten Kreuzrippengewölben (Plantagenetgewölben) gedeckt (vgl. Abb. 65), Laufgang unter den Fenstern wie in den romanischen Kuppelkirchen (vgl. Abb. 87, 98). In den Kirchen dieses Typs lebt die romanische Kuppelkirche fort. Das Schiff ist einem Umgangchor mit drei Kapellen aus E. 11. Jh. angebaut.

100 Saint-Benoît-sur-Loire (Loiret)
Benediktinerabtei-Kirche Fleury, später Saint-Benoît genannt. Wand des Langchors, um 1110–1120 (vgl. Grundriß Fig. 53, 54).

101 Saint-Genou (Indre)
Benediktinerabtei-Kirche. Wand des Langchors. 2. Drittel 12. Jh. (Grundriß Fig. 55).

102 Châteaumeillant (Cher)
Saint-Genès. Blick durch die Arkaden des Chors. 1. V. 12. Jh. Chor mit sechs gestaffelten Apsiden. Drei Apsidiolen auf jeder Seite des Hauptchors (vgl. Grundriß Fig. 46)

103 Clermont-Ferrand (Puy-de-Dôme)
Notre-Dame-du-Port. Chor, vermutlich 1. H. 12. Jh., um sechs Stufen über einer Krypta gleicher Raumdisposition. Rektanguläre Chortravée mit Halbkreistonne. Apsis mit Halbkuppel. Unter dieser fünf Fenster in einer Blendarkatur. Im Chorumgang Kreuzgratgewölbe zwischen Gurtbögen (Ringtonne mit Stichkappen). Die auf hohem Sockel frei vor die Wand gestellten Doppelsäulen in der ersten Umgangtravée vermutlich durch römische Vorbilder angeregt (vgl. Abb. 53), Baumaterial Arkose (vgl. Fig. 11)

104 Brioude (Haute-Loire)
Saint-Julien. Chorhaupt. E. 11./A. 12. Jh. Langhaus später verändert: Kreuzrippengewölbe, basilikaler Aufbau mit großen Hochschiffenstern. Die 12 m hohen Seitenschiffe noch mit dem ursprünglichen Kreuzgratgewölbe. Kranzgesims der fünf gleichgroßen Apsidiolen in glei-

cher Höhe wie das des Umgangs (im Unterschied zur Gestaltung der meisten Chorhäupter, vgl. Abb. 105). Apsisfenster in einer Arkatur. Der dekorative Fries darüber aus weißen und gelben Sandsteinen und schwarzem Basalt. Das Mauerwerk aus rot- bis rosafarbenem Sandstein. Querschiff über die Seitenschiffe nicht vorspringend.

105 Toulouse (Haute-Garonne) Saint-Sernin. Chorhaupt. Zwischen 1060 u. 1096. Fünfschiffiges Langhaus. Dreischiffiges Transept mit zwei Halbkreisapsidiolen ohne oblonge Vorräume an jedem Arm. Chorumgang mit fünf Kapellen. Die in der Mittelachse mit oblongem Vorraum. Backstein mit Hausteingliedern aus Kalkstein. Dachdeckung mit Kalksteinplatten, Erhöhung von Mittel- und Querschiff und des Chors (hinter der Apsis) mit der Blendarkatur und den Rautenfenstern bei der Restauration durch Viollet-le-Duc. Ursprünglich Mittel- und Seitenschiffe von Langhaus und Querschiff unter gemeinsamem Ziegeldach (vgl. Abb. 80, 81, Fig. 22, 23).

106 Hildesheim (Niedersachsen) Sankt Godehard. Chorhaupt. Grundsteinlegung 1133. Weihe 1172. Doppelchörige Basilika mit östl. Querschiff, ursprünglich für Tonnengewölbe geplant, aber (wie ursprüngl. das Schiff) flachgedeckt geblieben. Im Umgang Ringtonne.

107 Sant' Antimo bei Montalcino (Siena) Benediktiner-Abteikirche. Chorumgang. Baubeginn 1118. Vollendet nach M. 12. Jh. Nicht nur die Chorform, auch andere konstruktive Eigenheiten, die für die südromanische Architektur nicht charakteristisch sind, deuten auf starke westromanische Einflüsse hin, wenn nicht sogar auf die Tätigkeit eines westromanischen Architekten oder Bautrupps bzw. von im Westen (Auvergne?) ausgebildeten Lombarden. Stilistische Unter-

suchungen haben bei einigen Kapitellskulpturen die Hand des Meisters von Cabestany (s. S. 26, Anm. 41 a) erkennen lassen. Das Langhaus hat einen offenen Dachstuhl, der sogar auch die Apsis deckt. Die Wandgliederung läßt aber auf eine ursprünglich geplante Tonnendeckung schließen. (Die Seitenschiffe haben wie der Chorumgang Kreuzgratgewölbe zwischen Gurtbögen.) Der Bau ist nicht ohne finanzielle Erschwernisse vollendet worden. Es ist aber fraglich, ob durch diese der Entschluß zu erklären ist, das Schiff anstelle eines Tonnengewölbes mit einem offenen Dachstuhl einzudecken. Die Holzdeckung könnte auch zugunsten des basilikalen Aufbaus durch den später über den Tribünen aufgemauerten Lichtgaden gewählt worden sein (vgl. Châtel-Montagne, S. 71).

108 Saint-Nectaire (Puy-de-Dôme) Prioratkirche. Chorumgang. 3. V. 12. Jh. Dreischiffiges Langhaus. Querschiff mit jederseits einer Apsidiole. Umgangchor mit drei Radialkapellen. Die erste der fünf Langhaustravéen bildet zwischen den beiden Türmen einen dreischiffigen Narthex, über dem wie in anderen auvergnatischen Kirchen eine Tribüne (Oratorium) liegt. Über den zwischen Gurtbögen kreuzgratgewölbten Seitenschiffen Tribünen, deren Vierteltonnen das gurtlose Tonnengewölbe des Mittelschiffs abstützen. Die Langhausarkaden auf Säulen. Die Vierungsbögen auf quadratischen Pfeilern mit vorgelegten Halbsäulen.

109 Dijon (Côte-d'Or) Saint-Bénigne. Krypta. Nach 1001. Weihe des von dem Abt Wilhelm von Volpiano errichteten Baus 1016. Von ihm erhalten nur die Krypta mit doppeltem Umgang. Stark restauriert. Vor allem die Gewölbe erneuert (vgl. Abb. 188, 189 [Kapitelle] und Fig. 30).

110 Dijon (Côte-d'Or)
Saint-Bénigne, Rotunde. Um 1016. Von dem 1791 abgebrochenen Zentralbau, der über dem Grab des Benignus errichtet und der Chor der Kirche war, gibt die wiedergebene anonyme Zeichnung noch eine ungefähre Vorstellung (vgl. Fig. 30 und Abb. 114, Fig. 31, 32, Rotunde von Charroux).

111 Neuvy-Saint-Sépulcre (Indre)
Rotunde. Um 1045. Von Viollet-le-Duc restauriert. Moderne Kuppel aus Gips.

112 Saint-Michel-d'Entraygues (Charente)
M. 12. Jh. Oktogon mit acht Apsiden (Grundriß Fig. 34). Obergeschoß im 16. Jh. eingestürzt, im 19. Jh. von Abadie wiederhergestellt.

113 Saint-Michel-d'Entraygues (Charente)
Oktogonaler Zentralbau. M. 12. Jh.

114 Charroux (Vienne)
Abteikirche Saint-Saveur. Zwischen 1017 und 1047. Rest des Chorturms der A. 19. Jh. abgerissenen Kirche. Der Turm am Fuß 8,50 m, 35 m hoch (vgl. Fig. 31, 32).

115 Cambridge (Cambridgeshire)
Holy Sepulchre. Um 1010–1020.

116 Cambridge (Cambridgeshire)
Holy Sepulchre. Rotunde. Um 1010–1020. Im 19. Jh. stark restauriert und auf Grund sicherer Fakten zum Teil neu aufgebaut.

117 Verona (Venezia)
Benediktinerabtei-Kirche San Zeno. Eingang in die Krypta. Basilika 1125 begonnen. 1178 vollendet (vgl. Abb. 67, 68).

118 Quedlinburg (Sachsen-Anhalt)
Wiperti-Krypta. 9. Jh. Ursprünglich eine freistehende Missionskapelle Hersfelder Mönche auf dem karolingischen Königshof. A. 11. Jh. von einer Pfeilerbasilika überbaut und ihr als Krypta inkorporiert. (Die Kirche, seit 1806 als Speicher benutzt, 1956–1958 wiederhergestellt.)

Der mittlere Raum über Arkaden, deren Pfeiler und Säulen Steinbalken tragen, auf denen ein Tonnengewölbe ruht, zu einem Umgang mit Nischen in der Außenmauer geöffnet.

119 Hersfeld (Hessen)
Benediktinerabtei-Kirche. M. 12. Jh. Westbau. Ein 13 m tiefer Baukörper, von zwei Türmen flankiert, über deren Flucht vorspringend. In den Türmen breite Treppen, die zu dem über dem Vestibül liegenden Westchor führen (vgl. Grundrisse Fig. 70).

120 Jumièges (Seine-Maritime)
Abteikirche Notre-Dame. Westbau. Um 1045. Von zwei mit Helm 50 m hohen Türmen flankiert, über deren Flucht vorspringend. In diesen die Zugänge zum Oratorium über dem tonnengewölbten Vestibül. Die große Öffnung des Oratorium zum Mittelschiff 17. Jh. Im 12. Jh. öffnete sich die Tribüne zum Mittelschiff über zwei Gruppen von Biforen, die wahrscheinlich noch kleinere ursprüngliche Öffnungen ersetzt haben, die auf dem Niveau der Tribünen des Seitenschiffs lagen, d. h. über einer fast 2 m hohen Wand. Über dem großen Oratorium eine weitere Tribüne mit drei Öffnungen in der Höhe der Hochschiff-Fenster (vgl. Abb. 150).

121 Mittelzell-Reichenau (Bodensee)
Benediktinerabtei-Kirche. Westchor-Turm. 1030–1048. Im Turm liegt die Apsis des Westchors (vgl. Grundriß Fig. 72, Abb. 122 und Fig. 73). Über der Apsiswölbung ein Michael-Oratorium.

122 Paderborn (Westfalen)
Kathedrale. Westturm. Unter Bischof Imad nach 1058 auf einer quadratischen Grundfläche von 13,70 m errichtet. Weihe 1068. Radfenster erst 13. Jh. Ursprünglich vierseitiger Pyramidenhelm. Im Erdgeschoß des Turms der Westchor (vgl. Fig. 73).

ZU DEN ABBILDUNGEN

123 Köln (Rheinland)
Sankt Pantaleon. Westwerk. E. 10. Jh.
Die 955 gestiftete Benediktiner-Abtei
von Mönchen aus Corvey besiedelt, was
die Planung des Westwerks beeinflußt
haben könnte. Ein zweigeschossiger
Raum, mit großem Bogen in voller Breite auf das ursprünglich einschiffige Langhaus geöffnet. Seitliche Tribünen über
kräftigen (nachträglich vermauerten?)
Pfeilerarkaden, durch die über Spindeltreppen in seitlichen Türmen die Tribünen zugänglich sind. In beiden Geschossen in der Ostmauer flache Altarnischen.
Das dreischiffige Langhaus erst 12. Jh.,
ebenso die Wölbung der Untergeschosse
der Tribünen, die selbst flach gedeckt
blieben. Das einschiffige Langhaus hatte
außen wie innen eine flache Blendbogen-
gliederung, deren Rundbogen die Fenster umschlossen (Anlehnung an byzantinische Bauten in Ravenna, Sant' Apollinare in Classe, Galla Placidia-Mauso-
leum).

124 Maursmünster (Marmoutier, Bas-Rhin)
Benediktinerabtei-Kirche. Südseite des
Westbaus. Um 1140. Langhaus und
Chor Neubau des 13. Jh.s. Der Chor
nochmals im 18. Jh. neu gebaut.

125 Soest (Westfalen)
Stiftkirche Sankt Patroklus. Westbau.
1200–1220 anstelle eines früheren Westbaus. Im Erdgeschoß über eine Doppelarkade zum Mittelschiff geöffnet. Darüber ein Tribüne.

126 Soest (Westfalen)
Stiftkirche Sankt Patroklus. Turm über
dem Westbau. Noch im 12. Jh. begonnen, 1. H. 13. Jh. vollendet. Die Ecktürmchen von westromanischen Türmen
beeinflußt (vgl. Abb. 135, 136, 140–142).

127 Saint-Benoît-sur Loire (Loiret)
Abteikirche. Vorhallenturm. Datierung
umstritten, vgl. S. 126 f.

128 Ebreuil (Allier)
Abteikirche Saint-Léger. Vorhallenturm.
M. 12. Jh. einem nach altertümlichem
Plan im 11. Jh. erbauten holzgedeckten
dreischiffigen Langhaus vorgebaut. Chor
mit Umgang und fünf Kapellen E. 12.
oder A. 13. Jh. im gotischen Stil der Ile-
de-France erneuert. Im Vorhallenturm
über dem hohen kreuzgratgewölbten ob-
longen Vestibül mit zwei Mittelstützen
ein gewölbter, nur durch schmale Schieß-
scharten in einer Arkatur beleuchteter,
nach Osten geöffneter Raum. Fassaden
im 19. Jh. restauriert. Dach modern.

129 Saint-Benoît-sur-Loire (Loiret)
Abteikirche. Vorhallenturm. Erdge-
schloßhalle (vgl. Grundriß Fig. 74).

130 Saint-Benoît-sur-Loire (Loiret)
Abteikirche. Vorhallenturm. Raum in
der Etage (vgl. Grundriß Fig. 75).

131 Lesterps (Charente)
Augustinerchorherrnstift-Kirche. Vorhallenturm. 11. Jh. (vgl. Fig. 80).

132 Lesterps (Charente)
Augustinerchorherrnstift-Kirche. Vorhallenturm. Erdgeschoßhalle. 11. Jh.
(vgl. Grundriß Fig. 78).

133 Moissac (Tarn-et-Garonne)
Abteikirche. Vorhallenturm. Um 1120–
1125. Raum der Etage (vgl. Fig. 76).

134 Moissac (Tarn-et-Garonne)
Abteikirche. Vorhallenturm. Gewölbe
des Raums in der Etage. Um 1200–1225
(vgl. Fig. 77).

135 Angers (Maine-et-Loire)
Abtei Saint-Aubin, im 10. Jh. von Bene-
diktinern übernommen. Turm 1130 begonnen. Vollendet gegen 1155. Beim
1790–1812 erfolgten Abbruch der von
ihm durch einen schmalen Gang getrenn-
ten Kirche erhalten geblieben. Helm unvollendet geblieben.

136 Limoges (Haute-Vienne)
Saint-Pierre-du Queyroix. (Der Name
weist auf den quadratischen Grundriß

der Kirche hin: ›quadrivio‹.) Glockenturm. 14. Jh.

137 Ouistreham (Calvados)
Kirche, der Abtei La Trinité (Abbaye
aux dames) in Caen unterstellt. 11./12.
Jh. Vierungsturm A. 13. Jh., dem von
Saint-Étienne in Caen sehr ähnlich.

138 Brantôme (Dordogne)
Abteikirche. Glockenturm. E. 11. Jh.

139 Saint-Léonard-de-Noblat (Haute-
Vienne)
Glockenturm, dem Langhaus der Stiftkirche 1. H. 12. Jh. an der Nordseite
neben der ebenfalls im 12. Jh. errichteten Rotunde (Grundriß Fig. 33) angebaut. Der Umgangchor der Kirche mit
sieben Radialkapellen um 1150–1180.

140 Chartres (Eure-et-Loir)
Südlicher Fassadenturm (›clocher vieux‹)
der Kathedrale. Um 1140, etwa zehn
Jahre nach dem Unterbau des Nord-
turms begonnen, gegen 1170 vollendet.
Höhe 105,50 m.

141 Vendôme (Loir-et-Cher)
Glockenturm von La Trinité. 1. Drittel
12. Jh. Von der 1040 geweihten Abteikirche nur das Querschiff erhalten. Chor
und Langhaus nach 1306 begonnen und
erst nach zweihundertjähriger Bauzeit
vollendet. Der 76 m hohe Turm wahrscheinlich ohne Verbindung mit dem
Langhaus erbaut (vgl. S. 133 f. und Fig.
81).

142 Étampes (Seine-et-Oise)
Turm der Kollegiatkirche Notre-Dame.
M. 12. Jh. Die dritte Etage der Ecktürmchen in spätestromanischer Zeit hinzugefügt, als auch der Helm höher gebaut wurde.

143 Laon (Aisne)
Westturm des südlichen Querschiffarms
(›tour d'horloge‹) der Kathedrale. Um
1230. Im wesentlichen gleicher Gestalt
wie die Fassadentürme. Die Ecktürmchen aber nicht quadri-, sondern okto-

gonal. Der geplante achtseitige Helm
blieb unausgeführt.

144 Bamberg (Oberfranken)
Der nördliche Turm des westlichen
Turmpaares der Kathedrale. Um 1235.

145 Bamberg (Oberfranken)
Kathedrale. Baldachin über der Marienstatue. Um 1235.

146 Saint-Michel-de-Cuxa (Pyrénées-Orientales)
Glockenturm am südlichen Querschiffarm. M. 11. Jh. (Ein gleichartiger Turm
am nördlichen Querschiffarm im 19.
Jahrhundert durch ein Unwetter zerstört.)

147 Arles (Bouches-du-Rhône)
Kathedrale Saint-Trophime. Vierungsturm. 2. H. 12. Jh. oder E. 12. Jh. Heutiger Abschluß 17. Jh. Ursprünglich
wahrscheinlich Kegeldach. Jetzt 42 m
hoch.

148 Lucca (Toscana)
Glockenturm von San Frediano, einer
fünfschiffigen, 1112 bis 1147 erbauten
Basilika.

149 Sant'Antimo bei Montalcino (Siena)
Abteikirche. M. 12. Jh. Turm an der
Nordseite des Chors mit Kapellenkranz
(vgl. Abb. 107).

150 Jumièges (Seine-Maritime)
Abteikirche Notre-Dame. Westfassade
um 1045 (vgl. Abb. 120).

151 Caen (Calvados)
Saint-Étienne (Abbaye aux hommes).
Westfassade. Um 1080.

152 Le Seurre (Charente-Maritime)
Kirche. 12. Jh. Fassadenkörper mit über
die Dachschrägen des Langhauses aufragendem Giebel. Die Fassade als selbständige Kulisse, deren Gliederung dem
einschiffigen Langhausraum nicht entspricht (vgl. Abb. 155).

153 Lillers (Pas-de-Calais)
Stiftkirche Saint-Omer. Westfassade.
Der basilikale Aufbau durch die dem

Mittelschiff und den Seitenschiffen als Plattenkörper vorgeblendete Fassade betont. Die sich spitzbogig überschneidenden Rundbogen der Blendarkatur in der normannischen Architektur häufig (z. B. im Refektorium von Saint-Wandrille, Seine-Maritime), im besonderen in Britannien: Fassaden der Prioratkirche Castle Arc (Norfolk), der Kathedrale von Lincoln, der Prioratkirche von Much Wenlock (Shropshire), im Kapitelsaal der Kathedrale von Bristol (Gloucestershire) und in den Querschiffarmen von Ely.

154 Aulnay (Charente-Maritime)
Saint-Pierre. 1130–1160. Dreischiffiges mit Spitztonnen gewölbtes Langhaus mit Vierungsturm über Pendentifkuppel mit dekorativen Rippen. An jedem Querschiffarm eine Apsidiole. Fassaden dem Langhaus und den Querschiffarmen als die Satteldächer überragende Plattenkörper vorgebaut (vgl. Abb. 12). Eine gleichartige Mauerplatte mit aufragendem Giebel zwischen Chor und Apsis.

155 Surgères (Charente-Maritime)
Stiftkirche Notre-Dame. 12. Jh. Fassadenmauer als eigenständiger das Pultdach des Langhauses überragender Plattenkörper einem dreischiffigen tonnengewölbtem Langhaus vorgebaut. Die Aufgliederung der Fassade durch drei Blendbögen jederseits des Portals und ebenso die Gliederung der oberen Zone ohne jeden Bezug auf die dahinter liegende Raumgestalt: das extremste Beispiel für die Verselbständigung der vorgeblendeten Fassadenkulisse, im Gegensatz zu den ausgewogener gegliederten Fassaden von Notre-Dame-la-Grande in Poitiers, Saint-Nicolas in Civray, Parthenay-le-Vieux, Saint-Jouin-de-Marnes. Die dreiteilige Gliederung der Fassaden bei einschiffigen Langhausräumen aber häufig, vgl. Abb. 152, weitere Beispiele: Echillais, Rétaud, Chadenac (alle Charente-Maritime), Maillezais (Vendée). Die starke Restaurierung der Einzelformen hat die ursprüngliche Komposition der Fassade von Surgères nicht verfälscht. In zwei Nischen wie bei vielen Kirchen in SW-Frankreich Reiterfiguren. Ob sie die Stifter der Kirche, Hugues de Surgères und Geoffroy de Vendôme, oder den Kaiser Konstantin und den in Jerusalem einziehenden Christus darstellen, bleibt ungewiß.

156 Earls Barton (Northamptonshire)
Glockenturm. 2. H. 10. Jh. Westturm einer (nicht mehr bestehenden) anglosächsischen Kirche. Die Fugenspur ihres Langhausdaches auf der Höhe des dritten Turmgeschosses noch sichtbar. Höhe des Turms 18,50 m. Breite seiner Fassaden 7,30 m. Alle vier Fassaden zeigen, von kleinen Varianten abgesehen, die gleiche Flächengliederung.

157 Chauriat (Puy-de-Dôme)
Geometrischer Flächendekor am Querschiffgiebel. 1. H. 12. Jh.

158 Clermont-Ferrand (Puy-de-Dôme)
Notre-Dame-du-Port. Geometrischer Flächendekor am südl. Querschiffgiebel. 1. H. 12. Jh.

159 Houghton-le-Spring (Co. Durham)
Pfarrkirche. Tympanon über der Türe zur Sakristei. Um 1200.

160 Havelberg (Mark Brandenburg)
Kathedrale eines 948 gegründeten, nach einem Aufstand der Slawen 983 aufgehobenen, M. 12. Jh. neu errichteten Bistums. Weihe 1170. Dreischiffige, flachgedeckte, querschifflose Basilika aus Grauwacke-Bruchstein. Zugleich als Festung errichteter Westbau, im 13. Jh. in Ziegelmauerwerk erhöht. Das oberste Geschoß erst 1908. Ob diese Ergänzung dem ursprünglichen Bau des 13. Jh.s entspricht, bleibt fragwürdig. Westbau nur

zum Mittelschiff mit drei Arkaden, aber auch in der Etage geöffnet. Die heutigen Gewölbe erst E. 13. Jh. Der Chor Neubau 15. Jh.

161 Ely (Cambridgeshire)
Kathedrale. Westbau mit Südarm des Westquerschiffs. 4. V. 12. Jh. Höhe des Westturms 65,50 m. Oberstes zurückgesetztes Geschoß mit den Ecktürmen um 1400 (vgl. Erläuterung zu Abb. 63).

162 Orcival (Puy-de-Dôme)
Prioratkirche. M. 12. Jh. Im Aufbau Notre-Dame-du-Port in Clermont-Ferrand nächst verwandt. Dach ohne Dachstuhlkonstruktion unmittelbar auf den Gewölben ruhend, mit Steinplatten gedeckt. Der Westgiebel überragt das Mittelschiffdach um 3–4 m. Glocken- und Vierungsturm wie in anderen auvergnatischen Kirchen als oktogonaler Körper über dem das Querschiff langhausbreit überragenden Massiv errichtet. Der steingedeckte Helm in den Revolutionsjahren abgerissen, im 19. Jh. wiederhergestellt.

163 Conques (Aveyron)
Sainte-Foy. 2. H. 11. Jh. (vgl. Grundriß Fig. 21).

164 Freckenhorst (Westfalen)
Nonnenabtei-Kirche. Neubau nach Brand 1116, bei dem wahrscheinlich nur die Krypta erhalten blieb. Weihe des Neubaus 1129. Vollendung der ganzen Kirche wohl erst gegen M. 12. Jh. Ursprünglich flachgedeckte (jetzige Gewölbe um 1500) Basilika auf kreuzförmigem Grundriß. Platter Chorschluß, Apsidiolen rechteckig ummantelt. Dreitürmiges Westmassiv. Der quadratische Mittelturm in 2. H. 12. Jh. um zwei Geschosse erhöht (ähnlich in Minden), wahrscheinlich, um mehr Glocken aufhängen zu können. Zwei Türme in den östl. Querschiffecken.

165 Mainz (Rheinland-Pfalz)
Kathedrale. Doppelchörig. Ostchor (links) mit von zylindrischen Treppentürmen flankiertem Querschiff und Vierungsturm (1869–1879 erneuert) aus 1. H. 12. Jh. Westbau mit Querschiff und Vierungsturm (nach Brand 1767 erneuert) und von Treppentürmen flankierter Apsis A. 13. Jh.

166 Basel (Schweiz)
Kathedrale (Münster). Tympanon des Portals am Querschiff (›Galluspforte‹). E. 12. Jh.

167 Perrecy-les-Forges (Saône-et-Loire)
Prioratkirche. Tympanon. 1. V. 12. Jh.

168 Beaulieu-sur-Dordogne (Corrèze)
Benediktinerabtei-Kirche. Tympanon des südl. Seitenportals. 2. V. 12. Jh.

169 Conques (Aveyron)
Sainte-Foy. Tympanon des Hauptportals (W-Fassade). 2.–3. V. 12. Jh. Detail.

170 Saint-Genis-des-Fontaines (Pyrénnées-Orientales)
Benediktinerabtei-Kirche. 10. Jh. Türsturz. Um 1020. Detail.

171 Civray (Vienne)
Saint-Nicolas. Bogenlaibung des Portals. 3. V. 12. Jh.

172 Talmon (Charente-Maritime)
Sainte-Radegonde. Bogenlaibung des Portals am nördl. Querschiffarm. 2. H. 12. Jh.

173 Cahors (Lot)
Kathedrale. Portal an der N-Seite. Bogenlaibung. 2. H. 12. Jh.

174 Arles (Bouches-du-Rhône)
Saint-Trophime. Fries des Portalvorbaus (Zug der Seligen). Zw. 1150 und 1160.

175 Spoleto (Perugia)
Kathedrale Santa Maria Assunta. Atlant an der Fassade. Um 1200.

176 Beaulieu-sur-Dordogne (Corrèze)
Abteikirche. Mittelpfeiler des Portals. 2. V. 12. Jh.

## Abbildungen im Text

*Anmerkung zu Seite 267, Bild 97:*

Eine ähnlich konstruierte Kuppel mit nur sechs einander durchkreuzenden Rippen über einem Oktogon über Trompen deckt die Vierung der Kirche Sainte-Croix in Oloron (Basses-Pyrénnées) und die Vierungskuppel in dem nahe gelegenen L'Hôpital-Saint-Blaise. Diese spanischmoresquen Rippenkuppeln haben ihr Vorbild in der Mittelkuppel der Maksourah der Moschee von Cordoba. Zu Sainte-Croix in Oloron vgl. Congrès de Bordeaux et Bayonne en 1939, p. 416 ff., zu L'Hôpital-Saint Blaise ebenda, p. 426 ff.

# Fotonachweis

# Anmerkungen

## Die Stilbezeichnung ›romanisch‹

1 GIDÖN, ›L'invention du terme d'architecture romane par Gerville‹ (1818), *in:
Bulletin de la Société des Antiquaires
de Normandie*, 1935.

2 In: *Mém. de la Soc. des Antiquaires de
Normandie*, T. I, Caen 1824.

3 Die Ausdrücke ›Barbaren‹ und ›barba-
risch‹ sind hier natürlich nicht in dem
abwertenden Sinne gebraucht, den sie in
der Umgangssprache erhalten haben.
Barbaren sind Völkerschaften, deren Gesellschaftsordnung auf Privilegien der
Geburt und Blutsverwandtschaft gegründet ist. Barbaren sind nicht kultur-
los. Sie sind aber nicht zivilisiert, weil
ihre Gesellschaftsordnung nicht auf ver-
brieftem, rational fixiertem Recht gegründet ist.

4 FERDINAND LOT, *La fin du monde anti-
que et le début du moyen âge*, Paris
1938, pp. 434–437. – Ders., ›A quelle
époque a-t-on cessé de parler latin?‹,
in: *Bulletin Ducange* 6, 1931.

5 HENRI PIRENNE, *Mahomet et Charle-
magne*, Bruxelles 1936. – Deutsche Ausgabe: *Geburt des Abendlandes*, Amsterdam 1940, S. 280.

6 Als charakteristische Beispiele defor-
mierter korinthischer und Komposit-
kapitelle bilden wir ab die Kapitelle
von La Trinité in Caen [191], in Frómista [192], von den Krypten in Cruas
[187] und von Saint-Bénigne in Dijon
[188, 189].

7 GEORG DEHIO, *Geschichte der deutschen
Kunst*, I, 1919, S. 65 – WILHELM PINDER,
*Die Kunst der deutschen Kaiserzeit*,
1935, S. 165 f. behauptet sogar, gerade
die im sprachgeschichtlichen Sinne romanischen Gebiete seien von dem, was
man ›romanischen Stil‹ genannt hat, wesentlich ausgeschlossen. Seine Argumente
widersprechen so sehr den Tatsachen,
daß es sich nicht lohnt, auf sie einzuge-
hen. – Im Gegensatz zu Dehio und Pinder sagt HERMANN DECKERT, *Deutsche
Kunst*, I, Breslau 1931, S. 73 f.: mit vielleicht noch größerem Unrecht als die
Gotik reklamiere man die Romanik als
deutsch. »Aller Fortschritt zur Errin-
gung des nordischen archaischen Stiles,
eben des romanischen, geschah im Westen, in Frankreich. In Frankreich allein fand der monumentale Stil des Mittelalters seine typische und endgültige
Form.« Vgl. auch RICHARD HAMANN, *Geschichte der Kunst*, 1938, S. 36 f.: »daß
auch der romanische Stil ein französischer ist ..., muß noch begriffen werden«. Über die Begriffsverwirrung, die
nationalistische Voreingenommenheiten
bewirkt haben, vgl. ECKSTEIN, ›Über Wesen und Entstehung der Gotik‹, in: *Geistige Arbeit. Zeitung aus der wissen-
schaftlichen Welt*, 7. Jg., No. 16 u. 17.

## Die kulturellen, gesellschaftlichen, politischen Grundlagen

8 HENRI FOCILLON, *Art d'Occident*, Paris
1938, p. 21. Vgl. ferner: FOCILLON, *L'An
mil*, Paris 1932, und: LOUIS GRODECKI, *L'
architecture ottonienne*, Paris 1958, p. 7
bis 16.

9 Vgl. HENRI PIRENNE, *Mahomet et Char-

*lemagne*, Bruxelles 1936 (Deutsche Ausgabe unter dem Titel: *Geburt des Abendlandes*, Amsterdam 1940).

10 CHRISTOPH DAWSON, *The making of Europe*, deutsche Ausgabe: *Die Gestaltung des Abendlandes*, Leipzig 1935, S. 219.

11 Zur Christianisierung Germaniens durch Karl den Großen und seine Missionare vgl. HENRI PIRENNE, *Geschichte Europas*, 1956, S. 66 f. Dort schreibt Pirenne S. 67: »Für die Beurteilung der religiösen Ideen der damaligen Zeit ist es bemerkenswert, daß es dort ein kurzes Aufleben der Sklaverei gab. Da das Heidentum der Slawen ihnen nach diesen Ideen den Anspruch, Mensch zu sein, nahm, wurden die slawischen Gefangenen einfach wie Vieh verkauft. ... Der Slawe war für die Menschen des neunten und zehnten Jahrhunderts dasselbe, was ›der Neger‹ für die Menschen zwischen dem siebzehnten und dem neunzehnten Jahrhundert war.«

12 FERDINAND LOT, a. a. O. p. 450 ff.

13 HENRI FOCILLON, *L'Art des sculpteurs romans*, Paris 1931, p. 15.

14 HEINRICH WÖLFFLIN, *Gedanken zur Kunstgeschichte*, Basel 1941, S. 17.

15 HENRI FOCILLON, *Vie des formes*, Paris 1939, p. 119 – Deutsche Übersetzung: Dalp-Taschenbücher, Band 305, Bern 1954, S. 102 f.

16 JEAN HUBERT, *L'art préroman*, Paris 1938, p. 174 – Dort auch über die vorromanischen Konstruktionen und Raumformen.

**Bautrupps, Baumeister, Bauherren**

17 Die Texte sind nachzulesen bei v. MORTET ET P. DESCHAMPS, *Receuil de textes relatifs à l'histoire de l'architecture et à la condition des architectes en France au Moyen Age*, XIe–XIIe, I, Paris 1911 – XIIe–XIIIe, II, Paris 1939. – Zu Saint-Trond: MORTET, II, p. 157 ff., und PIRENNE, *Geschichte Europas* S. 153. Ferner zu Hilfsarbeiten der Bevölkerung MARCEL AUBERT, ›La construction au Moyen Age‹, in: *Bull. Mon.* 1960, p. 249 ff. – GÜNTHER BINDING und NORBERT NUSSBAUM, *Der mittelalterliche Baubetrieb nördlich der Alpen in zeitgenössischen Darstellungen*, Darmstadt 1978. – MARTIN WARNKE, *Bau und Überbau. Soziologie der mittelalterlichen Architektur nach den Schriftquellen*, Frankfurt 1976. Dazu: JOACHIM WOLLASCH in: *Kunstchronik* 30, 1977, S. 269–273.

18 MORTET, a. a. O. II, p. 63–66.

19 MORTET, a. a. O. II, p. 41.

20 MORTET, a. a. O II, p. 71. AUBERT in: *Bull. Mon.* 1960, p. 252.

21 AUBERT in: *Bull. Mon.* 1960, p. 252.

22 PIRENNE, *Geschichte Europas*, S. 184 ff. – G. DUBY, *L'économie rurale et la vie des campagnes de l'occident médiéval*, Paris 1962.

23 Diese Auffassung des Handels, die den Argwohn gegen die handeltreibenden ›Syrer‹ und Juden erzeugte, ist eine der Quellen des religiös motivierten Antisemitismus im Mittelalter. In der offiziellen Kirchensprache hieß der Jude ›perfidus‹, das bedeutet »Mensch, der weder Treue noch Glauben verdient« (IGNAZ DÖLLINGER, *Die Juden in Europa*, Münchner Akademierede 1881).

24 I. PUIG I CADAFALCH, *La géographie et les origines du premier art roman*. Paris 1935, p. 80, note 13.

25 GEORG DEHIO, *Geschichte der deutschen Kunst*, I, 1919, S. 86 – R. DE LASTEYRIE, *L'architecture religieuse en France à l'époque romane*, 2e édition, 1939, p. 236 f. – MARCEL AUBERT in: *Bull. Mon.* 1960, p. 244 ff.

26 DEHIO, a. a. O. I, S. 87.

27 AUBERT in: *Bull. Mon.* 1960, p. 242–249.

# ANMERKUNGEN

Dort auch die entsprechenden Hinweise auf die Textstellen bei MORTET, a. a. O. Ganz eindeutig werden die Ausdrücke operarius und fabrica in den Texten nicht gebraucht. So heißt es z. B. von der Bartholomäus-Kapelle in Paderborn, sie sei »per Graecos operarios« errichtet worden.

28 MORTET, a. a. O. I, p. 64–69. – AUBERT in: *Bull. Mon.* 1960, p. 244.

29 MORTET, a. a. O. I, p. 38, n. 2 – AUBERT in: *Bull. Mon.* 1960, p. 244 n. 5 – DEHIO, a. a. O. I, S. 87. – Im Turm der Peter-und-Pauls-Kirche in Weißenburg (Elsaß) findet sich folgende Inschrift: »Samuel · a (bbas hanc) turrim · fe (cit).« Daraus dürfte aber nicht zu schließen sein, daß der Abt der Baumeister war. Vielmehr ließ der stolze Abt, unter dem der Turm errichtet wurde, sich, nicht den Baumeister in der Inschrift nennen. Vgl. dazu KAUTZSCH, *Der romanische Kirchenbau im Elsaß*, S. 66 – dort mit Berufung auf F. X. KRAUS, *Kunst und Altertum in Elsaß-Lothringen*, Straßburg 1876–1892. – Vgl. auch MARTIN S. BRIGGS, *The architect in history*, 1927, p. 55.

30 KURT GERSTENBERG, *Die deutschen Baumeisterbildnisse des Mittelalters*, 1966, S. 3 f.

30a Vgl. RUDOLF WESENBERG, *Bernwardinische Plastik*, Berlin 1955. Zitate der Vita Bernwardi, S. 11 f.

31 GERSTENBERG, a. a. O. S. 6, Abb. S. 7.

32 Abb. bei GERSTENBERG, a. a. O. S. 9.

33 Vgl. A. AURIOL et R. REY, *La basilique Saint-Sernin de Toulouse*, Toulouse 1930, p. 244 ff. – W. GERKE, *Der Tischaltar des Bernard Gilduin in Saint-Sernin de Toulouse*, Wiesbaden 1958.

34 PAUL MESPLÉ, *Toulouse. Musée des Augustins* (Inventaire des collections publiques françaises), Paris 1961, nos 5 et 22.

35 DENIS GRIVET u. GEORGES ZARNECKI, *Gislebertus, Meister von Autun*, 1962.

36 MARCEL AUBERT in: *Congrès de La Rochelle en 1956*, p. 321.

37 ÉMILE MÂLE, *L'art religieux du XIIIe siècle en France*, 7e édition, Paris 1931, p. 397 f. – Vgl. auch WILHELM MESSERER, *Romanische Plastik in Frankreich*, Köln (1964), S. 105 ff.

38 Guinamandus hat das Grabmal des Heiligen Front in der diesem geweihten Kirche in Périgueux geschaffen. – Zu den anderen Inschriften vgl. LASTEYRIE, a. a. O., p. 237, note 2, gegen die von ANTHYME SAINT-PAUL, *Viollet-le-Duc et son système archéologique*, p. 247, geäußerten Zweifel, daß es sich um Signaturen von Laien handle.

39 J. VALLERY-RADOT, *Saint-Philibert de Tournus*, 1956, p. 22. – Auf den Baumeister und den Baubeginn zu Anfang des 12. Jahrhunderts dürfte sich auch die Inschrift auf den Deckplatten der Kapitelle des inneren kleinen Portals der ehem. Abteikirche in Carennac (Lot) beziehen: GIRBERTVS CEMENTARIVS FECIT ISTVM PORTARIVM BENEDICTA SIT ANIMA EIVS (Congrès de Limoges en 1921, p. 425).

40 *Epist.* III, 2 – JEAN VIREY *Les églises romanes de l'ancien diocèse de Mâcon*, 1935, p. 213, note 3. – JACQUES STIENNON, ›Hézelon de Liège, architecte de Cluny III‹, in: *Mélanges offerts à René Crozet*, 1966, I, p. 345–358. Zu ›Cluny III‹: KENNETH JOHN CONANT, *Les églises et la maison du chef d'ordre*, Mâcon 1968. – ALAIN ERLANDE-BRANDENBURG, *L'abbaye de Cluny* (Petites monographies sur les grands édifices), Paris 1981.

41 G. PLAT, *L'église de la Trinité de Vendôme. Petites Monographies*, 1934, p. 51. – G. FLEURY, *La cathédrale du Mans. Petites Monographies*, p. 13.

41a Zum Meister von Cabestany: MARCEL DURLIAT, *La sculpture romane en Roussillon*, I, 1948, IV, 1954 und: Ders.,

›Le maître de Cabestany‹, in: *Les Cahiers de Saint-Michel de Cuxa*, 4, 1973, p. 116-127 (dort die bibliographischen Nachweise).

42 D. BESSE, *Les moines de l'ancienne France*, Paris 1906, p. 269-281. – JEAN HUBERT, *L'art préroman*, Paris 1938, p. 174.

43 DEHIO, a. a. O., I, S. 36 f.

44 V. MORTET, *Recueil des textes, XIe–XIIe siècles*, p. 26-32. – Vgl. *Congrès de Dijon*, 1928, p. 16-24.

45 C. JULIAN, *Histoire de la Gaule*, T. VIII, p. 211, note 3.

46 PAULUS SILENTARIUS, *Beschreibung der Hagia Sophia*, Vers 637 ff. – GREGORIUS MAGNUS, ›Registr.‹ VI, 10 éd. *Mon. Germ. Epist.* I, p. 388. – HUBERT. a. a. O., p. 171.

## Gliederung der Mauern

47 I. PUIG I CADAFALCH, *Le premier art roman. L'Architecture en Catalogne et dans l'Occident méditerranéen aux Xe et XIe siècles*. Paris 1928. – I. PUIG I CADAFALCH, *La géographie et les origines du premier art roman*, Paris 1935. In diesem Werk ist die Mehrzahl der einschlägigen Beispiele abgebildet.

48 Die präromanische Marienkapelle in der Würzburger Bischofsfestung zeigt am zurückgesetzten Obergeschoß eine Mauergliederung durch Lisenen und Bogenfriese, deren bisherige Datierung ins 8. Jahrhundert aber sehr ungewiß ist. Jedenfalls dürfte die Mauerflächengestaltung der oberen Etage dieser vorromanischen Kapelle erst aus dem 11. oder 12. Jahrhundert stammen. Vgl. B. HANFTMANN in: *Archiv d. histor. Vereins f. Unterfranken u. Aschaffenburg*, Bd. 70, 1935/36, S. 335-369, u. EDGAR LEHMANN, *Der frühe deutsche Kirchenbau*, Berlin 1949, S. 129.

49 Der konstruktive Ursprung der später als Mittel einer bloß dekorativen Oberflächengliederung auftretenden Lisenen ist vielleicht in Wandverstärkungen zu suchen, die an Stellen notwendig waren, an denen eine Quermauer auf die Mauer auftrifft. Denkbar ist auch, daß sich die Vor- und Rücksprünge durch die Holzschalungen oder durch Holzeinlagen ergaben. Vgl. dazu K. KRAUSE, ›Bogazköy. Tempel V. Ein Beitrag zum Problem der hethitischen Baukunst‹, Berlin 1940 (= *Istanbuler Forschungen*, Band II), und R. NEUMANN, *Architektur Kleinasiens*, Tübingen 1955, S. 111 ff. – Zum Teil mögen die Formimpulse auch von Holzkonstruktionen her gekommen sein, was man bei dem noch vorromanischen Turm von Sanct Peter in Barton-upon-Humber (Lincolnshire) und bei der ebenfalls anglo-sächsischer Bautradition folgenden Gestaltung des Turms von Earls Barton (Northamptonshire) aus der ersten Hälfte des 10. Jahrhunderts mit Gewißheit annehmen darf [156]. Auf die Herkunft aus dem Holzbau weisen dort auch die Säulchen der Fensteröffnungen hin, die die Form von »gedrechselten« Holzpfosten haben. Solche »gedrechselten« Säulen treten auch am Triforium des südlichen Querarms von Sanct Albans Abbey (Hertfordshire) auf, wo sie von einem früheren Bau übernommene Elemente sind. Erinnerungen an Formen von Holzkonstruktionen, von denen norwegische Stabkirchen aus dem 12. Jahrhundert (Urnes und Borgond in Sogn) uns eine Vorstellung vermitteln, lassen sich in frühromanischen Bauten des Kontinents nicht mehr erkennen.

50 Nischenkränze sind sehr häufig an den Apsiden der katalanischen Kirchen, z. B. Palau Sabardera, San Pere de Casserres.

In Ripoll haben auch die Lang- und Querschiffmauern der Abteikirche Santa Maria Nischenreihen. Nischenkränze in Frankreich: Aime (Savoie), im Hérault: Saint-Guilhem-du-Désert.

Nischenkränze in Italien: San Pietro in Agliate (Brianza, 868–881 – Datierung nicht völlig gesichert), Sant'Ambrogio (um 940) und San Vincenzo in Prato in Mailand, San Giovanni dei Campi in Piombesa Torinese am piemontesischen Alpenrand. Die vier Konchen und das Kuppelgeschoß des Baptisterium von Biella (Novarra) haben ebenfalls Nischenkränze. – Über den Ursprung der Zwerggalerien: GÜNTHER KAHL, *Die Zwerggalerie*, Würzburg 1939.

51 »Les archéologues sont trop portés à chercher sous les formes architecturales la solution d'un problème de statique et à prendre pour contreforts des pilastres ou des colonnes engagées dont le rôle est purement décoratif. Le contrefort, ainsi que son nom l'indique, est un organ de butée; c'est un renfort de maçonnerie élevé sur la face externe d'un mur, en vue d'assurer ce mur contre les effets d'une charge ou d'une poussée. Lorsqu'un maître d'œuvre a monté contre un mur de plus d'un mètre d'épaisseur des colonnes engagées mesurant o m 15 à o m 20 de diamètre, on ne peut vraiment pas considérer ces colonnes comme des contreforts, de même en est-il des bandes lombardes . . .: ces bandes ne sont pas des contreforts.« (AUGUSTE CHOISY, *Histoire de l'architecture*, 1899, T. I. p. 528.) – In Gurk tritt der rein dekorative Charakter solcher Mauergliederungen besonders deutlich in die Erscheinung: die mittlere dünne Säule der Querschiffwand »trägt« einen Ring, der ein Rundfenster im Giebel umrahmt. Man vergleiche auch die Dekoration an der Turm-Fassade und am Chor von Schlettstadt (Sélestat, Elsaß) [8], wo die Säulchen teils auf die Bogenscheitel gestellt sind, teils mit ihrer Basis in den Zwickeln zwischen den Bögen stehen.

52 FOCILLON, *Art d'Occident*, p. 25.

53 Das sich aus dieser gegensätzlichen Empfindungs- und Denkweise ergebende zwiespältige Erscheinungsbild der romanischen Architektur haben vor allem Focillon, Ernst Gall und Peter Meyer erkannt und deutlich hervorgehoben. – ERNST GALL, *Die gotische Baukunst in Frankreich und Deutschland. 1. Teil: Die Vorstufen in Nordfrankreich von der Mitte des elften bis gegen Ende des zwölften Jahrhunderts*, Leipzig 1925, S. 19. (Zit. in der Einleitung S. 7, 8.) – PETER MEYER, *Europäische Kunstgeschichte*, Zürich (1947), I, S. 170 ff. und früher schon in: *Schweizerische Stilgeschichte*, Zürich 1942. – Deutlich ausgesprochen und unvoreingenommen gesehen hat auch schon HERMANN DECKERT *(Deutsche Kunst*, I. Band, Jedermanns Bücherei, Breslau 1931) die unterschiedlichen Qualitäten der östlichen und westlichen romanischen Architektur, aber ohne sie auf den Gegensatz zweier wesentlicher sinnlicher Verhaltensweisen zurückzuführen, wie das meines Wissens überzeugend erst Peter Meyer getan hat, dessen Einsichten sich unsere Darstellung anschließt.

54 Zu Saint-Étienne in Nevers vgl. *Congrès* 1967, p. 162 ff.

55 Dieselbe Art der Mauerflächengliederung an technisch hoch vollendetem Quadermauerwerk in Maursmünster [124].

56 Der Bogenfries ist in der nordostdeutschen Backstein-Gotik zumeist als Spitz- und Kleeblattbogenfries ausgebildet und erscheint auch in anderen Variationen als dekoratives Band [10].

57 DEHIO, *Handbuch der deutschen Kunst-*

*denkmäler,* neu bearbeitet von ERNST GALL, I. Band: *Niedersachsen und West-falen,* Berlin 1935, S. 75. Siehe ferner: *Königslutter und Oberitalien. Kunst des 12. Jh. in Sachsen. Sonderausstellung im Braunschweigischen Landesmuseum,* Braunschweig 1980.

58 An der Fassade von San Michele in Pavia wird die Flächigkeit auch durch die zahlreichen Öffnungen der unter dem Giebel aufsteigenden Galerie und durch die ohne Unterbrechung bis zum Giebel aufsteigenden Wandpfeiler mit vorgesetzten, ziemlich schmächtigen Säulen nicht aufgehoben. Dasselbe gilt auch für andere südromanische Fassaden, Parma, San Pietro in Ciel d'oro in Pavia, für Cremona etc. – ADRIANO PE-RONI, *S. Michele di Pavia,* Milano 1967. – Ders., *La cattedrale di Parma e il roma-nico europeo,* Parma 1974.

**Gestalt der Wand**

59 Sankt Georg in Oberzell ist um 900 ge-baut worden. Der Charakter des Rau-mes ist typisch ottonisch. Die Gemälde gehen auf die Zeit um 990–1000 zu-rück. Sie wurden 1880 entdeckt und ab 1921/22 restauriert. Darüber Näheres in: KURT MARTIN, *Die ottonischen Wandbilder der St. Georgskirche Rei-chenau-Oberzell,* 2. Aufl. Sigmaringen 1974, S. 54 ff. – Sant'Angelo in Formis war 1072 dem Abt Desiderius von Montecassino übergeben worden, der die Kirche laut Inschrift auf dem Sturz des Hauptportals wiederhergestellt oder auch neu erbaut hat. – Die Kirche von San Miniato al Monte über Florenz ist in die Mitte des 12. Jahrhunderts zu datieren. Die Bekleidung der Wände mit Inkrustationen geht auf die Antike und Byzanz zurück und ist im Mittel-

alter eine nur in Italien geübte Deko-rationstechnik, dem übrigen Abend-lande fremd. Auch sie zeigt, wie stark die südromanische Architektur aus alt-christlich-byzantinischem Erbe lebt. Mit einem gewissen Recht sagt PAUL FRANKL *(Die frühe mittelalterliche und roma-nische Baukunst,* 1926, S. 127): »Die Inkrustation ist unromanisch, weil sie die Textur versinnlicht statt die Struk-tur.«

60 HANS JANTZEN, *Ottonische Kunst,* Mün-chen (1947), S. 62. – Aufschlußreich für das Verständnis der ostromanischen (ot-tonischen) Auffassung der Wand ist, was KURT MARTIN über die ottonischen Wandbilder der St. Georgskirche Rei-chenau-Mittelzell (a. a. O., S. 17) sagt: »Die Aufteilung der (Bilder-)Folge, die die Darstellungen zu einer größeren Einheit zusammenfaßt, nimmt … keine Rücksicht auf den architektonischen Rhythmus der Säulen, Arkaden und Fenster … Auf ihre kontinuierliche Ausbreitung als selbständige Fläche kommt es an, die nicht Träger körper-lich-plastischer Funktionen ist, sondern in der Abstraktion von allem Räum-lichen die Möglichkeit und Fähigkeit be-sitzt, Gemälde in sich aufzunehmen, die in gleicher Weise der (= dieser) Abstrak-tion verpflichtet sind.«

61 Horizontale Bänder zwischen Arkaden und Oberwand z. B. in den Basiliken Sankt Michael in Hildesheim, von Burs-felde (Niedersachsen), Schiffenberg bei Gießen (Hessen), Alpirsbach (Schwarz-wald), Heilsbronn (Franken), Sankt Georg in Stein am Rhein (Schweiz).

62 Südromanische Säulenbasiliken: Sant' Abbondio in Como, Torcello (Venezia), Pomposa, Fiesole, San Gimignano, Ka-thedrale in Pisa, Sant'Antimo bei Mon-talcino (Toscana), Kathedralen in Trani und Bari [79], San Nicola in

Bari, Santa Annunziata in Otranto, Monreale (Palermo) usw.

63 Westromanische Säulenbasiliken: Saint-André in Chartres, die Kirchen von Gassicourt (Seine-et-Oise), Vert-la-Grevelle (Marne), Herblay (Seine-et-Oise).

64 Als »noch unromanisch« bezeichnet P. FRANKL (a. a. O., S. 120) die Kirchen von Torcello, Pomposa, Fiesole. Allgemein sagt er (S. 119) von den italienischen Bauten der ersten Hälfte des 11. Jahrhunderts, sie wirken »durchaus altertümlich, noch unromanisch«, nur die »vom Norden (Deutschland oder Burgund) beeinflußten« Bauten hätten, meint er, »ausgesprochen romanische Züge«.

65 Zu San Pedro de Roda: F. IÑIGUEZ, ›El monasterio di San Pedro de Roda‹, in: *Revista de Gerona* 20, 1962. – Zu San Vicente de Cardona: W. M. WHITEHILL, *Spanish romanesque architecture of the eleventh century,* Oxford 1941, p. 45 ff. – Wenn die Tonnengewölbe von Santa Cecilia am Montserrat schon der 957 geweihten Kirche angehören, nicht erst einer späteren Erneuerung im 11. Jahrhundert, bei der die drei Apsiden errichtet wurden, wäre diese kleine Kirche schon früher gewölbt worden als die der Abtei von Saint-Martin-du-Canigou. Älter, aber viel unbeholfener gemauert als die von Saint-Martin-du-Canigou sind wohl die Gewölbe von Santa-Maria in Montbui (Prov. Barcelona). Diese Datierungsfragen spielen für unsere Betrachtung aber keine Rolle. Die Wölbetechnik beherrschten schon präromanische Architekten (vgl. JEAN HUBERT, *L'art préroman,* 1938). Diese technischen Kenntnisse waren wohl nicht verloren gegangen. Es wurden aber auch noch im 12. Jahrhundert in Katalonien Kirchen mit offenem Dachstuhl gebaut, z. B. San Clemente in Tahull (Provinz Lérida), 1123 geweiht [Fig. 2]. Ob Kirchen gewölbt wurden oder Holzdeckung erhielten, ist nicht allein vom technischen Können der ›Zeit‹ abhängig, sondern sehr entscheidend auch vom architektonischen Denken und Empfinden. Es mag richtig sein, daß Puig i Cadafalch und andere katalanische Forscher allgemein dazu neigen, die Bauwerke zu früh zu datieren. Das Argument von HANNO HAHN (*Die frühe Kirchenbaukunst der Zisterzienser,* Berlin 1957, S. 188, Anm. 554) gegen die Datierung von San Pedro de Roda auf 1022 scheint mir aber nicht stichhaltig zu sein. Diese Kirche müsse, meint er, später entstanden sein, weil »die weit archaischere Kirche San Juan de las Abadesas mit einer Rundtonne ohne alle Vorlagen« erst 1150 geweiht wurde. Es gibt zu allen Zeiten ›vorgeschrittene‹ Bauten neben ›rückständigen‹. Die Kapitele von San Pedro de Roda zeugen freilich von einer so hohen technischen und künstlerischen Meisterschaft, daß sie auch dann noch eine exzeptionelle Leistung wären, wenn sie mehrere Jahrzehnte später entstanden wären. Aber auch die Umgangchöre beider Kirchen sind in Katalonien keineswegs die Regel, ebenso wenig im 11. wie im 12. Jahrhundert. Das gilt auch für die Gewölbekonstruktion, selbst wenn sie, was denkbar ist, nachträglich, d. h. ein Werk des 12. Jahrhunderts wäre. Auch dann ist die konsequent strukturelle Wandgliederung für den ›premier art roman‹ durchaus exzeptionell, was gerade die von Hahn zitierte Kirche S. Juan de las Abadesas, von der das Weihedatum 1150 überliefert ist, beweist.

66 Stützung der Unterzüge der Langhausarkaden durch den Pfeilern vorgelegte Wandsäulen: in der Normandie: Bernay, Jumièges, La Trinité und Saint-Étienne

in Caen, Lessay, Saint-Étienne in Beauvais, Mont Saint-Michel; in Burgund: Saint-Étienne in Nevers, Paray-le-Monial, Cluny; in Britannien: Kathedralen von Durham, Ely, Chichester, Winchester; in der Auvergne: Orcival, Issoire, Conques; im Quercy: Saint-Saveur in Figeac (Lot).

67 Umgang ohne Kapellen ferner: Pfarrkirche von Veauce (Allier – *Congrès d'Allier*, p. 277), Champagne (Ardèche – LASTEYRIE, a. a. O., p. 297), Domerat (Allier), Toul-Sainte-Croix (Creuse), Gonesse (Seine-et-Oise), Münster in Basel. In der Gotik: Deuil (Seine-et-Oise), erster Plan von Laon, Notre-Dame in Paris (1180).

68 Von den meist kleineren westfranzösischen Kirchen mit ungegliederten Mittelschiffwänden seien genannt: Presles (Aisne), Chivy (Aisne), Château-Landon (Seine-et-Marne), Saint-André in Chartres (Eure-et-Loir), mit abgetreppten Langhausarkaden: Berneuil-sur-Aisne (Oise), Vert-la-Grevelle (Marne), Saint-Jean in Châlons-sur-Marne.

69 ERNST GALL, *Dome und Klosterkirchen am Rhein*, München 1956, S. 61.

70 DESHOULIÈRES, *Au début de l'art roman*, p. 45–47. – Ders., *Éléments datés*, 1936, p. 16.

71 Zum normannischen Triforium: MARCEL ANFRAY, *L'architecture normande. Son influence dans le nord de la France aux XIe et XIIe siècles*, Paris 1939, p. 131–175. – Zur Begriffsbestimmung ›Triforium‹ vgl. EUGÈNE LEFÈVRE-PONTALIS in *Bull. Mon.* 1911, p. 515 ff., 1912, p. 143 ff., und ROBERT DE LASTEYRIE, *Bull. Mon.* 1912, p. 130 ff. – Es wäre für eine klare Differenzierung zweckmäßig, wenn als ›Triforium‹ eine offene Arkatur mit einem schmalen Laufgang dahinter, als ›falsches Triforium‹ oder Blendtriforium eine Blendarkatur (un-

beschadet einiger offener Arkaden zur Entlüftung des Dachstuhls) bezeichnet würde.

72 CH.-H. BESNARD, *Le Mont Saint-Michel. Petites Monographies.*

73 L.-M. MICHON et MARTIN DU GARD, *L'abbaye de Jumièges. Petites Monographies*, 1935. – MICHON in: *Congrès de Rouen en 1926*, p. 586 ss. – Einen Dachstuhl ohne Schwibbögen nimmt ROGER MARTIN DU GARD, *Étude archéologique des ruines de Jumièges*, Montdidier, 1909, an.

74 JANTZEN, a. a. O., S. 63.

## Ost-, süd- und westromanische Räume

75 PAUL FRANKL, a. a. O., S. 68. – ERNST GALL, *Dome und Klosterkirchen am Rhein*, S. 65, beschreibt den Raum der Zisterzienserabtei-Kirche von Eberbach (Rheingau) ähnlich: »Die sehr schlichten rechteckigen Pfeiler . . . stehen so eng gereiht, daß der Einblick in die sehr schmalen . . . Seitenschiffe keine wirkliche Raumerweiterung zur Folge hat.«

76 PAUL FRANKL, a. a. O., S. 97.

76a Vgl. dazu ROBERTO SALVINI, *Toskana. Unbekannte romanische Kirchen*, München 1973, S. 10, 18 f.

77 In Reims selbst konnte der Bischof Bernhard von Hildesheim einen Chor mit Umgang und Kapellenkranz nicht kennen gelernt haben. Saint-Remi kann das Vorbild für Sankt Godehard (wie das in DEHIO-GALL, *Handbuch I. Niedersachsen-Westfalen*, 1935, S. 138, angegeben ist) nicht gewesen sein. Denn Saint-Remi hatte keinen Chorumgang mit Kapellen. Diesen erhielt die Kirche erst in der gotischen Epoche. Aber Bernhard hatte auf seiner Reise gewiß genügend Gelegenheit gehabt, solche Choranlagen kennen zu lernen, vor allem

wenn er seinen Weg über Burgund gemacht haben sollte (Saint-Étienne in Nevers, Cluny können die Anregung gegeben haben. Auch in La Charité-sur-Loire war im ersten Drittel des 12. Jahrhunderts der benediktinische Staffelchor durch einen Umgangschor mit Radialkapellen ersetzt). – Ich halte es mit U. HOELSCHER (›Die Godehardkirche zu Hildesheim‹, in: *Niederdeutsche Beiträge zur Kunstgeschichte* II, 1962, S. 32 ff.) für möglich, daß Bernhard von seiner Reise einen Plan für die Choranlage mitgebracht hat, und für sehr wahrscheinlich, daß der Baumeister selbst niemals einen Bau gesehen hat, den er sich nach Bernhards Wunsch zum Vorbild hat nehmen müssen. Auch lassen die Einzelformen keinerlei Anlehnung an westromanische erkennen. – Zur Verbreitung der Umgangschöre in den Kirchen an den Pilgerstraßen: ÉMILE MÂLE, *L'art religieux du XIIe siècle*, Paris 1922, 4e édition 1940, p. 245–313. – KINGSLEY-PORTER, *Romanesque sculpture of the pilgrimage roads*, Boston 1923. – BÉDIER, *Les légendes épiques*, Paris, 2e édition 1914–1921, 4 vol. – Kurz zusammenfassend: JEAN VALLERY-RADOT, *Églises romanes. Filiations et échanges d'influences*, Paris 1931, p. 161–183.

78 Zu den doppelchörigen Anlagen siehe Weiteres im Kapitel ›Staffelchöre ...‹, S. 95 ff.

79 GALL, *Dome und Klosterkirchen*, S. 65.

**Basilika**

80 Der Terminus Basilika ist so wenig wie die Bezeichnung Dom eindeutig. Seine Herkunft und Bedeutung sind in der Archäologie umstritten. Für Vitruv bedeutet ›Basilica‹ eine Raumform. Die römische Marktbasilika aber tritt in ganz verschiedenen Raumformen auf. Jedenfalls hat das Wort in der antiken lateinischen Sprache (die griechische kennt es überhaupt nicht) niemals die Bedeutung von ›Königshalle‹ gehabt. Diese Bedeutung als Haus des Königs der Christen ist der Basilika auch nicht im frühen Christentum gegeben worden, sondern erst sehr viel später, als der Titel Basilika an gewisse Kirchen ihres kultischen Ranges wegen vom Papst offiziell verliehen wurde. Auch in alten Quellen werden Kirchen ohne Bezug auf Raumform und Raumbelichtung Basilika genannt. – In der archäologischen Fachsprache kann der Begriff Basilika aber nur sinnvoll und unmißverständlich angewandt werden, wenn damit der drei- oder fünfschiffige Longitudinalbau mit über einen Obergaden direkt belichtetem Mittelschiff bezeichnet wird, entsprechend der Definition, die J. SAUER in Wasmuths *Lexikon der Baunst*, II, Artikel Basilika, gibt. (Vgl. die Referate von A. VON GERKAN und F. WACHTSMUTH auf der Tagung der Koldewey-Gesellschaft 1953 und die sich daran anschließende Diskussion in *Kunstchronik* VI, 1953, S. 237 ff. und *Kunstchronik* IV, 1951, Heft 5.)

81 Vgl. L. BRÉHIER, ›Les origines de la basilique chrétienne‹, in *Bull. Mon.* 86, 1927, pp. 221–249. – RUDOLF SCHULTZE, *Basilika*, Leipzig u. Berlin 1928. – L. BRÉHIER, *Les basiliques chrétiennes*, Paris 1911. – R. KRAUTHEIMER, *Corpus Basilicarum Christianarum*, 1937 ff. – J. G. DAVIES, *The origin and development of early christian church architecture*, 1952. – Ferner: *Kunstchronik*, a. a. O. – RICHARD KRAUTHEIMER, *Early Christian and Byzantine Architecture* (Pelican History of Art), Harmondsworth 1965.

82 ZESTERMANN, *Die antiken und christ-lichen Basiliken,* Leipzig 1846, hat nachgewiesen, daß eine Umwandlung profaner Basiliken in christliche histo-risch nicht bezeugt ist. Es gibt nur eine Ausnahme: die Basilika in Madaou-roude, dem alten Madaura, vgl. ALBER-TINI in *Bull. Archéologique,* C. T. H. 1925, pp. 283–292. – BRÉHIER, *Bull. Mon.,* a. a. O. – Im 3. Jahrhundert wurden dreischiffige Räume allgemein für den Mysterienkult verwendet (Se-rapeion in Milet). – Eigene Gebäude für den christlichen und jüdischen Kult hat es frühestens seit dem 3. Jahrhundert im Sassanidenreich gegeben. Bis dahin haben christliche und jüdische Kult-handlungen nur in Privathäusern statt-gefunden. Eine feste Bauform für die christliche Basilika hat sich jedenfalls erst im Laufe des 4. Jahrhunderts ent-wickelt, – im Sassanidenreich vielleicht, wie F. WACHTSMUTH (a. a. O.) glaubt, im Anschluß an das semitische Hofhaus.

83 JÉRÔME CARCOPINO, *La basilique py-thagoricienne de la Porte Majeure,* Paris 1927. Die ›Basilika‹ wurde 1917 entdeckt. Grundriß und Ansicht bei LASTEYRIE, a. a. O., pp. 744 u. 745.

84 Das Baugelände am Südhang des vati-kanischen Hügels ermöglichte nicht, den über dem Grab des christlichen Apo-stels Petrus errichteten Bau nach Osten frei zu entwickeln. So war er ausnahms-weise nicht geostet. Das Querschiff war nur schmal, und die Grundrißform ist ein nur unvollkommenes Kreuz ge-blieben.

85 R. LIZOP, in: *Congrès de Toulouse en 1929,* pp. 277–288, Grundriß p. 279 – P. LAVEDAN, R. LIZOP et R. SAPÈNE, *Les fouilles de Saint-Bertrand-de-Commin-ges* (1920–1929), Toulouse 1930. – JEAN HUBERT, *L'art préroman,* Paris 1938, p. 45 (Grundriß).

86 Grundrisse bei HUBERT, a. a. O., p. 47.

87 Grundrisse und Literatur bei EDGAR LEHMANN, *Der frühe deutsche Kirchen-bau,* Berlin 1949. – Über den Sankt Galler Bauriß: HANS REINHARDT, ›Com-ment interpréter le plan de Saint-Gall?‹, in: *Bull. Mon.* 1937, p. 265–279. – WALTER HORN und ERNEST BORN, *The Plan of St. Gall. A Study of the Archi-tecture and Economy of, and Life in a Paradigmatic Carolingian Monastery,* Berkeley/Los Angeles/London 1979.

88 HENRI FOCILLON, *Art d'Occident,* 1938, p. 66. – Im Abendland tritt der Stüt-zenwechsel Ende des 10. Jahrhunderts in SS. Felice e Fortuna in Vicenza auf. Diese Kirche ist jedenfalls der früheste uns bekannte abendländische Bau mit Stützenwechsel. Zum Stützenwechsel vgl. auch ÉMILE MÂLE, *L'art allemand et l'art français du moyen âge,* Paris 1917, pp. 68–75.

89 Von den kleineren tonnengewölbten Basiliken in Burgund und im Berry seien genannt im Département Saône-et-Loire: Chapaize (wo die Fenster aber später zugemauert worden sind, was vielleicht darauf schließen läßt, daß das Mittelschiff, wie GALL, *Nieder-rheinische und normännische Architek-tur* I, S. 32, Anm., annimmt, zuerst holzgedeckt war und die Fenster bei der späteren Wölbung zugemauert wurden); ferner Uchizy, Bois-Sainte-Marie – im Département Cher: Saint-Genès in Châteaumeillant (heute mo-derne Holztonne, die aber wohl eine ehemals gemauerte Tonne ersetzt) und Plaimpied. – Basilikal, aber mit Quer-tonnen, die für die Ausleuchtung be-sonders günstig sind: Saint-Philibert in Tournus und Mont-Saint-Vincent (Sâo-ne-et-Loire).

90 WILHELM SCHLINK, *Zwischen Cluny und Clairvaux,* Berlin 1970, S. 85.

91 In der Kirche von Bussy-le-Grand sind die Stichkappen sicherlich ursprünglich, in Til-Châtel dagegen ist das nicht sicher. Die Kirche ist sehr stark restauriert, und für die Existenz der Stichkappen vor der Restauration gibt es keine Beweise (J. TILLET in: *Congrès de Dijon en 1928*, p. 465.

92 FRANCIS SALET, ›Saint-Étienne de Nevers‹, in: *Congrès en Nivernais*, 1967, pp. 163–184.

93 Zur Baugeschichte der Kathedrale von Durham und zur Konstruktion der Kreuzrippengewölbe vgl. die gründliche und grundlegende Studie von JOHN BILSON in: *The Archaeological Journal*, 1922, p. 101–160; in französischer Übersetzung erschienen in *Bull. Mon.* 1930, pp. 5–45, 209–255. – Ergänzend zur Biographie des Guillaume de Saint-Calais: Er war zuerst Laienprediger an der Kathedrale von Bayeux, wurde dann Mönch im Kloster Saint-Calais an der Anille (im Département Sarthe), das im 6. Jahrhundert von dem aus der Auvergne gekommenen Klostermönch Calais gegründet und in der Revolution zerstört worden ist. Guillaume wurde Prior dieses Klosters und war Abt von Saint-Vincent in Le Mans, als ihn Wilhelm der Eroberer 1080 zum Bischof von Durham berief. Daß er als solcher sogleich Benediktiner von Yarrow und Wearmouth nach Durham holte, bezeugt sein mangelndes Vertrauen zu den angelsächsischen, aus Lindisfarne nach Durham geflüchteten Mönchen und entspricht den politischen und kulturellen Tendenzen Wilhelms des Eroberers, die unterworfenen Angelsachsen zu romanisieren. – Vgl. J. C. STRANKS, *Medieval Art and Architecture at Durham Cathedral*, London 1980.

94 Über die Beziehungen der Architektur von Durham zur kontinentalen normannischen Architektur vgl. VALLERY-RADOT, a. a. O. pp. 103–115, und MARCEL ANFRAY, *L'architecture normande*, Paris 1939, p. 304 ss.

## Nichtbasilikale Longitudinalbauten. Tribünen

95 Zur Baugeschichte von Châtel-Montagne: LEFÈVRE-PONTALIS in: *Bull. Mon.*, 1905, und MARCEL AUBERT in: *Congrès dans l'Allier en 1905*, p. 391 ss. (dort Hinweise auf weitere Literatur). – Daß man bestrebt war, die dunklen Schiffe besser zu beleuchten, beweist auch die nachträgliche Vergrößerung der Öffnungen in der Fassadenmauer der romanischen Kathedrale in Auxerre unter dem Bischof Hugo von Noyers (1138–1206), vgl. dazu *Congrès d'Auxerre en 1958*, p. 43 mit Anm. 4. – Zu den Arkaturen, die sich nicht auf Tribünen öffnen, s. S. 76 und Anm. 98. Auch in der Kathedrale von Modena finden wir solche Öffnungen ohne dahinterliegende Tribünen. FRANKL, a. a. O., S. 203, hat wohl recht, wenn er meint, es seien auch niemals Tribünen geplant gewesen. Jedenfalls waren sie niemals vorhanden.

96 Vgl. E. LEFÈVRE-PONTALIS in: *Congrès archéologique de France à Limoges*, p. 368: »Au-dessus des bas-côtés, des tribunes obscures, beaucoup trop basses pour recevoir des fidèles, mais dont la voûte en quart de cercle est destinée à contrebuter celle du vaisseau central.«

97 AUGUSTE CHOISY, *Histoire de l'architecture*, Paris 1964 II, p. 167 (zitiert nach der neuen Ausgabe).

98 MARCEL AUBERT in: *Congrès de Rouen en 1926*, p. 325: »Enfin, il (l'architecte) prend le parti de supprimer les tribunes, et c'est ici qu'apparaît toute son ingéniosité. Ne voulant

pas démolir ce qu'avait fait son pré-décesseur, et désirant conserver à la nef l'unité de composition suivant le parti qui lui était dicté, il construit les baies des tribunes, mais renonce aux tribunes elles-mêmes et monte les voûtes des collatéraux jusqu'au niveau que devaient avoir celles des tribunes ...«

### Zentralbauten

98a Die Herkunft der romanischen Rotunden aus den paganen Heroenmonumenten und den Mausoleen römisch-frühchristlicher Zeit ist im Zusammenhang mit unserer Betrachtung nicht weiter zu verfolgen, doch sei auf die Verbindung von kaiserlichem Mausoleum mit dem christlichen Märtyrerkult in Bauten des 4. Jahrhunderts hingewiesen. Das sog. Helena-Mausoleum in Rom war eine an die dreischiffige Basilika des Petrus und Marcellinus angebaute Rotunde. Die Apostelkirche in Konstantinopel bestand ebenfalls aus einem Longitudinalbau mit einer Rotunde, in der der Sarkophag des Kaisers Konstantin und stellvertretend für die Apostel zwölf weitere standen. Eine ähnliche Verbindung von Rotunde (Mausoleum) und Kirche finden wir ja auch in der Jerusalemer Grabeskirche und im präromanischen Gallien; vgl. die in HU-BERT, *L'art pré-roman*, Paris 1938, S. 59 zusammengestellten Grundrisse von Saint-Germain in Auxerre (841–860) und anderen ›Krypten‹, auch GISELA SCHWERING-ILLERT in der Anm. 104 zitierten Dissertation.

99 Zur Kirche von Villeneuve-d'Aveyron: R.-H. NODEL in: *Bull. Mon.* 1926, p. 287 bis 298, und M. AUBERT in: *Congrès de Figeac, Cahors et Rodez en 1937*, p. 82 bis 89.

100 Zu Neuvy-Saint-Sépulcre: JEAN HU-BERT, ›Le Saint-Sépulcre de Neuvy et les pélerinages de Terre-Sainte au XIᵉ siècle‹, in: *Bull. Mon.* 1931, p. 97–100, und M. R. MICHEL-DANSAC in: *Congrès de Bourges en 1931*, p. 523–544.

100a Zur Rotunde von Northampton (Sanct Sepulchre's Church): A. W CLAPHAM, *English Romanesque Architecture after the Conquest*, 1934, S. 109 ff. – R. KRAUTHEIMER in: *Journal Warburg and Courtauld Insts.* V., 1942, p. 1–33.

101 Andere Zentralbauten in Anlehnung an die Pfalzkapelle von Aachen sind nur in Fundamenten nachweisbar, bzw. aus später über dem alten Grundriß errichteten Bauten zu erschließen. Es seien genannt: Saint-Jean in Lüttich, ein Bau des Bischofs Notker (972–1008), dessen Grundriß aus dem im 17. Jh. auf den alten Fundamenten errichteten Bau zu erschließen ist, ferner Fundamente in Muizen (Holland), deren Datierung völlig unsicher ist (KUBACH in: *Ztschr. f. Kunstwiss.* VII, 1953, S. 117), in Torhout (KUBACH, a. a. O., S. 117). – Zu Ottmarsheim: *Congrès de Metz, Strasbourg et Colmar en 1922*, p. 412–421. – RUDOLF KAUTZSCH, *Der romanische Kirchenbau im Elsaß*, Freiburg i. Br. 1944, S. 61–65.

102 Zu den provençalischen Baptisterien vgl. JULES FORMIGÉ in: *Congrès d'Aix-en-Provence et Nice en 1932*, p. 277–290.

103 Zu Saint-Bénigne in Dijon: MARCEL AUBERT in: *Congrès de Dijon en 1928*, p. 16–38. – VINCENT FLIPO, *La Chathédrale de Dijon. Petites Monographies*, 1928. – CHARLES OURSEL, *L'art roman de Bourgogne*, Dijon 1928, p. 14–32. – WILHELM SCHLINK, *Saint-Bénigne in Dijon. Untersuchungen zur Abteikirche Wilhelms von Volpiano* (Frankfurter Forschungen zur Architekturgeschichte 5), Berlin 1978.

104 Zu Charroux: GISELA SCHWERING-ILLERT,

*Die ehem. französische Abteikirche Saint-Saveur in Charroux (Vienne) im 11. und 12. Jahrhundert.* Bonner Dissertation, Düsseldorf, Zentralverlag für Dissertationen. Triltsch, 1963. Dort ausführliche Literaturhinweise und überzeugende Rekonstruktionsversuche, von denen wir mit freundlicher Erlaubnis der Autorin in Fig. 31 und 32 Grundriß und Schnitt der Rotunde wiedergeben. – G. SCHWERING-ILLERT schreibt: »Die Ausmaße der Rotunde übertrafen alle vergleichbaren Zentralbauten nördlich der Alpen, und die Dreizahl ihrer Umgänge steht in dem uns bekannten Denkmälerbestand einzig da.«

105 Vgl. *Congrès de Limoges en 1921*, p. 112–116.

106 Vgl. *Congrès d'Angoulême en 1912*, I, p. 205–207. – CHARLES DARAS, in: *Bull. Mon.* 116, 1958, S. 41–56.

107 Siehe Anm. 99.

**Kuppelkirchen**

108 GEORG DEHIO u. G. VON BEZOLD, *Die kirchliche Baukunst des Abendlandes*, I, S. 337. – RENÉ CHAPPUIS, *Les coupoles romanes du Lot-et-Garonne*, in: ›Congrès archéologique‹ 127, 1969, S. 43–81.

109 FELIX DE VERNEILH, *L'architecture byzantine en France*, 1851.

110 Zu Saint-Front in Périgueux: J. ROUX, *La basilique Saint-Front de Périgueux*, 1920. –‹ Dazu die Kritik der Thesen von Roux von: L. BRUTAILS in: *Bibl. Ec. des Chartes*, 1920. – E. LEFÈVRE-PONTALIS, ›L'école du Périgord n'existe pas‹, in: *Bull. Mon.* 1923. – RAYMOND REY, *La Cathédrale de Cahors et les origines de l'architecture à coupoles d'Aquitaine*, 1925. – Knapp zusammenfassend: MARCEL AUBERT in: *Congrès de Périgueux en 1927*, S. 45 ff. u. S. 392 ff. und in: LASTEYRIE, a. a. O., S. 788 ff.

111 Eine vollständige Liste der Kuppelkirchen in: LASTEYRIE, a. a. O., S. 790 f.

112 Über Saint-Avit-Senieur: *Congrès de Périgueux en 1927*, S. 166–175. Daß die Kirche ursprünglich Pendentifkuppeln hatte, die später durch angevinische Domikalkuppeln mit Rippen ersetzt wurden, ist nicht sicher. Es ist aber wahrscheinlich, daß die Deckung mit Pendentifkuppeln nur zum Teil ausgeführt war, als diese durch die Domikalkuppeln ersetzt worden sind.

113 Vgl. C. ENLART, ›Les églises à coupoles d'Aquitaine et de Cypre‹, in: *Gazette des Beaux-Arts*, 1926, I, S. 132–133. – CHARLES DIEHL, *Manuel d'Art byzantin*, Paris 1926, II, S. 721.

114 Vgl. HUBERT, *L'art préroman*, S. 69–80.

115 Der Typ der griechisch-byzantinischen Kirche mit einer Kuppel über hohem Tambour, wie in Vatopedhiou (Athos) und in der Kirche H. Apostoli in Athen (CHOISY, a. a. O., II, S. 47 u. 48) kehrt wieder z. B. in Saint-Honorat-des-Alyscamps in Arles und auf dem Friedhof von Montmajour (CHOISY, a. a. O., S. 160).

116 Es ist deshalb aber nicht begründet, den anderen großen ›Schulen‹ in Frankreich eine der Kuppelkirchen des Périgord einzureihen. Vgl. LEFÈVRE-PONTALIS in: *Bull. Mon.* 1923, S. 7–35: »L'école de Périgord n'existe pas.«

117 Vgl. *Congrès de Toulouse en 1929*, S. 494 ff. – MARCEL DURLIAT, *L'église abbatiale de Moissac des origines à la fin du XIe siècle*, in: ›Cahiers archéologiques‹ 15, 1965, S. 155–177.

118 Cahors: RAYMOND REY, *La Cathédrale de Cahors et les origines de L'architecture à coupoles*, Paris 1925. Jetzt überholt durch: MARCEL DURLIAT, *La Cathédrale Saint-Étienne de Cahors*, in: ›Bull. Mon.‹ 167, 1979, S. 285–340.

119 *Congrès d'Angoulême en 1912*, Seite

270 ff. – CHOISY, a. a. O., II, S. 159:
»Saint-Front n'est autre chose que Saint-Marc traduit en pierre.« – Vgl. CHARLES-HENRI BESNARD, ›Étude sur les coupoles et voûtes domicales du Sud-Ouest de la France‹, in: *Congrès d'Angoulême en 1912*, II, S. 119–164, und R. MICHEL-DANSAC, *Emploi des coupoles sur la nef dans le Sud-Ouest aquitain*, ebenda, S. 165–179.

120 LASTEYRIE, a. a. O., S. 370.

121 In Fontevrault gehört der ganze Ostbau mit dem Querschiff einer früheren Bauperiode an. Das überkuppelte Schiff ist dem weit ausladenden Querschiff angesetzt. Vgl. zu Fontevrault: RENÉ CROZET, *Fontevrault*, in: ›Congrès archéologique‹ 122, 1964, S. 426–477. In Sainte-Radegonde fehlt das Querschiff, so daß dem Blick aus der Achse des Schiffs die Eingänge des Umgangs durch die Langhauswände halb verdeckt sind. Beim einschiffigen holzgedeckten ersten Bau von Saint-Hilaire des Architekten Gautier Coorland (um 1049) war der Chor ein gestelztes Halbrund ohne Umgang und so breit wie das Schiff, hatte aber keine Radialkapellen.

## Staffelchöre – Umgangchöre – Kryptenformen

122 In Italien sind doppelchörige Kirchen fast ganz unbekannt. San Pietro di Civate (Como) gehört zu den Ausnahmen. Ebenso in Katalonien, wo San Pedro del Burgal zu den Ausnahmen gehört. (LAMPÉREZ Y ROMEA, *Historia le la arquitectura cristiana española*, t. I, pp. 228–299 weist drei doppelchörige Kirchen nach.) – In Frankreich befinden sich die meisten Doppelchoranlagen im Osten, also noch im Verbreitungsgebiet der ostromanischen Architektur: z. B. Saint-Étienne et Saint-Jean in Bourg-

Saint-Andéol (Ardèche, A. 11. Jh.), Saint-Michel in La Garde-Adhémar (Drôme, wohl A. 12. Jh.), Saint-Laurent in Grenoble, heute Krypta (merowingisch-karolingisch). Sonst vereinzelt: Hincmars Bau von Saint-Remi in Reims (9. Jh.), alte Kathedrale von Alet (Ille-et-Vilaine, 10. Jh.), Kathedrale von Clermont-Ferrand (5. Jh.), Kathedrale von Nevers (11. Jh.). Die doppelchörigen Kirchen sind in der präromanischen Epoche häufiger als in der romanischen und die späteren nach 1000 errichteten gehören bis auf wenige Ausnahmen der ostromanischen Architektur an, z. B. die doppelchörigen Kathedralen von Verdun und Besançon.

123 Pagane Basiliken mit zwei gegenüberliegenden Apsiden: Basilica Ulpia, A. 2. Jh., römische Basilika in Kempten (= Cambodunum, wohl 1. Jh.; SCHULTZE, *Basilika*, Taf. 9), Basilika von Silchester (= Calleva, 1. Jh.); SCHULTZE, a. a. O., Taf. 7, 1. Jh.), Basilika von Alesia *(Bull. archéol.* 1908, p. 142; SCHULTZE, a. a. O., Taf. 7), Basilika von Carnutum (1. H. 2. Jh.). – *Bericht des Vereins Carnuntum für 1904/05*, Wien 1906). – Über doppelchörige christliche Basiliken in Nordafrika vgl. GSELL, *Monuments antiques de l'Algérie*, t. II.

124 DEHIO, *Geschichte der deutschen Kunst*, 1919, S. 71: »Daß hier (in der Doppelchoranlage) in bewußter Weise zentrale und longitudinale Kompositionsgrundsätze vermischt seien, ist kaum wahrscheinlich, aber im Effekt läuft es darauf hinaus.«

125 HANS WEIGERT, ›Schicksal eines deutschen Doms‹, in: *Universum*, 1927, S. 692.

126 HANS REINHARDT *(Bull. Mon.* 1937, p. 277) hält den Sankt Galler Plan wohl mit Recht nicht für einen Ausführungsplan, sondern für ein allgemeines – vom Bauherr aufgestelltes – Raumpro-

gramm. Er beruft sich dabei auf den Text: »Haec tibi, dulcissime fili Gozberte, de posicione officinarum paucis exemplata direxi ...« Es wird also dem Gozbertus der Plan als ein Beispiel übersandt, wie man die Gebäude verteilen könnte.

127 Das ist fast immer nur in Bauten der Fall, die, wie die Abteikirche von Echternach (Rheinland), auf vorromanischen Fundamenten errichtet sind.

127a Rechteckige Chorabschlüsse, z. B. in Hirsau (Sankt Peter und Paul), Helmstedt (Sankt Ludger), Bremen, Limburg an der Hardt, Echternach, Paderborn (Kathedrale).

128 Zur Datierung: 963 ist der Vorgänger von Majolus, der Abt Aymar († 948), im Chor von Cluny II beigesetzt worden. Der Epitaph befindet sich jetzt im Musée Ochier in Cluny, die Resultate der unter Leitung von Kenneth-John Conant seit 1928 unternommenen Ausgrabungen in: *Speculum*, der Zeitschrift der Mediaeval Academy of America veröffentlicht. – Vgl. dazu auch MARCEL AUBERT in: *Congrès de Lyon et Mâcon en 1935*, p. 506 ss. Zusammenfassend: KENNETH JOHN CONANT, *Les églises et la maison du chef d'ordre*, Mâcon 1968.

129 Anregungen zu der benedikitinischen Chorraumordnung können byzantinische Kirchen gegeben haben, bei denen der Chor zu den Vorräumen der seitlichen Apsidiolen geöffnet ist. So z. B. in der Haghia Sophia in Saloniki, in der Kuppelbasilika in Dere-Ahsy (Lykien), in der Haghia Sophia in Nicaea, in San Marco in Venedig. Diese Kirchen haben aber nicht die weite Öffnung durch Arkaden, die jedoch für Saint-Philibert de Grandlieu angenommen werden darf.

130 Zu Romainmôtier vgl. JOSEF ZEMP, ›Die Kirche von Romainmôtier‹, in: *Zeitschrift für Geschichte der Architektur*, I, 1907/08, S. 89 ff. – H. R. SENNHAUSER, *Romainmôtier und Payerne, Studien zur Cluniazenserarchitektur des 11. Jh. in der Westschweiz*, Basel 1970.

131 Zu den Staffelchören: E. LEFÈVRE-PONTALIS, ›Les plans des églises romanes bénédictines‹, in: *Bull. Mon.* 1912, p. 438–485 (mit 25 Grundrissen).

132 Zu Saint-Outrille-les-Graçay s. *Congrès de Bourges en 1931*, p. 373–389. Zu Châteaumeillant: ebenda, p. 225–252. – Zu La Charité-sur-Loire: J. VALLERY-RADOT in: *Congrès du Nivernais en 1967*, p. 43–85. Eine der in Châteaumeillant ähnliche Raumkonzeption auch in Saint-Sever-sur-l'Adour (Landes), dort mit sechs gestaffelten Absidiolen und sogar mit Tribünen über den zwei äußeren und ihren Vorräumen von je zwei Traveen. Vgl. ÉTIENNE FELS in *Congrès de Bordeaux et Bayonne en 1939*, pp. 345–364.

133 Zu den ausgedehnten Chorräumen hatten selbst nicht alle Mitglieder der Klostergemeinschaft Zutritt – in Hirsau z. B. nicht die ›Laienbrüder‹, die die verschiedenen Hilfsdienste zu leisten und handwerkliche Arbeiten zu verrichten hatten, dem Kloster aber angehörten, ja zu den Klerikermönchen, d. h. den Mönchen mit Priesterweihe, und dem Abt in einem gewissen Hörigkeitsverhältnis gestanden haben dürften. Diese Laienbrüder waren dem Klausurzwang nicht unterworfen, hatten von den Mönchen getrennte Wohnungen, aßen auch nicht gemeinsam mit ihnen. Der Abt Wilhelm hatte eine Art Dreiklassensystem eingeführt, das in so strenger Durchführung von Cluny nicht bekannt ist. Die Klostergemeinschaft war in drei Gruppen aufgeteilt: in die der Klerikermönche, die der Laienmönche, die zwar dem Klausurzwang unterworfen waren, aber ohne priesterliche Weihe und

priesterlichen Rang waren, und in die Gruppe der Laienbrüder. Vgl. dazu: A. METTLER, ›Laienmönche, Laienbrüder, Conversen, besonders bei den Hirsauern‹, *Württembergische Vierteljahreshefte*, 1925. – A. BRACKMANN, ›Zur Geschichte der Hirsauer Reformbewegung im 12. Jahrhundert‹, *Abh. d. preuß. Akad. d. Wiss.*, 1928. – WOLFGANG TESKE, *Laien, Laienmönche und Laienbrüder in der Abtei Cluny. Ein Beitrag zum 'Konversen-Problem'*, in: ›Frühmittelalterliche Studien‹ 10, 1976, S. 248–322.

134 Über die präromanischen Krypten vgl. JEAN HUBERT, *L'art préroman*, p. 53–64. – Krypta unter dem Chor der Kathedrale in Clermont-Ferrand: *Bull. Mon.* 1909, p. 311, H. DU RANQUET, *La Cathédrale de Clermont-Ferrand* (Petites Monographies), p. 33, u. in: *Congrès de Clermont-Ferrand en 1924*, p. 13 ff. – HILDE CLAUSSEN, *Spätkarolingische Umgangskrypten im sächsischen Gebiet*, in: ›Forschungen zur Kunstgeschichte und christlichen Archäologie‹, 3: Karolingische und ottonische Kunst, Wiesbaden 1957, S. 118–140.

135 Zu Saint-Aignan in Orléans: J. BANCHEREAU in: *Bull. Mon.* 1922, p. 155–163, und in: *Congrès d'Orléans en 1930*, p. 60–67. – PIERRE ROUSSEAU, *La crypte de l'église Saint-Aignan d'Orléans*, in: ›Études ligériennes d'histoire et d'archéologie médiévales‹, Auxerre 1975, S. 454–473. Die Krypta hatte, wie die darüber errichtete gotische Chor, fünf Apsidiolen. Sie ist später entstanden als die in Clermont-Ferrand, die die Anregung für die Gestaltung der Krypta von Saint-Aignan gegeben hat, wie aus der Vita Roberti regis (in *Les Historiens de la France*, T. X) zu entnehmen ist. DU RANQUET, a. a. O., datiert die Krypta in Clermont-Ferrand auf 946, BANCHE-

REAU die von Saint-Aignan in die Jahre 989–1029.

135a Zur Kathedrale von Auxerre vgl. RENÉ LOUIS, *Les églises d'Auxerre des origines au XIe siècle*, Paris, 1952, p. 111–124, und: *Congrès d'Auxerre en 1958*, p. 43–45.

136 HANS FEGERS in *Reclams Kunstführer: Provence, Côte d'Azur, Dauphiné, Rhône-Tal*, 1967. S. 431 ff., 438 f. – ELISABETH MOGNETTI, *L'abbaye de Montmajour*, in: ›Congrès Pays d'Arles‹ 1976, S. 182–239.

137 Zu den ostromanischen Krypten und ihrer Entwicklung: H. BUSCHOW, *Studien über die Entwicklung der Krypta im deutschen Sprachgebiet*, 1934. – R. WALLRATH, ›Zur Entwicklungsgeschichte der Krypta‹, in: *Jahrbücher des Kölnischen Geschichtsvereins*, Bd. 22, 1940. – Ders., ›Zur Bedeutung der mittelalterlichen Krypta‹, in: *Beiträge zur Kunst des Mittelalters*, 1950. – L. HERTWIG, *Entwicklungsgeschichte der Krypta in der Schweiz*, 1958. – Es ist angenommen worden, die Kirche von Sant'Antimo sei von Westen nach Osten fortschreitend gebaut worden, weil die entwickelteren, reicheren und vollkommeneren Formen in den Ostteilen zu finden sind. Das wäre aber völlig ungewöhnlich. Das Datum 1118 ist im Ostteil eingemeißelt, und man weiß, daß sich die Bauzeit lange hinzog und der Bau nicht ohne finanzielle Schwierigkeiten hat zu Ende geführt werden können. Das Hauptportal, das als Bauherrn den Abt Azzone dei Porcari nennt, ist aber aus stilistischen Gründen um die Mitte des 12. Jahrhunderts zu datieren. ROBERTO SALVINI, *Toskana. Unbekannte romanische Kirchen*, München (1973), S. 18 f., hat stichhaltige Gründe aufgeführt, die auch für Sant'Antimo den üblichen Beginn des Bauens im Osten

mit Sicherheit annehmen lassen, soweit es diese in der Baugeschichtsschreibung überhaupt geben kann.

**Westmassive**

138 FERDINAND LOT, *Hariulf. Chronique de l'abbaye de Saint-Riquier*, Paris 1894. – GEORGES DURAND, *Saint-Riquier. La Picardie historique et monumentale*, T. IV. Société des Antiquaires de Picardie, Amiens et Paris 1907–1911. – WILHELM EFFMANN, *Centula, Saint-Riquier. Eine Untersuchung zur Geschichte der kirchlichen Baukunst in der Karolingerzeit*, Münster i. Westf. 1912. – ALOYS FUCHS, *Karolingische Westwerke*, Paderborn 1929. – Zu den verschiedenen, einander widersprechenden Deutungen der Westwerke von A. FUCHS vgl. die kritischen Anmerkungen von E. GALL, in: *Jahrbuch des Röm.-German. Zentralmuseums Mainz*, I, 1954, S. 245–252. – HANS REINHARDT et ÉTIENNE FELS, ›Étude sur les églises-porches carolingiennes et leur survivance dans l'art roman‹, in: *Bull. Mon.* 1933, p. 331–365, 1937, p. 425–469. (Diese Studie ist die noch immer grundlegende zusammenfassende Arbeit über Westwerke und Westmassive.) – LEHMANN, *Der frühe deutsche Kirchenbau*, 1949, S. 19 f. und S. 95; dort weitere Literaturangaben. – Ferner: W. GROSSMANN, ›Zum Stand der Westwerk-Forschung‹, in: *Wallraf-Richartz-Jahrb.* 29, 1957. – Vgl. ferner: LOUIS GRODECKI, *L'architecture ottonienne*, Paris 1958. – FRIEDRICH MÖBIUS, *Westwerkstudien*, Jena 1968. – CAROL HEITZ, *L'architecture religieuse carolingienne. Les formes et leurs fonctions*, Paris 1980. – HONORÉ BERNARD, *D'Hariulphe à Effmann, à la lumière des récentes fouilles de Saint-Riquier*, in: ›Actes du 95ᵉ congrès natio-

nal des Sociétés savantes‹, Reims 1970, Paris 1974, S. 219–235.

139 Zu Corvey: W. EFFMANN, *Die Kirche der Abtei Corvey*, hrsg. von A. FUCHS, Paderborn 1929. – REINHARDT in: *Bull. Mon.* 1933, p. 345–351. – LEHMANN, a. a. O., S. 21 ff., 108 und die in Anm. 138 angegebene Literatur.

140 LEHMANN, a. a. O., S. 101 f. – G. W. WERSEBE, *Der Altfried-Dom zu Hildesheim*, Göttingen 1937. – VICTOR H. ELBERN, HERMANN ENGFER und HANS REUTHER, *Der Hildesheimer Dom. Architektur, Ausstattung, Patrozinien*, 2. verb. Auflage, Hildesheim 1976.

141 REINHARDT, in: *Bull. Mon.* 1933, p. 357 ff. – AUGUST HARDEGGER, *Die Gebäude der Stiftskirche zu St. Gallen*, Zürich 1917. – JOS. HECHT, *Romanische Kirchen des Bodenseegebietes*, I, Basel 1928 (macht kritische Einwendungen zur These von Hardegger).

142 LEHMANN, a. a. O., S. 101. – O. GROSSMANN, *Die Abteikirche zu Hersfeld*, Kassel 1955. – GRODECKI, a. a. O., S. 20 f. (dort weitere Literaturhinweise). – GÜNTHER BINDING, *Die karolingisch-salische Klosterkirche Hersfeld*, in: ›Aachener Kunstblätter‹ 41, 1971, S. 189–201.

143 Zu Sankt Pantaleon: JANTZEN, *Ottonische Kunst*, München 1947, S. 33 f. Dort und bei GRODECKI, a. a. O., weitere Literaturhinweise. – Zu Münstereifel: P. CLEMEN, *Die Kunstdenkmäler der Rheinprovinz*, Band IV, 2, Düsseldorf 1918, S. 87–93. – LEHMANN, a. a. O., S. 116. – WARREN SANDERSON, *The Ottonian Abbey Church of St. Pantaleon at Cologne: Its Sources and Meaning*, in: ›Journal of the Society of Architectural Historians‹ 28, 1969, S. 215 f. und 29, 1970, S. 83–96. – GÜNTHER BINDING, *St. Pantaleon zu Köln*, in: ›Jahrbuch des Kölnischen Geschichtsvereins‹ 48, 1977, S. 265–278.

144  Vgl. H. BESELER u. H. ROGGENKAMP, *Die Michaeliskirche in Hildesheim*, Berlin 1954.

145  LEHMANN, a. a. O., S. 49–53, 108. – GRODECKI, a. a. O., S. 124, Anm. 109 weitere Literaturhinweise. – Vgl. hier S. 141 und Anm. 182.

146  Zu Gernrode: L. GROTE, *Die Stiftskirche zu Gernrode*, Burg bei Magdeburg 1932, S. 18 f., 20. – Ferner: H. T. BROADLEY, ›A Reconstruction of the Tenth-Century Church of St. Cyriakus in Gernrode‹, in: *Marsyas, Studies in the History of Art 6*, 1950–1953, New-York 1954. – GRODECKI, a. a. O. – W. MÜLLER, ›Die Stiftskirche Gernrode in der neueren kunstgeschichtlichen Forschung‹, in: *Wissenschaftliche Zeitschrift der Hochschule für Architektur und Bauwesen Weimar 8*, 1961 (4), S. 413–422.

147  Vita S. Godehardi ,cap. 37 »[Godehardus] principale nostrum monasterium cripta quadam in occidentali parte obscuratum aperuit et ... campanarium, quod ipse super idem amplum mira artificii ingeniositate ... composuit, ... adimplevit« (zitiert nach REINHARDT, *Bull. Mon.* 1933, S. 356, Anm. 2). Siehe auch Anm. 140.

148  Vgl. GEORGES DURAND, *Picardie monumentale*, IV. S. 163 f. – REINHARDT, *Bull. Mon*, 1933, S. 351–354. Zitat aus *Richeri historiarum*, S. 352.

149  Zu Maursmünster: RUDOLF KAUTZSCH, *Der romanische Kirchenbau im Elsaß*, Freiburg im Breisgau 1944, S. 203–209. – ROLAND RECHT, *Observations sur l'architecture du XIIIᵉ siècle en Alsace*, in: ›Cahiers alsaciens d'archéologie, d'art et d'histoire‹ 13, 1969, S. 107–120.

150  ERNST GALL, *Dome und Klosterkirchen am Rhein*, München 1956, S. 40 ff. – Die Zeichnung des Westwerks in der Sammlung des Wallraf-Richartz-Museums, Köln. – HANS ERICH KUBACH und WALTER HAAS, *Der Dom zu Speyer* (Die Kunstdenkmäler von Rheinland-Pfalz), 3 Bde., München 1972, Textband S. 121–146.

151  Der Westbau von Sankt-Barthélémy in Lüttich ist 28 m breit, 12 m tief, 22 m hoch, der von Sankt-Servatius in Maastricht sogar 32 m breit (noch beträchtlich über das Langhaus ausladend), 15 m tief und ebenfalls 22 m hoch. Seine Breite beträgt ungefähr ²/₃ der Langhauslänge. Zum Vergleich die Maße des Speyrer Doms: Westbau gleiche (lichte) Breite wie Langhaus: 33 m, Langhaus 70,50 m, also etwas mehr als zweimal die Breite des Westbaus. Das Schiff in Speyer ist allerdings ungewöhnlich lang. Als kastenartiger Querriegel tritt jedenfalls der Westbau in Maastricht trotz seiner geringen Höhe durch seine Breitenausdehnung überaus wuchtig in die Erscheinung. – Zu Sankt-Barthélémy in Lüttich: GEORGES HANSOTTE, *L'église Saint-Barthélémy à Liège*, Liège 1967. – Zu Sankt Servatius in Maastricht: A. VERBEEK, ›Roman. Westvorhallen an Maas u. Rhein‹, in: *Wallraf-Richartz-Jahrb.* IX, 1936. – LEHMANN, a. a. O. – KUBACH in: *Zeitschr. f. Kunstw.* VII, 1953, S. 117, 118. – ANDRÉ COURTENS, *Roman. Kunst in Belgien*, Wien-München 1969, S. 36. – Zur Frage der Liturgie: C. HEITZ, *Recherches sur les rapports entre Architecture et Liturgie à l'époque carolingienne*, Paris 1963.

152  *Bull. Mon.* 1937, p. 444.

153  Vgl. die (nicht ganz überzeugenden) Rekonstruktionsversuche, abgeb. in WERNER BURMEISTER, *Die westfälischen Dome*, Berlin 1936, S. 53. Die von W. RITTER, *Der Eilbertdom zu Minden in Westf.* (Diss. Hannover 1927), versuchte Rekonstruktion als Zweiturmfassade ist höchst unwahrscheinlich. Die grundlegende Untersuchung ist die von E. PANOFSKY, ›Der Westbau des Doms zu

Minden‹, *Repertorium f. Kunstwissenschaft* 1920, S. 51–77. Der Westbau in Minden dürfte vor seiner Umgestaltung dem von Gandersheim ähnlich gewesen sein. – Ferner: HANS THÜMMLER, *Der Dom zu Minden*, München/Berlin 1966.

154 G. SCHEJA, *Die romanische Baukunst in der Mark Brandenburg*, Dissertation, Berlin 1939. – H.-J. MRUSEK, *Gestalt und Funktion der Eigenbefestigung im Mittelalter*, Dissertation Halle-Wittenberg 1958. – FRIEDR. und HELGA MÖBIUS, *Architecture religieuse en Allemagne. Saxe, Thuringe, Brandenbourg, Mecklenbourg* (Titel der deutschen Ausgabe nicht bekannt), Leipzig 1964, S. 192, Abb. 55, 57. – *Dom zu Havelberg 1170–1970*, Berlin (Ost) 1970.

155 Vgl. BURMEISTER, a. a. O., S. 24 ff. – BURMEISTER, S. 34, nimmt oberrheinische Einflüsse an und verweist auf verwandte anglonormannische Formen bezüglich der Blendbalustrade hin.

156 Vgl. A. FUCHS, *Der Dom zu Paderborn*, Paderborn 1936. – W. BURMEISTER, a. a. O., S. 17. – Eine rechteckig ummantelte Apsis hat möglicherweise schon der dem Imad-Bau vorhergegangene Westbau gehabt. Das vermutet wenigstens LEHMANN, a. a. O., S. 117.

## Gestalt der Türme

157 REINHARDT-FELS erwähnen das in *Bull. Mon.* 1937, p. 457, mit Berufung auf DOM BROUILLARD, *Histoire de l'abbaye royale de Saint-Germain-des-Prés*, Paris 1724, p. 162.

158 ANDRÉ DE FLEURY, ›Vita Gauzlini‹, éd. Léopold Delisle, in: *Mémoires de la Soc. archéol. de l'Orléanais*, t. II, 1853, p. 257–322. – Die betreffende Textstelle in Vita Gauzlini, III, 35, p. 295: »Porro Gauzlinus abbas . . . turrim ex quadris lapidibus construere statuit ad occidentalem plagam ipsius monasterii, quos navigio devehi fecerat ex Nivernensi territorio. Hunc etiam benignissimum cum princeps artificium quoddam opus juberet aggrediendum: Tale, inquit, quod omni Galliae sit exemplum.« – Zur Diskussion um die Datierung des Westturms von Saint-Benoît-sur-Loire: FRÉDÉRIC LESUEUR, *La date du porche de Saint-Benoît-sur-Loire*, in: ›Bull. Mon.‹ 127, 1969, S. 119–123. – HANS ECKSTEIN, *Der Turm des Gauzlinus und die Gestalt der Vorhallentürme*, in: ›Architectura‹ 5, 1975, S. 18–40. – ELIANE VERGNOLLE, *À propos des chapiteaux de Saint-Benoît-sur-Loire: quelques problèmes du chapiteau corinthien au XI$^e$ siècle*, in: ›Les cahiers de Saint-Michel de Cuxa‹ 6, 1975, S. 193–202. – PETER K. KLEIN, in: *Kunstchronik* 36, 1983, S. 25 f.

159 MARCEL AUBERT in: *Congrès d'Orléans 1930*, p. 574 ff., 591–610. – Zur Datierung: p. 607 f.

160 *Congrès de Moulin et Nevers en 1913*, p. 100–122.

161 Zum Sankt Galler Grundriß: HANS REINHARDT in: *Bull. Mon.* 1937, p. 277, vgl. Anm. 126.

162 Vgl. ÉMILE MÂLE, *L'art religieux du XIII siècle*, 7$^e$ éd., Paris 1931, p. 397, und zu den ikonographischen Programmen in Kreuzgängen: WILHELM MESSERER, *Romanische Plastik in Frankreich*, DuMont Dokumente, Köln 1964, S. 105 ff.

163 Zu Moissac: MARCEL AUBERT in: *Congrès de Toulouse en 1929*, p. 494–525.

164 Zu den Kreuzrippenkonstruktionen: MARCEL AUBERT, ›Les plus anciennes croisées d'ogives . . .‹, in: *Bull. Mon.* 1934, p. 13 ff.

165 Vgl. Seite 92.

166 VALENTIN DE COURCEL, ›L'église de

Lesterps‹, in: *Congrès d' Angoulème en 1912*, II, p. 231–269. – Kurz orientierend: S. VERPAALEN-BESSAGUET, *Lesterps. Chef-d'oeuvre de l'art roman*, 20 Seiten mit Abb., Lyon, ohne Datum (ca. 1971/72), Impr. Lescuyer.

167 Zu Saint-Savin-sur-Gartempe: RENÉ et JACQUES CROZET in: *Bull. Mon.* 1969, p. 267–269. Vgl. auch IVES-JEAN RIOU in: *Bull. de la Soc. des Antiquaires de l' Ouest*, 1972, p. 415–439, und dazu FRANCIS SALET in: *Bull. Mon.* 1973, p. 167 f. – Zu Saint-Genest in Lavardin: *Congrès de Blois en 1925*, p. 327 ff. Zu Saint-Aignan: ebenda, p. 404

168 *Congrès de Blois en 1925*, p. 250–278, und *L'église de la Trinité de Vendôme*, Paris, 1934 (Petites Monographies).

169 RENÉ CROZET, ›Le clocher de Vendôme‹, in: *Bull. Mon.* 1961, p. 139–148.

170 Solche frei stehenden Türme sind in Frankreich zwar selten, zuweilen aber doch errichtet worden. In einem nur lockeren Zusammenhang mit dem Langhauskörper steht auch der an der NW-Ecke der Fassade vorspringende Turm von Beaulieu-les-Loches (Indre-et-Loire): *Congrès de Tours en 1948*, p. 126–142. – Von der Kirche völlig isoliert sind die Türme von Saint-Florent-lès-Saumur (Maine-et-Loire) – vgl. RENÉ CROZET, ›L'ancienne abbaye de Saint-Florent-lès-Saumur‹, in: *Bull. Mon.* 1947, p. 55–69 –, von Ver (Manche) und Mouen (Calvados). Über die kultische Funktion dieser Türme sind wir nicht unterrichtet. PLAT schreibt, der Erdgeschoßraum des Turms von Vendôme habe ehemals eine »selon un usage clunisien« dem Heiligen Michael geweihte Kapelle enthalten, gibt aber keine Quellen an.

171 RENÉ FAGE in: *Congrès de Limoges en 1921*, p. 38 f.

172 RENÉ FAGE, ›Le clocher limousin à l'époque romane‹, in: *Bull. Mon.* 1907, p. 262–286. – J. VALLERY-RADOT, *Églises romanes, filiations et échanges d'influences*, Paris (1931), p. 143–160. – Vgl. ferner E. LEFÈVRE-PONTALIS, ›Les origines des gâbles‹, in: *Bull. Mon.* 1907, p. 104. – Die Zeichnung von Saint-Martial ist publiziert in: *Bull. Mon.* 1924, p. 172–175, abgebildet auch in LASTEYRIE, *L'architecture religieuse*, 2ᵉ éd. 1929, p. 779. – Türme mit Blendgiebeln erscheinen auch auf dem Relief mit Daniel und Habakuk in der Vorhalle von Beaulieu-sur-Dordogne und auf dem Relief mit der Darstellung der Flucht nach Ägypten in der Vorhalle in Moissac.

173 *Congrès de Périgueux en 1927*, p. 338 bis 346.

174 *Dictionnaire* III, p. 294 ff.

175 Der hinter dem Chor als freistehender Baukörper errichtete Glockenturm der Kathedrale von Le Puy mußte wegen Baufälligkeit 1887 abgerissen werden, ist aber originalgetreu wieder aufgebaut worden. Viollet-le Duc, der ihn mehr bizarr als schön fand, hat ihm im Dictionnaire III, p. 301–303 eine Studie gewidmet. – MARCEL DURLIAT, *La cathédrale du Puy*, in: ›Congrès du Velay‹ 1975, p. 55–163.

176 Zum Turm von Chartres: E. LEFÈVRE-PONTALIS in: *Congrès de Chartres en 1900* und in: *Mém. de la Soc. archéol. d'Eure-et-Loir*, XIII, – ferner: MÉTAIS, ›Le clocher vieux de Chartres‹, in: *Archives historiques du diocèse de Chartres*, 1904.

177 RENÉ FAGE in: *Bull. Mon.* 1907, p. 262.

178 PETER MEYER, *Europäische Kunstgeschichte*, Zürich (1947), I, p. 184 f.

179 Beim Turm von Saint-Trophime in Arles ist jedes Geschoß gegen das untere zurückgesetzt, eine Besonderheit, die vielleicht in Zusammenhang steht mit

nachwirkender römischer Tradition (vgl. das Julier-Grabmal in Saint-Rémy). Gegeneinander abgestuft auch die geschichteten, durch breite Gurtgesimse abgetrennten Geschosse am Turm von Saint-Paul-de-Mausole bei Saint-Remy.

180 Eine Ausnahme bilden einige Normannenbauten Süditaliens. Dort gibt es Fassaden mit zwei Türmen (San Nicola in Bari, Monreale, Cefalù). Doch handelt es sich nicht um echte Zweiturm-Fassaden. Die Türme stehen weit auseinander, nicht in der Achse der Seitenschiffe. Die Türme der Kathedrale von Altamura sind erst im 16. Jahrhundert über der West-Fassade errichtet worden.

181 Zur Entwicklung der Zweiturm-Fassade vgl. REINHARDT-FELS in: *Bull. Mon.* 1937, S. 463 ff. EDGAR LEHMANN, *Der frühe deutsche Kirchenbau*, Berlin 1949, S. 85 ff.

182 H. REINHARDT, ›La cathédrale de l' évêque Wernher‹, in: *Bulletin de la société des amis de la cathédrale de Strasbourg*, 1932, S. 39–64. Vgl. ferner REINHARDT, ›Das erste Münster zu Schaffhausen und die Frage der Doppelturmfassade am Oberrhein‹, in: *Anzeiger für Schweiz. Altertumskunde*, 1935, S. 246 s. u. S. 253 f. Für Limburg nimmt eine Zweiturmfassade an: H. KUNZE, ›Die Klosterkirche in Limburg a. d. Hardt und die Frage der Doppelturmfassade am Oberrhein‹, *Oberrheinische Kunst*, 10, 1942, S. 538.

183 REINHARDT-FELS in: *Bull. Mon. 1937*, S. 466 ff.

184 DEHIO-GALL, *Handbuch* II, 1938, S. 317.

## Zur Skulptur am Bau

185 RICHARD HAMANN, *Deutsche und französische Kunst im Mittelalter*. Bd. I: ›Südfranzösische Protorenaissance und ihre Ausbreitung in Deutschland‹, Marburg 1922. – Zum Schottenportal: RICHARD STROBEL, *Das Nordportal der Schottenkirche St. Jakob in Regensburg*, in: ›Zeitschrift des dt. Vereins für Kunstwissenschaft‹ 18, 1964, S. 1–24.

186 HANS KARLINGER, *Die romanische Steinplastik in Altbayern und Salzburg*, Augsburg 1924, S. 22. – Säulen-, Arkaden-, Nischensarkophage, wie immer man sie nennen mag, sind in frühchristlicher Zeit in der Provence nicht selten. Man findet einige im Musée d'art chrétien in Arles. Zu verweisen wäre auch auf den aus dem 4. Jahrhundert stammenden sog. Magdalenen-Sarkophag in der Krypta der Abteikirche in Saint-Maximin-la-Sainte-Baume (Var).

187 Flach reliefierte Tympana mit dem Lamm, Tieren und Rankenwerk gibt es gelegentlich auch in der west- und ostromanischen Architektur, z. B. in Girolles (Loiret), Rheinau (Schweiz), Murbach (Elsaß).

188 In der Deutung der Figuren des Tympanons schließe ich mich der von MAURICE MOULLET an (*Die Galluspforte des Basler Münsters*, Basel und Leipzig 1938, S. 58 f.).

189 Es ist übrigens ein bemerkenswerter Unterschied zu den unmittelbar von römischer Plastik beeinflußten romanischen Skulpturen festzustellen. Es sind auch da öfter animalische und menschliche Figuren mit Rankenwerk verschlungen. Aber diese Figuren sind nicht so stark ornamental verformt. So bewahren die Trägerfiguren wie die unter dem Radfenster an der Fassade des Doms von Spoleto [175], die den Pilastern des Portalgewändes des Domes von Lodi vorgestellten Skulpturen des Adam und der Eva ebenso wie die Gestalten in den Nischen der Portale von

Arles und Saint-Gilles ein antikisches menschliches Maß.

190 Zu den Problemen einer Formanalyse der romanischen Bauplastik und zur Theorie von Focillon vgl. HENRI FOCILLON, *L'art des sculpteurs romans. Recherches sur l'histoire des formes.* Paris 1931; auch die anderen Arbeiten von Focillon: *L'art d'Occident,* Paris 1938, – *Vie des formes,* Édition nouvelle, Paris 1939 (in deutscher Übersetzung *Das Leben der Formen,* Sammlung DALP, München 1954). Ferner: JURGIS BALTRUSAITIS, *La stylistique ornamentale dans la sculpture romane,* Paris 1931. – JOSEPH GANTNER, *Romanische Plastik. Inhalt und Form in der Kunst des 11. und 12. Jahrhunderts,* Wien 1941. – WILHELM MESSERER, *Romanische Plastik in Frankreich,* DuMont Dokumente, Köln 1964 (dort weitere Literaturangaben).

191 ERWIN PANOFSKY, *Die deutsche Plastik des elften bis dreizehnten Jahrhunderts,* München 1924, S. 25.

192 *Miracula Sancte Fidis, Edition* A. BOUILLET, Paris 1897, S. 46–49. Übersetzung in MESSERER, a. a. O., S. 145 f.

193 Vorzeichnungen für romanische Wandgemälde konnte K. M. SWOBODA nachweisen, in: *Alte und neue Kunst* II, 1953, S. 81 ff. Vgl. ferner FOCILLON, *L' art des sculpteurs,* p. 219 ss.

## Gesamtdarstellungen zur romanischen Architektur

A. CHOICY, *Histoire de l'Architecture,* 2 Bde., Neudruck Paris 1964.

KENNETH JOHN CONANT, *Carolingian and Romanesque Architecture 800–1200* (Pelican History of Art), Harmondsworth 1959.

MARCEL DURLIAT, *L'art roman* (L'art et les grandes civilisations), Paris 1982.

LOUIS GRODECKI, FLORENTINE MÜTHERICH und JEAN TARALON, *Die Zeiten der Ottonen und Salier* (Universum der Kunst), München 1973.

DENISE JALABERT, *Clochers de France,* Paris 1968.

HANS ERICH KUBACH, *Architektur der Romanik* (Weltgeschichte der Architektur, hg. v. Luigi Nervi), Stuttgart 1974.

HANS ERICH KUBACH und ALBERT VERBEEK, *Romanische Baukunst an Rhein und Maas. Katalog der vorromanischen und romanischen Denkmäler,* 3 Bde., Berlin 1976.

ANTON LEGNER, *Deutsche Kunst der Romanik,* München 1982.

## Speziell zur Skulptur

Zur französischen und spanischen Skulptur bietet die nach Provinzen angelegte Buchreihe ›Zodiaque‹, hg. v. d. Abtei La-Pierre-qui-vire, reiches Anschauungsmaterial. Eine italienische Serie (in Zusammenarbeit mit Jaca Books, Mailand) ist im Aufbau (bisher 5 Bände).

RAINER BUDDE, *Deutsche romanische Skulptur,* München 1979.

M. F. HEARN, *Romanesque Sculpture. The Revival of Monumental Stone Sculpture in the Eleventh and Twelfth Centuries,* New York 1981.

GEORGE ZARNECKI, *Studies in Romanesque Sculpture,* London 1979.

(Die den Anmerkungen hinzugefügten Hinweise auf die nach 1977 erschienene Fachliteratur hat Dr. Peter Diemer, Redakteur der vom Zentralinstitut für Kunstgeschichte herausgegebenen ›Kunstchronik‹ übernommen. Der Autor dankt ihm für diese wertvolle Hilfe sehr herzlich.)

# Register

## Personen

Abadie, Paul   85, 86, 88, 89
Adelberon, Erzbischof   120
Adso, Abt   49
Agrippa   88
Albertini   287
Alcuin   12
Altfried, Bischof   118, 120
Andreas von Fleury, Abt   296
Anfray, Marcel   285, 288
Angilbert, Abt   12, 116
Ansquitilus, Abt   25
Anthemios von Tralleis   92
Aphrodisius, Bischof von Béziers   108
Apollo   151
Ardain, Abt   258
Athena   151
Aubert, Marcel   20, 22, 279, 280, 281, 288, 289, 290, 292, 296
Auriol, A.   280
Aymar, Abt   292
Azzone dei Porcari, Abt   293

Baltrusaitis, Jurgis   299
Banchereau, J.   293
Bartholomäus, Hl.   263
Beatus   152
Bédier   286
Benignus, Hl.   84, 268
Berengerius   49
Bernard, Honoré   294
Bernerius   155
Bernhard von Angers   155
Bernhard von Clairvaux   107, 155, 261
Bernhard von Hildesheim, Bischof   59, 286

Bernier, Abt   258
Bernward, Bischof von Hildesheim   23, 119, 285, 286
Beseler, H.   295
Besnard, Charles-Henri   285, 291
Besse, D.   280
Bezold. G. von   290
Bilson, John   288
Binding, Günther   279, 294
Bonifatius   63, 96
Born, Ernest   287
Bouillet, A.   299
Brackmann, A.   292
Bramante (Donato d'Angelo)   88, 89
Bréhier, L.   286, 287
Briggs, M. S.   280
Broadley, H. T.   295
Brouillard, Dom   296
Broverus, Christophorus   23
Bruno, Erzbischof von Köln, Herzog von Lothringen   124
Brutails, L.   290
Budde, R.   299
Burckhardt, Jacob   150
Burmeister, Werner   295, 296
Buschow, H.   293

Calais, Mönch   288
Calixtus II., Papst   259, 267
Capet, Hugo, König   14, 126
Carcopino, Jérome   287
Caumont, Arcisse de   11
Chappuis, René   290
Choisy, Auguste   74, 75, 282, 288, 290, 291, 299
Clapham, A. W.   289
Clausen, Hilde   293

300

## Orte

# Weitere Bücher zum Thema Architektur in unserem Verlag

Ingeborg Tetzlaff
## Romanische Kapitelle in Frankreich
Löwe und Schlange, Sirene und Engel
144 Seiten mit 100 einfarbigen Abbildungen (DuMont Taschenbücher, Band 38)

Ingeborg Tetzlaff
## Romanische Portale in Frankreich
Waage und Schwert, Schlüssel und Schrift
139 Seiten mit 104 einfarbigen Abbildungen (DuMont Taschenbücher, Band 56)

Werner Schäfke
## Kölns romanische Kirchen
Architektur, Ausstattung, Geschichte
296 Seiten mit 33 farbigen und 74 einfarbigen Abbildungen und 90 Zeichnungen und Plänen, Register
(DuMont Kunst-Reiseführer)

Wolfgang Braunfels
## Abendländische Klosterbaukunst
Herausgegeben von Ernesto Grassi und Walter Heß. Mit lat./dt. Textdokumenten. 335 Seiten mit 63
einfarbigen Abbildungen, 56 Zeichnungen, 1 Karte, Bibliographie, Orts-, Sach- und Personenregister
(DuMont Dokumente)

Wolfgang Braunfels
## Abendländische Stadtbaukunst
Herrschaftsform und Baugestalt
359 Seiten mit 190 Stadtansichten und Stadtplänen, Anmerkungen und Register (DuMont Dokumente)

Fritz Baumgart
## Stilgeschichte der Architektur
299 Seiten mit 311 Abbildungen und 191 Zeichnungen und Grundrissen, Namen- und Ortsverzeichnis
(DuMont Dokumente)

Paul von Naredi-Rainer
## Architektur und Harmonie
Zahl, Maß und Proportion in der abendländischen Baukunst
303 Seiten mit 139 einfarbigen Abbildungen und Zeichnungen, Bibliographie, Personen- und Sachregister (DuMont Dokumente)

# DuMont Dokumente: Gesamtübersicht

# DuMont Dokumente: Gesamtübersicht

# DuMont Dokumente: Gesamtübersicht